Pelando la cebolla

ALFAGUARA

Günter Grass

Pelando la cebolla

Traducción de Miguel Sáenz
(con la colaboración de Grita Loebsack)

ALFAGUARA

Título original: Beim Häuten der Zwiebel
© Steidl Verlag, Göttingen, 2006
© De la traducción: Miguel Sáenz
© Santillana Ediciones Generales, S. L., 2007
© De esta edición:
    Aguilar, Altea, Taurus, Alfaguara, S.A. de Ediciones, 2007
    Av. Leandro N. Alem 720, (1001) Ciudad de Buenos Aires
    www.alfaguara.com.ar

ISBN 978-987-04-0740-9

Hecho el depósito que indica la ley 11.723
Impreso en Uruguay. *Printed in Uruguay*
Primera edición: julio de 2007

Diseño: Proyecto de Enric Satué
© Cubierta: Günter Grass

Grass, Gunther
    Pelando la cebolla - 1ª ed. - Buenos Aires : Aguilar, Altea, Taurus, Alfaguara, 2007.
    456 p. ; 24x15 cm.

    Traducido por: Miguel Sáenz
    ISBN 978-987-04-0740-9

    1. Autobiografía. I. Miguel Sáenz, trad. II. Título
    CDD 920

A todos aquellos de los que he aprendido

Las pieles bajo la piel

Lo mismo hoy que hace tiempo, sigue existiendo la tentación de disfrazarse de tercera persona: cuando él tenía unos doce años, pero seguía sentándose con mucho gusto en el regazo de su madre, hubo algo que comenzó y terminó. Sin embargo, ¿puede fecharse con tanta precisión aquello que empezó y acabó? En lo que a mí se refiere, sí.

Mi infancia terminó en un espacio angosto, cuando, donde me criaba, la guerra estalló simultáneamente en varios sitios. Comenzó, inconfundible, con las andanadas de un navío de línea y los vuelos de aproximación de bombarderos en picado sobre el suburbio portuario de Neufahrwasser, frente al cual estaba la Westerplatte, base militar polaca, y, más lejos, con los certeros disparos de dos carros blindados en la lucha por el Correo Polaco en la parte antigua de Danzig, y fue anunciada muy de cerca por nuestra radio, una Volksempfänger que tenía su acomodo en el cuarto de estar, sobre el aparador: con palabras férreas se proclamó el fin de mis años infantiles en la planta baja alquilada de un edificio de tres pisos del Labesweg de Langfuhr.

Hasta la hora quería ser inolvidable. A partir de entonces no sólo hubo tráfico civil en el aeródromo del Estado Libre, situado cerca de la fábrica de chocolate Baltic. Por los tragaluces del edificio se veía ascender un humo negruzco sobre el puerto franco, un humo que se renovaba con los continuos ataques y el suave viento del noroeste.

Sin embargo, en cuanto quiero acordarme de los lejanos cañonazos del *Schleswig-Holstein,* que en realidad había acabado su vida militar, como veterano de la batalla de Skagerrak, y sólo servía ya de buque escuela para los guardiamarinas, así como del estruendo escalonado de los aviones, los Stuka, que, a gran altura sobre el campo de batalla, se ladeaban y, picando, alcanzaban su objetivo con bombas que por fin soltaban, se redondea la pregunta: ¿por qué recordar la infancia y su final tan inamoviblemente fechado, cuando todo lo que me ocurrió, a partir de los dientes de leche y después de los definitivos, hace tiempo ya que, incluidos los comienzos escolares, las canicas y las rodillas con costras, los primeros secretos de confesión y las posteriores cuitas de fe, se ha convertido en notas garabateadas y desde entonces atribuidas a un personaje que, apenas llevado al papel, no quiso crecer, rompió, cantando, vidrio en todas sus formas, tenía a mano dos palillos de madera y, gracias a su tambor de hojalata, se hizo un nombre que, en adelante citable, viviría entre tapas de libro y pretende ser inmortal en nosécuántos idiomas?

Porque hay que posdatar esto, y aquello también. Porque, de forma descaradamente llamativa, podría faltar algo. Porque alguien, en algún momento, se cayó del guindo: mis agujeros sólo después tapados, mi crecimiento irrefrenable, mi manipulación verbal de objetos perdidos. Y hay que mencionar también otra razón: quiero tener la última palabra.

Al recuerdo le gusta jugar al escondite como los niños. Se oculta. Tiende a adornar y embellecer, a menudo sin necesidad. Contradice a la memoria, que se muestra demasiado meticulosa y, pendencieramente, quiere tener razón.

Cuando se lo atosiga con preguntas, el recuerdo se asemeja a una cebolla que quisiera ser pelada para dejar al descubierto lo que, letra por letra, puede leerse en ella: rara vez sin ambivalencia, frecuentemente en escritura invertida o de otro modo embrollada.

Bajo la primera piel, todavía secamente crepitante, se encuentra la siguiente que, apenas separada, libera húmeda una tercera, bajo la que aguardan y susurran la cuarta y quinta. Y todas las siguientes exudan palabras demasiado tiempo evitadas, y también arabescos, como si algún traficante de secretos, desde joven, cuando la cebolla todavía germinaba, hubiera querido encriptarse.

Ya despierta la ambición: hay que descifrar esos garabatos, romper todos los códigos. Ya se refuta lo que siempre quiere pasar por verdad, porque resulta ser la mentira, o su hermana menor, la trampa, la parte más resistente del recuerdo; escrita, suena verosímil y se jacta de detalles que quieren ser fotográficamente exactos: el techo bituminoso del cobertizo que centelleaba bajo el calor de julio, sobre el patio trasero de nuestra casa de alquiler, olía, cuando no hacía viento, a caramelos de malta...

El cuello lavable del vestido de la maestra de mi escuela, la señorita Spollenhauer, era de celuloide y tan estrecho que le hacía arrugas en la piel...

Los enormes lazos que llevaban las chicas los domingos en el malecón de Zoppot, cuando la banda de la guardia municipal tocaba alegres melodías...

Mi primer boletus comestible...

Cuando, por el calor, cerraban la escuela...

Cuando otra vez se me inflamaron las amígdalas...

Cuando me tragaba las preguntas...

La cebolla tiene muchas pieles. Existe en plural. Apenas pelada, las pieles se renuevan. Cortándola, hace saltar las lágrimas. Sólo al pelarla dice la verdad. Lo que ocurrió antes y después de terminar mi infancia llama ahora a la puerta con hechos y transcurrió peor de lo deseado, quiere ser narrado unas veces así y otras asá, e induce a contar historias embusteras.

Cuando, con buen tiempo estable, de verano tardío, en Danzig y sus alrededores, estalló la guerra, coleccioné —apenas habían capitulado los defensores polacos de la Westerplatte después de siete días de resistencia— en el suburbio portuario de Neufahrwasser, al que se podía llegar en poco tiempo con el tranvía, pasando por Saspe y Brösen, un puñado de esquirlas de bomba y granada, que aquel chico que al parecer era yo, durante un período en cuyo transcurso la guerra pareció consistir sólo en partes de radio, cambió por sellos de correos, cromos de colores de las cajetillas de tabaco o libros manoseados o flamantes, entre ellos los viajes de Sven Hedin por el desierto de Gobi y noséquémás.

Quien no recuerda con exactitud se aproxima a veces, sin embargo, a la verdad un poco más, aunque sea por senderos torcidos.

Casi siempre son objetos contra los que mi recuerdo roza y que excorian mis rodillas o me dejan un regusto de asco: la estufa de cerámica... Las barras de sacudir alfombras del patio trasero... El retrete en la planta intermedia... La maleta en el desván... Un trozo de ámbar del tamaño de un huevo de paloma...

A quien recuerda, palpable, el pasador de pelo de la madre, o el pañuelo con cuatro nudos del padre bajo el calor del verano, o el especial valor de intercambio de diversas esquirlas de granada o de bomba diversamente dentadas se le ocurren historias —aunque sean como excusa entretenida— en las que pasan cosas que son más verdaderas que la vida.

Cambiaba los cromos que, de niño y luego de joven, coleccionaba sin cansarme por vales de cajetillas de tabaco de las que mi madre, después de cerrar la tienda, sacaba a golpecitos sus cigarrillos. «Pitillitos» llamaba ella a esos participantes en su moderado vicio, al que rendía tributo todas las noches ante un vasito de Cointreau.

Los cromos que yo codiciaba reproducían en colores las obras maestras de la pintura europea. De esa forma aprendí pronto a pronunciar mal los nombres de Giorgione, Mantegna, Botticelli, Ghirlandaio y Caravaggio. La carne desnuda de la espalda de una mujer echada, ante la que un chico alado sostiene un espejo, estuvo emparejada desde mi infancia con el nombre de Velázquez. De los *Ángeles cantores* de Jan van Eyck se me quedó grabado sobre todo el perfil del ángel más lejano; me hubiera gustado tener el cabello rizado como él o como Alberto Durero. Al autorretrato de éste, que cuelga en el Prado de Madrid, se le podría preguntar: ¿por qué se pintó el Maestro con guantes? ¿Por qué tienen su extraño gorro y su amplia manga derecha unas rayas tan llamativas? ¿Qué lo hace estar tan seguro de sí mismo? ¿Y por qué aparece escrita su edad —sólo veintiséis años— bajo el pintado alféizar?

Hoy sé que había un servicio en Hamburgo-Bahrenfeld que facilitaba esas bellísimas reproducciones a cambio de vales y también —si se le encargaban— unos álbumes rectangulares. Desde que, gracias a mi galerista de Lübeck, que tiene en la Königstraße una librería de viejo, dispongo otra vez de los tres álbumes, sé con seguridad que la edición del volumen del Renacimiento, aparecida en el treinta y ocho, tuvo una tirada de cuatrocientos cincuenta mil ejemplares.

Mientras paso página tras página, me veo pegando los cromos en la mesa del cuarto de estar. Esta vez son del Gótico tardío, entre ellos *Las tentaciones de San Antonio* de Hieronymus Bosch, *El Bosco:* en medio de animales humanizados. Se convierte casi en un acto solemne, en cuanto brota el pegamento del amarillo tubo de Uhu.

En aquella época, muchos coleccionistas, desesperadamente obsesionados por el arte, pueden haber fumado con desmesura. Yo, sin embargo, me convertí en beneficiario de todos aquellos fumadores para los que los vales no valían nada. Cada vez tenía más cromos reunidos, intercambiados y pegados, que manejaba infantil y, luego, comprensivamente: así, la espigada Virgen de Parmigianino, cuya cabeza, que brotaba de un largo cuello, sobrepasaba la columna que se destacaba al fondo contra el cielo, permitió al chico de doce años frotarse con cariño, como ángel, contra su rodilla derecha.

Yo vivía en imágenes. Y como el hijo insistía tanto en todo lo completo, la madre contribuía no sólo con el producto de su consumo más bien reducido —fumaba devotamente cigarrillos Orient de boquilla dorada—, sino también con los vales que este o aquel cliente que sentía simpatía por ella y a quien el arte importaba un rábano le dejaba sobre el mostrador. A veces, el padre, cuando, comerciante en ultramarinos como entonces se decía, salía en viaje de negocios, traía al hijo los codiciados vales. También los oficiales de mi abuelo, maestro ebanista, fumaban con diligencia para mí. Los álbumes llenos de espacios vacíos entre textos eruditamente explicativos fueron quizá regalos de Navidad o de cumpleaños.

En definitiva, fueron tres álbumes los que yo cuidaba como un tesoro: el azul, en el que pegaba la pintura del Gótico y el Renacimiento temprano; el rojo, que presentaba a mis ojos la pintura del Renacimiento; y el amarillo dorado, que reunía, incompletas, las imágenes del Barroco. Para mi pesar, no había nada pegado donde Rubens y Van Dyck reclamaban su puesto. Me faltaban suministros. Después de comenzar la guerra disminuyó la lluvia de vales. Los fumadores civiles se convirtieron en soldados que, muy lejos de casa, daban chupadas a sus Juno o sus R6. Uno de mis proveedores más fiables, cochero de la fábrica de cerveza Aktien-Bierbrauerei, cayó luchando por la fortaleza de Modlin.

También circulaban otras series: animales, flores, brillantes imágenes de la historia alemana y los rostros maquillados de actores de cine famosos.

Además, desde el comienzo de la guerra se daban a cada familia cupones de racionamiento; y el consumo de tabaco se racionaba con cupones especiales. Sin embargo, como ya antes de la contienda había atesorado mi formación en historia del arte con ayuda de la marca de cigarrillos Reemtsma, la escasez impuesta no me afectó demasiado. Algunos huecos pudieron llenarse posteriormente. Así, conseguí cambiar la *Virgen de Dresde* de Rafael, que tenía duplicada, por el *Amor* de Caravaggio; trato que sólo a posteriori resultó ventajoso.

Ya a los diez años podía distinguir a primera vista a Hans Baldung, llamado Grien, de Matthias Grünewald; a Frans Hals de Rembrandt, y a Filippo Lippi de Cimabue.

¿Quién pintó la *Virgen del rosal*? ¿Y quién la del paño azul, la manzana y el niño?

Preguntado, cuando se lo pedía, por la madre, que tapaba con dos dedos el título del cuadro y el nombre del artista, las respuestas del hijo eran certeras.

En ese juego de adivinanzas casero, pero también en el colegio, obtenía en arte la nota máxima, pero en cambio, a partir del primer curso de secundaria, flaqueaba sin remedio en cuanto se trataba de matemáticas, química o física. Rápido en el cálculo mental, mis ecuaciones con dos incógnitas rara vez cuadraban sobre el papel. Hasta el segundo curso de la secundaria me apoyaron mis buenas notas en alemán, inglés, historia y geografía. Es cierto que, repetidas veces, ayudaron al escolar sus elogiados dibujos y acuarelas puramente imaginados o del natural, pero, cuando, en el tercer curso de secundaria, me suspendieron en latín, hube de repetir y, durante un año, tuve que rumiarlo todo otra vez con los demás repetidores. Eso preocupó más a mis padres que a mí, porque desde el principio se me abrieron escapatorias hacia lo desconocido.

Hoy, sólo a medias se puede consolar a los nietos con la confesión del abuelo de que fue un alumno en parte vago y en parte ambicioso, pero en definitiva mal alumno, cuando sufren por notas miserables o profesores desesperados y torpes. Gimen como si tuvieran que arrastrar piedras pedagógicamente ponderadas, como si su época escolar transcurriera en una colonia penitenciaria, como si la coacción didáctica incordiara hasta su más agradable dormitar; sin embargo, los miedos del recreo en el patio nunca han podido gravitar como pesadillas sobre mi sueño.

Cuando era niño y no llevaba aún la gorra roja de estudiante de enseñanza media, ni coleccionaba cromitos de cigarrillos, hacía con gotas de arena mojada, en cuanto el verano prometía ser otra vez interminable, en alguna de las playas de la bahía de Danzig, diversas torres y altos muros que convertía en un castillo habitado por personajes fantásticos. Una y otra vez, el mar socavaba mi edificio de arena goteada. Lo que se alzaba en montón se derrumbaba en silencio. Y de nuevo corría entre mis dedos la arena mojada.

«Castillo de arena mojada» se llama un largo poema que escribí a mediados de los sesenta, es decir, en una época en que el cuadragenario padre de tres hijos y una hija parecía estar ya burguesamente consolidado; como el héroe de su primera novela, su autor se había hecho un nombre, encerrando su doble identidad en libros y llevándola, así domeñada, al mercado.

El poema trata de mis orígenes y del ruido del Mar Báltico: «Nacido en el castillo de arena, al oeste de», y formula preguntas: «¿Nacido cuándo dónde y por qué?». Una letanía de frases a medias que conjura la pérdida y la memoria como oficina de objetos perdidos: «Las gaviotas no son gaviotas, sino».

Al final del poema, que jalona mi entorno con el Espíritu Santo y el retrato de Hitler y, con esquirlas de bomba y fuego de la desembocadura, recuerda el comienzo de la guerra, quedaban cubiertos de arena los años de mi niñez. Sólo el Mar Báltico sigue diciendo, en alemán, en polaco: «Blubb, pifff, pshsh...».

La guerra contaba pocos días cuando un primo de mi madre, el tío Franz, que, como cartero, se encontraba entre los defensores del Correo Polaco en la Heveliusplatz, fue fusilado como casi todos los supervivientes, poco después de terminar el breve combate, por aplicación de la ley marcial alemana. El juez militar que fundamentó, pronunció y firmó la pena de muerte pudo impunemente, mucho después de acabar la guerra, juzgar y dictar sentencias en Schleswig-Holstein. Era algo muy corriente en la interminable época del canciller Adenauer.

Más tarde, adapté la lucha por el Correo Polaco, con personajes distintos, a una forma narrativa, haciendo, con profusión de palabras, que un castillo de naipes se derrumbara; a mi familia, sin embargo, le faltaron palabras, porque no se volvió a hablar de aquel tío súbitamente ausente y que, por encima de cualquier política o a pesar de ella, había sido querido y venía a menudo con sus hijos Irmgard, Gregor, Magda y el pequeño Kasimir para hacernos una visita dominical a la hora de merendar, o para jugar al *skat* con los padres. Su nombre quedó en blanco, como si no hubiera existido nunca, como si todo lo que se refería a él y a su familia fuera imposible de nombrar.

La parte cachuba de la familia por parte de madre y su farfulla doméstica parecían haber sido tragadas por alguien (¿por quién?).

Tampoco yo, aunque con el comienzo de la guerra se terminó mi infancia, hacía preguntas reiterativas.

¿O no me atreví a hacer preguntas por haber dejado de ser niño?

¿Es que, como en los cuentos de hadas, son los niños los únicos que hacen las preguntas correctas?

¿Es posible que el miedo de hacer alguna pregunta que lo pusiera todo patas arriba me volviera mudo?

Ésa es la ignominia, que se las da de insignificante, que se encuentra en la sexta o séptima piel de esa cebolla ordinaria, siempre al alcance de la mano, que refresca la memoria. Por eso escribo sobre la ignominia y la vergüenza que la sigue. Palabras que rara vez se usan, insertas en el proceso de recuperación, mientras mi mirada, más indulgente a veces y otras más severa, sigue fija en un chico que lleva pantalones hasta la rodilla y que husmea todo lo que se mantiene oculto pero, sin embargo, no preguntó «por qué».

Y mientras continúo preguntando insistentemente a aquel chico de doce años, con lo que sin duda le pido demasiado, pondero, en un presente que desaparece cada vez más aprisa, cada escalón, respiro ruidosamente, me escucho toser y vivo tan tranquilo hacia la muerte.

Mi tío fusilado, Franz Krause, dejó mujer y cuatro hijos que eran algo mayores, de la misma edad, o dos o tres años menores que yo. Ya no me dejaban jugar con ellos. Tuvieron que abandonar su vivienda oficial del barrio viejo en el Brabank e irse al campo, en donde la madre tenía, entre Zuckau y Ramkau, una casita de siervo de la gleba y un terreno. Allí, en la ondulada Cachubia, siguen todavía hoy los hijos del cartero, afligidos por los achaques propios de su edad. Sus recuerdos son muy distintos. Ellos echaban en falta a su padre, mientras que yo tenía al mío demasiado encima en la estrecha vivienda.

El empleado del Correo Polaco era un hombre de familia temeroso y preocupado, que no estaba hecho para morir como héroe, y cuyo nombre puede leerse hoy, Franciszek Krauze, en una placa de bronce, y así debe quedar inmortalizado.

Cuando, en marzo del cincuenta y ocho, tras algunos esfuerzos, me expidieron un visado para Polonia y viajé desde París, pasando por Varsovia, para buscar en la ciudad de Gdańsk, que surgía de los escombros, las huellas de la antigua ciudad de Danzig, después de haber encontrado y escuchado suficiente material narrativo tras fachadas en ruinas que quedaban en pie y a lo largo de la playa de Brösen, y más tarde en la mesa de lectura de la biblioteca municipal, así como en el entorno de la aún intacta escuela Pestalozzi y por último en las cocinas cuarto de estar de dos empleados de correos supervivientes, fui al campo a visitar a los parientes que sobrevivieron. Allí, a la puerta de una choza de aldeano, fui saludado por mi tía abuela Anna, madre del cartero fusilado, con una frase imbatible: «Vaya, Günterito, qué grande te has hecho».

Antes había tenido que calmar su desconfianza y, como me lo exigió, mostrarle mi pasaporte, tan extrañamente extranjeros nos encontramos. Sin embargo, luego me llevó a su patatal, hoy cubierto por las pistas de despegue y aterrizaje del aeropuerto de Gdańsk.

En el verano del año siguiente, cuando la guerra había degenerado ya en guerra mundial, por lo que los alumnos de secundaria, durante las vacaciones en la playa del Báltico, no sólo machacábamos acontecimientos locales de mínima importancia, sino que fanfarroneábamos también por encima de fronteras, nos interesaba sobre todo y únicamente la ocupación de Noruega por nuestra Wehrmacht, aunque, hasta bien entrado junio, los partes habían celebrado el desarrollo de la sucesiva campaña en Francia como guerra relámpago para lograr la capitulación del enemigo ancestral: Roterdam, Amberes, Dunkerque, París, la costa atlántica... Así transcurrían nuestras clases de geografía, ampliadas por la ocupación de territorios: golpe a golpe, victoria tras victoria.

Sin embargo, en lo sucesivo, lo mismo antes que después del baño, sólo los «héroes de Narvik» fueron admirables para nosotros. Nos echábamos en la arena y tomábamos el sol en el baño familiar, pero hubiéramos deseado muchísimo combatir, «allá en el norte», en el disputado fiordo. Allí hubiéramos querido cubrirnos de gloria, hartos como estábamos de vacaciones y de oler a crema Nivea.

En el curso de la constante adoración de los héroes, hablábamos de nuestra marina de guerra y de la derrota de los ingleses, y también de nosotros, de los que algunos, yo también, confiábamos en entrar en la Marina en un plazo de tres o cuatro años, a ser posible como submarinistas, con tal de que la guerra durase. Competíamos en bañador en la enumeración de hazañas bélicas, comenzando por los éxitos del U9 de Weddigen en la Primera Guerra Mundial y pasando por el capitán de corbeta Prien, que hundió el *Royal Oak,* para volver pronto a adornarnos con la victoria «duramente lograda» de Narvik.

Entonces uno de los chicos, que se llamaba Wolfgang Heinrichs, y cantaba con gusto y aplaudido por nosotros baladas y, si se le pedía, hasta arias de ópera, pero tenía la mano izquierda tullida, de forma que, como «inútil para la Marina», podía contar con nuestra compasión, dijo de pronto, de forma imposible de no oír: «¡Estáis todos locos!».

Luego, mi amigo del colegio —porque lo era— enumeró, con ayuda de los dedos de su mano sana, todos los destructores nuestros que, en la lucha por Narvik, habían sido hundidos o resultado gravemente dañados. Casi como un experto, entró en pormenores y dijo que uno de los barcos de mil ochocientas toneladas —dio el nombre— había tenido que ser varado. Los dedos de la mano no le bastaban.

Estaba familiarizado con cada detalle, incluso el armamento y la velocidad en nudos del acorazado inglés *Warspite;* lo mismo que también nosotros, como niños de una ciudad portuaria, podíamos recitar todas las características de los buques de guerra nuestros y de los enemigos: tonelaje, dotación, número y calibre de los cañones, número de tubos lanzatorpedos, año de botadura. Sin embargo, nos asombramos de sus conocimientos de lo ocurrido en la batalla de Narvik, muy superiores a lo que se nos había quedado de las noticias de la Wehrmacht que la radio difundía a diario.

—No tenéis ni idea de lo que ha pasado realmente allí, en el norte. ¡Grandes pérdidas! ¡Pérdidas requetegrandes!

A pesar de la estupefacción, lo aceptamos, porque no hicimos, no hice, preguntas sobre cómo él, Wolfgang Heinrichs, tenía aquellos conocimientos fabulosos.

Cincuenta años más tarde, cuando lo que se ha afirmado actual e insuficientemente como «unidad alemana» comenzó a dejar huella, visitamos Hiddensee, la isla natal y sin coches de mi Ute. Situada ante la costa del Este anexionado, se extiende con suavidad entre el mar y la laguna, y no peligra tanto por las mareas tormentosas como por un turismo cada vez más omnipresente.

Tras mucho caminar por senderos de las landas, visitamos en Neuendorf a Martin Gruhn, un amigo de juventud de mi mujer que, tras su huida de la República Democrática Alemana en un bote de remos hacia Suecia, y su regreso, decidido años más tarde, al Estado de Obreros y Campesinos, se había retirado allí. No se sospechaban sus aventuras: tan casero, tan sedentario parecía.

Ante café y pasteles, hablamos de esto y de aquello: su carrera como ejecutivo en el Oeste, sus muchos viajes por cuenta de la Krupp a la India, Australia y a no sé dónde más. Habló de su intento fracasado de introducirse en el comercio entre el Este y el Oeste mediante empresas conjuntas, y del último placer que le había quedado de pescar con nasa en aguas nacionales.

Entonces, el evidentemente satisfecho regresado habló de pronto de un amigo: vivía en Vitte —uno de los tres pueblos de la isla— y afirmaba «de forma categórica» haber compartido conmigo colegio en Danzig. Se llamaba Heinrichs, sí, y Wolfgang de nombre de pila.

Cuando le hice más preguntas, me confirmó su mano deforme y también que cantaba bien: «Sigue haciéndolo, pero ya raras veces».

Luego Ute y él hablaron sólo de historias locales de la isla, en las que vivos y muertos conversaban sin parar en bajo alemán. Martin Gruhn, que, como había deseado de joven, había corrido mundo, nos mostró con algo de orgullo máscaras, alfombras multicolores y fetiches tallados en las paredes. Nos tomamos el último aguardiente.

Después de volver por las landas, Ute y yo buscamos en Vitte, tras las dunas, la casa donde vivía Heinrichs con su mujer. Abrió un hombre alto y voluminoso, de respiración difícil, para mí conocido sólo por su mano deforme. Tras una breve vacilación, los amigos del colegio se abrazaron, conmoviéndose un tanto.

Luego nos sentamos en la veranda, nos mostramos deliberadamente alegres y comimos después pescado en uno de los mesones: unas platijas crujientes. Cantar como antes, por ejemplo *El rey de los alisos,* no quiso. Sin embargo, no pasó mucho tiempo antes de que llegáramos a aquellas conversaciones de playa del verano del cuarenta, que habían permanecido dignas de suscitar preguntas durante decenios.

Yo quise saber con retraso:

—¿Por qué sabías tú más que nosotros, que, como dijiste, no teníamos la menor idea? ¿Cómo supiste el número exacto de los destructores hundidos y gravemente dañados en Narvik? ¿Y todas las demás cosas que sabías? ¿Por ejemplo, que una anticuada batería de costa de los noruegos había hundido en el fiordo de Oslo el crucero pesado *Blücher,* con unos cuantos impactos de lleno y —desde tierra— dos torpedos?

En el rostro impasible de Heinrichs se dibujó, mientras hablaba, una insinuación de sonrisa. Su padre le había pegado cuando, en casa, se había burlado de nuestra estúpida ignorancia. Al fin y al cabo, su fanfarronería hubiera podido tener consecuencias. Delatores había de sobra, también entre los colegiales. Su padre, que escuchaba todas las noches la emisora británica enemiga, se había enterado de cosas que confiaba a su hijo, ordenándole con severidad que guardara silencio.

—¡Es cierto! —dijo él; su padre había sido un auténtico antifascista, no un antifascista autodesignado a posteriori. El hijo lo decía como si debiera menospreciarse en calidad de posteriormente autodesignado.

Y entonces pude escuchar una historia de sufrimiento, que a mí, su amigo del colegio, me había pasado inadvertida, como una queja sofocada, porque no había preguntado, una vez más no había hecho preguntas, ni siquiera cuando Wolfgang Heinrichs desapareció del colegio y, de pronto, no estuvo ya en el venerable Conradinum.

Poco después de las vacaciones de verano o cuando todavía nos caía del pelo la última arena, faltó mi amigo o no faltó, porque nadie estaba dispuesto a refutar el diagnóstico hecho de pasada: «Desaparecido sin dejar rastro», y porque yo me había tragado de nuevo y no habría pronunciado las palabras «por qué».

Sólo ahora lo supe: el padre de Heinrichs, que en la época del Estado Libre había sido miembro del Partido Socialdemócrata Independiente de Alemania y diputado luego en el Senado de la ciudad y allí se había opuesto a Rauschning y Greiser, barones del Partido entonces, a su complicidad y a la posterior alianza gubernamental entre nacionales alemanes y nazis, estaba bajo vigilancia y, a principios del otoño del cuarenta, fue detenido por la Gestapo. Lo llevaron a un campo de concentración que se estableció poco después de la anexión de Danzig al Gran Reich Alemán, cerca del Frische Haff, y que recibió el nombre de un pueblo de pescadores vecino: desde la estación de Werder de la ciudad, con el ferrocarril de vía estrecha, o desde Schiewenhorst, con el transbordador sobre el Vístula, se podía llegar a Stutthof en dos o tres horas.

Poco después de la detención del padre, la madre decidió suicidarse. Tras lo cual Wolfgang y su hermana fueron enviados al campo, a casa de su abuela, lo suficientemente lejos para ser olvidados por sus compañeros de colegio. El padre, sin embargo, después de ser recluido en el campo de concentración, fue destinado a un batallón de castigo que, durante la campaña de Rusia, limpiaba de minas la zona del frente. «Destacamento de ascensión a los cielos» se llamaba aquella unidad de alto número de bajas, que sin embargo le dio la oportunidad de pasarse a los rusos.

Cuando en marzo del cuarenta y cinco el segundo ejército soviético ocupó las ruinas arrasadas por el fuego de Danzig, el padre de mi compañero de colegio volvió con los vencedores. Buscó y encontró a sus hijos, tras lo cual, poco después de acabar la guerra, abandonó Polonia en un transporte seguro, al estar ocupado por antifascistas alemanes, y eligió como futuro lugar de residencia de la familia que le quedaba la ciudad portuaria de Stralsund, en la zona de ocupación soviética.

Lo nombraron presidente del parlamento del Land. Y, como sus convicciones políticas no habían sufrido a pesar de su adoctrinamiento en el campo, fundó enseguida una asociación local socialdemócrata, que consiguió muchos afiliados pero que, tras la unificación forzosa del Partido Comunista y el Socialista en un Partido Unitario Socialista, tropezó con dificultades. Él se resistió a esa igualación impuesta desde arriba. Lo hostigaron y amenazaron con encerrarlo, mencionando el campo de concentración de Buchenwald, otra vez ocupado por reclusos.

Pocos años después murió el padre de Heinrichs, amargado porque sus compañeros lo habían apartado. Su hijo, sin embargo, estudió en Rostock al terminar su época escolar, con su compañero de colegio Martin Gruhn, y se perfiló pronto como especialista en el campo económico. Mientras que Gruhn, tras huir en un bote de remos, continuó primero en Lund y luego con Karl Schiller, en Hamburgo, sus estudios de economía, Heinrichs hizo carrera al servicio del partido autócrata y superó todos los cambios de rumbo, incluido el de Ulbricht a Honecker. Al envejecer recibió incluso honores y se encontró como director del Instituto de Ciencias Económicas en la Academia de las Ciencias, en una posición tan alta que —apenas cayó el Muro y dejó de existir la dictadura del Estado de Obreros y Campesinos— los vencedores germanooccidentales de la Historia estimaron que, inmediatamente, debían «evaluarlo», como entonces se decía, lo que significaba reducirlo a la nada.

Eso les pasó a muchos a los que se atribuyó una falsa biografía; los que tenían la adecuada sabían siempre qué era lo que había que considerar falso.

Cuando visitamos a mi amigo en Vitte, él estaba ya muy enfermo. Su mujer insinuó que había razones para preocuparse, porque su marido se quejaba de dolores en el pecho y falta de aliento. Sin embargo, dijo, él trabajaba esporádicamente en Stralsund como asesor fiscal, enseñando a descubrir lagunas en el sistema.

Wolfgang Heinrichs, fracasado por las circunstancias alemanas, que murió pocos meses después de nuestra visita de embolia pulmonar, ha quedado cautivo como amigo del colegio en el entorno de mis años de juventud —durante una fiesta del bachillerato cantó «El reloj» de Carl Loewe y en cuestiones de marina de guerra sabía más que sus compañeros de colegio—, porque me conformé con no saber nada o con saber sólo cosas falsas; porque, infantilmente, me hice el tonto, acepté mudo su desaparición y, de esa forma, evité una vez más las palabras «por qué» de modo que, al pelar la cebolla, mi silencio me atruena los oídos.

Lo reconozco: es un dolor de intensidad menor. Sin embargo, lamentaciones como: ay, si yo hubiera tenido un padre firme como Wolfgang Heinrichs, y no uno que ya en el treinta y seis, cuando en el Estado Libre de Danzig la coacción era todavía moderada, entró en el Partido, resultan poco convincentes y, en el mejor de los casos, sólo tienen como consecuencia esa carcajada que suelta el burlón que hay en mí en cuanto se oyen subterfugios análogos: si entonces hubiéramos hecho... Si entonces hubiéramos sido...

Yo no he hecho, no he sido. Mi tío había desaparecido, mi compañero de colegio siguió desaparecido. Sin embargo, muy perfilado se encuentra aquel muchacho cuyo rastro debo seguir, allí donde ocurrían cosas monstruosas: un año antes apenas de comenzar la guerra. La violencia, claramente iluminada a la luz del día.

Cuando, poco después de cumplir once años, en Danzig y en otras partes ardieron las sinagogas y los escaparates cayeron hechos añicos, estuve presente, sin hacer nada, es verdad, pero como espectador curioso, cuando en el Michaelisweg, no lejos de mi colegio, el Conradinum, la pequeña sinagoga de Langfuhr fue saqueada, devastada y chamuscada por una horda de hombres de la SA. Sin embargo, el testigo del desarrollo de aquella acción, desmesuradamente ruidosa, que la policía municipal, quizá porque el fuego no encontró yesca, se limitó a observar, como mucho se habrá asombrado.

Más no. Por grande que sea el celo con que hurgo en la fronda de mis recuerdos, no aparece nada que pueda favorecerme. Es evidente que ninguna duda enturbió mis años infantiles. Más bien, fácil de convencer, participaba en todo lo que la vida diaria, que de forma excitadamente excitante se presentaba como «Tiempo Nuevo», tenía que ofrecer.

Que era mucho y atractivo: en la radio y en el cine vencía Max Schmeling. Ante los almacenes Sternfeld se recogía calderilla en huchas para el Socorro de Invierno: «¡Que nadie pase hambre, que nadie pase frío!». Los pilotos de carreras alemanes —Bernd Rosemeyer— eran los más rápidos con sus «Flechas de Plata». Se podían admirar los dirigibles *Graf Zeppelin* y *Hindenburg* cuando, relucientes, se convertían sobre la ciudad en motivo de tarjeta postal. En las actualidades del *Wochenschau,* nuestra Legión Cóndor ayudaba a España, con las armas más modernas, a librarse del Peligro Rojo. En el patio del recreo jugábamos al «Alcázar de Toledo». Y pocos meses antes nos habían entusiasmado los Juegos Olímpicos con su lluvia de medallas. Más tarde, nuestro corredor prodigio se llamó Rudolf Harbig. Y en el *Wochenschau* resplandecía el Reich Alemán a la luz concentrada de los focos.

Todavía durante los últimos años de la época del Estado Libre —yo tenía diez— el muchacho que llevaba mi nombre se hizo realmente voluntario de la Jungvolk, una organización que preparaba para las Juventudes Hitlerianas. Nos llamaban «Pimpfe» (pedorrines) y también «Wölflinge» (cachorros). Como regalo de Navidad me pedí el uniforme, con gorra, pañuelo de cuello, cinturón y correaje.

Es verdad que no puedo recordar haberme sentido especialmente entusiasmado, haberme abierto paso hasta las tribunas como portaestandarte, ni haber aspirado jamás al puesto de jefe de pelotón, lleno de cordones, pero colaboré sin rechistar incluso cuando me aburrían aquellos eternos cánticos y aquel redoblar sordo.

No era sólo el uniforme lo que atraía. La divisa hecha a medida «¡La juventud debe dirigir a la juventud!» concordaba con lo que se ofrecía: acampadas y juegos al aire libre en los bosques playeros, fuegos de campamento entre rocas erráticas convertidas en lugares germánicos de asamblea en las tierras onduladas del sur de la ciudad, celebraciones del solsticio de verano y del alba bajo el cielo estrellado y en claros del bosque abiertos hacia el este.

Cantábamos, como si los cánticos hubieran podido hacer al Reich más y más grande.

Mi abanderado, un chico obrero del asentamiento de Nueva Escocia, era apenas dos años mayor que yo: un tipo estupendo que tenía gracia y sabía andar sobre las manos. Yo lo admiraba, me reía cuando se reía, y le corría detrás obedientemente.

Todo ello me seducía para salir del aire viciado pequeñoburgués de las coacciones familiares, apartarme del padre, del parloteo de los clientes ante el mostrador de la tienda, de la estrechez del piso de dos habitaciones del que sólo me correspondía el nicho plano que había bajo el alféizar de la ventana derecha del cuarto de estar, que debía bastarme.

En sus estantes se amontonaban los libros y mis álbumes para pegar los cromos de los cigarrillos. Allí tenían su lugar la plastilina para mis primeras figuras, el bloc de dibujo Pelikan, la caja de doce colores de aguada, los sellos de correos coleccionados de forma más bien secundaria, un montón de chismes y mis secretos cuadernos de escribir.

En retrospectiva, veo pocos objetos tan claramente como aquel nicho bajo el alféizar que iba a ser durante años mi refugio; a la hermana Waltraut, tres años menor que yo, le correspondía el nicho izquierdo.

Porque puedo decir esto como salvedad: yo no era sólo un «pedorrín» uniformado de la Jungvolk que se esforzaba por llevar el paso mientras cantaba «En alto ondea nuestra bandera», sino también un niño casero que administraba los tesoros de su nicho. Incluso en filas seguía siendo un individualista que, sin embargo, no llamaba especialmente la atención; un simpatizante cuyos pensamientos vagaban siempre por otra parte.

Además, el cambio de la escuela primaria a la secundaria me había convertido en «conradino». Podía ir, como se decía, al *Gymnasium,* el instituto, llevaba la gorra roja tradicional con la «C» dorada, y creía tener razones para mostrarme orgulloso y arrogante, al ser alumno de un establecimiento docente famoso, al que los padres tenían que pagar a plazos un dinero ahorrado con esfuerzo, nosécuánto; una carga mensual que sólo se le insinuaba.

La tienda de ultramarinos, unida por un lado al corredor que conducía a la puerta del piso y que mi madre, sola, llevaba hábilmente con el nombre de Helene Graß —el padre, Wilhelm, llamado Willy, decoraba el escaparate, se ocupaba de las compras a los mayoristas y escribía los rótulos con los precios—, iba de mediano a mal. En la época de los florines, las restricciones aduaneras hacían inseguro el comercio. En todas las esquinas había competencia. Y, para que se autorizara la venta suplementaria de leche, nata, mantequilla y queso fresco, hubo que sacrificar la mitad de la cocina hacia el lado de la calle, de forma que quedara una habitación sin ventanas para la cocina de gas y la nevera. La cadena de tiendas Kaisers Kaffee-Geschäft nos quitaba cada vez más parroquianos. Sólo si todas las facturas se pagaban puntualmente suministraban su género los representantes. Había demasiados clientes al fiado. Especialmente a las mujeres de los funcionarios de aduanas, correos y policía les gustaba hacer sus compras a crédito. Se lamentaban, regateaban, pedían descuento. Los padres lo confirmaban todos los sábados, después de cerrar la tienda: «Otra vez andamos mal de fondos».

Por eso hubiera sido comprensible que la madre no pudiera permitirse darme una paga semanal. Sin embargo, como yo no dejaba de quejarme —en mi clase todos mis compañeros disponían de calderilla más o menos abundante—, me dio un cuadernillo manoseado por el uso en el que se enumeraban las deudas de todos los clientes que, como ella decía, vivían «de prestado». Veo el cuaderno ante mí, lo abro.

Con pulcra escritura están los nombres, direcciones y sumas en florines recientemente disminuidas y una y otra vez aumentadas, incluidos los céntimos. El balance de una mujer de negocios que tiene motivos para preocuparse por su tienda; y sin duda también un reflejo de la situación económica general, con el desempleo en aumento.

«El lunes vendrán los representantes y querrán dinero contante», solía decir ella. Sin embargo, la madre nunca presentó la mensualidad del colegio al hijo, ni, luego, a la hija, como algo por lo que los niños hubieran debido sentirse obligados. Nunca dijo: «Yo me sacrifico por vosotros. ¡Haced algo a cambio!».

Ella, que no tenía tiempo para una pedagogía precavida que considerase todas las repercusiones —cuando se trataba de una pelea entre mi hermana y yo que resultara demasiado ruidosa, les decía a los clientes: «Un momentico», salía apresurada de la tienda y no preguntaba: «Quién ha empezado», sino que abofeteaba en silencio a sus dos hijos y volvía a ocuparse, amable, de la clientela—; ella, cariñosamente tierna, calurosa, fácil de conmover hasta las lágrimas; ella, a la que, cuando tenía tiempo, le gustaba perderse en ensoñaciones y calificaba todo lo que consideraba hermoso de «auténticamente romántico»; ella, la más preocupada de todas las madres, dio a su hijo un día el cuadernillo y me ofreció el cinco por ciento, en florines y centavos, de las deudas que cobrara si estaba dispuesto a visitar, armado sólo de buena labia —¡la tenía!— y de aquella libreta llena de cifras en hileras, todas las tardes, o cuando encontrara tiempo al margen de aquel servicio, en su opinión pueril, de la Jungvolk, a los clientes morosos, a fin de que se vieran abocados, si no a saldar sus deudas, al menos a pagarlas a plazos.

Luego me aconsejó que pusiera especial celo la tarde de un día de la semana determinado: «Los viernes las empresas pagan, y entonces hay que ir y cobrar».

De esa forma, con diez u once años, siendo alumno de primero o segundo de secundaria, me convertí en recaudador de deudas astuto y en definitiva con éxito. A mí no se me podía despedir con una manzana o unos caramelos. Se me ocurrían palabras para ablandar el corazón de los deudores. Hasta sus excusas piadosas y untadas con vaselina me resbalaban por los oídos. Aguantaba las amenazas. Cuando alguien quería cerrar de golpe la puerta de su casa, se encontraba con mi pie interpuesto. Los viernes, aludiendo al salario semanal abonado, me mostraba especialmente exigente. Ni siquiera los domingos eran para mí sagrados. Y durante las vacaciones, cortas o largas, trabajaba el día entero.

Pronto liquidé sumas que, por razones pedagógicas, indujeron a la madre a reducir las desmesuradas ganancias de su hijo, del cinco al tres por ciento. Yo lo acepté refunfuñando. Sin embargo me dijo: «Para que no te crezcas demasiado».

En fin de cuentas, sin embargo, disponía de más fondos que muchos de mis compañeros de colegio que vivían en el Uphagenweg o el Steffensweg, en villas de doble tejado con portal de columnas, terraza abalconada y entrada de servicio, y cuyos padres eran abogados, médicos, comerciantes en cereales o, incluso, fabricantes o navieros. Mis ingresos netos se acumulaban en una caja de tabaco vacía, escondida en el nicho de la ventana. Me compraba blocs de dibujo en grandes cantidades y libros: varios volúmenes de *La vida de los animales* de A. E. Brehm. Al apasionado espectador le resultaba ahora asequible ir a los «palacios del cine» más alejados del barrio viejo, incluso el Roxi, cerca del parque del palacio de Oliva, incluida la ida y vuelta en tranvía. No se le escapaba ningún programa.

Entonces, en la época del Estado Libre, pasaban todavía el noticiario *Fox Tönende Wochenschau*, antes del documental y el largometraje. A mí me fascinaba Harry

Piel. Me reía con el Gordo y el Flaco. A Charlot buscador de oro lo vi comerse un zapato, incluidos los cordones. A Shirley Temple la encontraba tonta y sólo moderadamente monilla. Me llegó el dinero para ver varias veces una película muda de Buster Keaton, cuya comicidad me entristecía y cuya tristeza me hacía reír.

¿Fue en febrero por su cumpleaños, o el Día de la Madre? En cualquier caso, ya antes de comenzar la Segunda Guerra Mundial creí estar en condiciones de regalar a mi madre algo especial, un artículo de importación. Pasé mucho tiempo ponderando ante los escaparates, disfruté de la indecisión de la elección, vacilé entre la fuente de cristal ovalada de los almacenes Sternfeld y una plancha eléctrica.

Finalmente fue el elegante producto de Siemens, cuyo enorme precio había preguntado severamente la madre pero luego ocultado a la parentela como si fuera uno de los siete pecados capitales; y tampoco el padre, seguro de poder sentirse orgulloso de su eficiente hijo, debía revelar la fuente de mi súbita riqueza. Después de utilizada, la plancha desaparecía enseguida en el aparador.

La práctica del cobro de deudas me reportó otra ganancia, que sin embargo sólo transcurridos decenios se reflejó en una prosa tangible.

Yo subía y bajaba las escaleras de las casas de alquiler, en las que según los pisos olía distinto. El olor que despide el repollo al cocerse era dominado por el hedor de la ropa sucia al hervir. Un piso más arriba olía sobre todo a gato o a pañales. Tras cada puerta de la vivienda había un mal olor peculiar. A agrio o a quemado, porque el ama de casa acababa de rizarse el pelo con tenacillas. El aroma de las señoras de edad: bolas de naftalina y colonia Uralt Lavendel. El aliento a aguardiente del pensionista viudo.

Yo aprendía al oler, oír, ver y sentir: la pobreza y pesadumbre de las familias obreras numerosas, la soberbia y la furia de los funcionarios, que maldecían en un alemán rebuscado, incapaces de pagar por principio, la necesidad de las mujeres solitarias de un poco de charla en la mesa de la cocina, el silencio amenazante y las persistentes peleas entre vecinos.

Todo ello se acumulaba interiormente como ahorro: padres que pegaban sobrios o borrachos, madres que vociferaban en los registros más agudos, niños enmudecidos o tartamudeantes, toses ferinas y crónicas, suspiros y maldiciones, lágrimas de diversos grosores, el odio a los hombres y el amor a los perros y canarios, la historia interminable del hijo pródigo, historias proletarias y pequeñoburguesas, las narradas en un bajo alemán entremezclado de maldiciones polacas, las de lenguaje oficial, cortadas y reducidas al tamaño de leños, aquellas cuyo motor era la infidelidad, y otras, que sólo después entendí como historias, que trataban de la firme voluntad del espíritu y la frágil debilidad de la carne.

Todo eso y mucho más —no sólo los palos que recibía al cobrar las deudas— se fue acumulando en mí, depositado para cuando al narrador profesional le escaseara el material, le faltaran palabras. Sólo tendría que rebobinar el tiempo, olfatear olores, clasificar hedores, volver a subir y bajar escaleras, apretar timbres o llamar a puertas, con especial frecuencia en la noche del sábado.

Puede ser incluso que ese trato temprano con los florines del Estado Libre, incluidas las sumas en céntimos, y luego, a partir del treinta y nueve y del comienzo de la guerra, el cobro en marcos del Reich —las codiciadas monedas de plata de cinco marcos—, se afirmara tan permanente como práctica establecida, que me resultara fácil, sin escrúpulos, permanecer obstinado durante la posguerra, en calidad de estraperlista de artículos que escaseaban, como piedras de mechero y cuchillas de afeitar, y más tarde, como escritor, al negociar contratos con editores duros de oído y permanecer reivindicativo e inflexible.

Por eso tengo razones de sobra para estar agradecido a mi madre, porque me enseñó pronto a manejar el dinero con realismo, aunque fuera cobrando deudas. Y por eso, al ensartar el autorretrato de palabras que me exigían mis hijos Franz y Raoul, cuando en *Del diario de un caracol,* que escribí a comienzos de los sesenta, se dice lapidariamente: «Fui bastante bien mal educado», me refiero a mi práctica como recaudador de deudas.

Me he olvidado de citar de pasada las frecuentes anginas que, antes y después de terminar mi infancia, me libraban unos días del colegio pero me impedían prestar al cliente mi atención obsesionada por el dinero. La madre llevaba al convaleciente a la cama, en un vaso, yemas de huevo revueltas con azúcar.

Lo que se encapsuló

Una palabra llama a la otra. *Schulden* (deudas) y *Schuld* (culpa). Dos palabras, tan cercanas entre sí, tan firmemente arraigadas en el sustrato de la lengua alemana, pero las primeras se pueden aliviar pagándolas (aunque sea a plazos, como la clientela al fiado de mi madre); sin embargo, la culpa, tanto demostrable como oculta o presunta sólo, permanece. Hace tictac sin cesar e, incluso en los viajes a ninguna parte, está allí, ocupando un lugar. Recita su máxima, no teme las repeticiones, se deja olvidar graciosamente por cierto tiempo e hiberna en los sueños. Queda como sedimento, no puede eliminarse como una mancha, no puede lamerse como un charco. Ha aprendido muy pronto a buscar refugio, confesada en un oído, a hacerse más que pequeña, a reducirse a la nada, como prescrita o hace tiempo perdonada, y sin embargo luego está ahí, en cuanto la cebolla disminuye una piel tras otra, inscrita de forma indeleble en las pieles más tiernas: unas veces con mayúsculas, otras como frase subordinada o nota al pie, unas veces claramente legible, otras en jeroglíficos que, en el mejor de los casos, sólo pueden descifrarse con esfuerzo. Para mí aparece legible una breve inscripción: «Guardé silencio».

Sin embargo, como hubo tantos que guardaron silencio, resulta grande la tentación de prescindir por completo de la falta propia, acusar sustitutivamente a la culpa general o hablar de sí mismo sólo, irrealmente, en tercera persona: fue, vio, hizo, dijo, calló... Y de hacerlo para uno mismo, donde tanto sitio hay para jugar al escondite.

En cuanto convoco al chico que en otro tiempo fui, a los trece años, lo interrogo severamente y siento la tentación de juzgarlo, de condenarlo quizá como a un extraño cuyos apuros me dejan frío, veo a un granujilla de pantalones cortos y calcetines largos que hace muecas sin cesar. Me evita, no quiere ser enjuiciado, condenado. Se refugia en el regazo de su madre. Dice: «Pero si era sólo un niño, un niño sólo...».

Trato de tranquilizarlo y le pido que me ayude a pelar la cebolla, pero me niega informaciones, no quiere dejarse utilizar como autorretrato mío temprano. Me niega el derecho a, como dice, «abrumarlo de reproches», y además, «con aire de superioridad».

Ahora entorna los ojos hasta convertirlos en aspilleras, aprieta y contrae los labios, pone la boca en posición torcida y perfecciona su mueca, mientras al mismo tiempo se acurruca sobre sus libros, desaparece, resulta inalcanzable.

Lo veo leer. Eso, sólo eso hace con constancia. Al hacerlo, se mete los dedos índices en ambos oídos, para protegerse del alegre estrépito de su hermana en la estrecha vivienda. Ella tararea ahora, se le acerca. Él tiene que tener cuidado, porque a ella le gusta cerrarle el libro, quiere jugar con él, nada más que jugar, es un torbellino. Sólo a distancia puede querer a su hermana.

Los libros fueron para él muy pronto la tabla que faltaba en la valla, su agujero para deslizarse a otros mundos. Sin embargo, lo veo también gesticular cuando no hace nada, sólo anda por ahí entre los muebles del salón, y parece tan ausente que su madre tiene que darle un grito: «¿Dónde estás otra vez? ¿Qué estás tramando ahora?».

Pero ¿dónde estaba yo cuando sólo simulaba mi presencia? ¿Qué espacios lejanos ocupaba el gesticulante muchacho sin abandonar el salón o el aula? ¿En qué dirección devanaba sus hilos?

En general viajaba hacia atrás por el tiempo, insaciablemente hambriento de las vísceras sanguinolentas de la Historia y chiflado por una oscurísima Edad Media o por el tempotránsito barroco de una guerra que duró treinta años.

De esa forma, para el muchacho que hay que llamar por mi nombre, los días transcurrían con arreglo a sus deseos, como consecuencia de sus entradas en escena con distintos disfraces. Siempre quise ser otro y estar en otro lugar; ser aquel Baldanders («Prontootro») que, pocos años más tarde, cuando me sumí en la edición popular de *El aventurero Simplicissimus,* encontré hacia el final del libro: un personaje inquietante y, sin embargo, atractivo, que me permitía pasar de los pantalones bombachos del mosquetero al áspero sayal de un ermitaño.

Es cierto que la actualidad, con sus discursos del Führer, guerras relámpago, submarinistas heroicos y ases del aire profusamente condecorados, me resultaba evidente, y con sus detalles militares, a prueba de examen —mis conocimientos de geografía se habían ampliado hasta las montañas de Montenegro, los archipiélagos griegos y, a partir del verano del cuarenta y uno, por los avances del frente, hasta Smolensko, Kiev y el lago Ladoga—, pero al mismo tiempo marchaba con el ejército de los cruzados hacia Jerusalén, era un doncel del emperador Barbarroja, como caballero de la Orden repartía mandobles a mi alrededor, cazando pruzos, resultaba excomulgado por el Papa, formaba parte del séquito de Conradino y perecía sin rechistar con el último Staufen.

Ciego a la injusticia que se hacía cotidiana en el entorno próximo de la ciudad —entre el Vístula y el Haff, a sólo dos pueblos de distancia de la granja escolar del Conradinum en Nickelswalde, iba creciendo y creciendo el campo de concentración de Stutthof—, sólo me indignaban los crímenes del poder clerical y las torturas de la Inquisición. Aunque por una parte tenía a mano tenazas, hierros al rojo y empulgueras, me veía por otra como vengador de brujas y herejes en la hoguera. Mi odio se dirigía hacia Gregorio IX y otros papas. En el interior de la Prusia occidental se expulsaba de sus granjas a los campesinos polacos, con mujer e hijos; yo seguía siendo vasallo de Federico II, que asentó en Apulia a sus fieles sarracenos y hablaba en árabe con sus halcones.

En retrospectiva, parece como si aquel gesticulante alumno de enseñanza media hubiera conseguido trasladar su sentido de la justicia, alimentado por los libros, a algunas zonas de repliegue medievales. Quizá por ello, mi primer intento de escribir, ampliamente proyectado en cuanto a extensión, pudo desarrollarse lejos de la deportación del resto de los judíos de Danzig desde el gueto de la Mausegasse al campo de concentración de Theresienstadt, y al margen de todas las «batallas de embolsamiento» del verano del cuarenta y uno; en pleno siglo XIII se anudaría una trama que difícilmente hubiera podido imaginarse más distante.

Fue el periódico para colegiales *Hilf mit!* («¡Colabora también!») el que anunció el concurso. Prometía premios para prosa narrativa escrita por manos juveniles.

De esa forma comenzó el gesticulante muchacho, o mi afirmado yo, que sin embargo desaparece una y otra vez en la maleza narrativa, a escribir con soltura en un cuaderno escolar hasta entonces impoluto, no una historia breve, no, sino, a la primera y sin inhibiciones, una novela que —eso es seguro— llevaba el título de *Los cachubos*. Al fin y al cabo eran parientes míos.

Durante mi infancia íbamos con frecuencia, atravesando la frontera de la Ciudad Libre, en dirección a Kokoschken, Zuckau, y visitábamos a mi tía abuela Anna, que vivía con su numerosa familia en un espacio reducido de techo bajo. Pastelillos de queso, carne en gelatina, pepinillos en vinagre y mostaza, setas, miel, ciruelas secas y menudillos de pollo —estómago, corazón, hígado—, lo dulce y lo ácido, pero también aguardiente destilado de patata, aparecían en la mesa al mismo tiempo; y se lloraba y reía simultáneamente.

En el invierno nos recogía el tío Joseph, hijo mayor de la tía abuela, con trineo y caballo. Era divertido. Junto a Goldkrug se pasaba la frontera del Estado Libre. El tío Joseph saludaba a los aduaneros en alemán y en polaco, y sin embargo era siempre insultado por los que llevaban el otro uniforme. Esto era menos divertido. Poco antes de comenzar la guerra, sacó al parecer del armario la bandera polaca y la de la cruz gamada y exclamó: «Zi gerra empieza, me zubo a árbol y miro quién viene primero. Y entoncez izo bandera, ézta o aquélla...».

E incluso luego, cuando había pasado bastante tiempo, visitábamos a la madre y los hermanos del fusilado tío Franz, aunque sólo en secreto, después de cerrar la tienda. A la vez, en aquellos tiempos de economía de guerra, el comercio de artículos naturales resultaba muy útil: se cambiaban gallinas para sopa y huevos de campo por pasas, levadura, hilo de coser y petróleo. En nuestra tienda había, al lado de un tonel lleno de arenques salados, un tanque de petróleo con espita, del tamaño de un hombre, cuyo olor ha sobrevivido al tiempo. Y se me han quedado grabadas las entradas en escena de la tía abuela Anna, cuando arrojaba de golpe sobre el mostrador la mercancía que quería cambiar, el ganso desplumado que había escondido bajo sus faldas: «Deben de zer zuz diez libritaz...».

De esa forma conocí los hábitos lingüísticos de los cachubos. Siempre que se tragaban su farfulla paleoeslava y explayaban sus preocupaciones y deseos en bajo alemán, prescindían de los artículos y, para estar seguros, preferían decir «no» dos veces en lugar de una. Su forma de hablar demorada se parecía a leche cuajada en reposo, sobre la que esparcían pan negro rallado, mezclado con azúcar.

Los cachubos que quedaban se asentaron desde tiempo inmemorial, sedentariamente, en el accidentado interior de la Ciudad Libre de Danzig y, bajo los distintos gobiernos, nunca fueron considerados bastante polacos ni bastante alemanes. Cuando, en la última guerra, los alemanes volvieron a dominarlos, muchos cachubos fueron clasificados por decreto como «grupo de población tres». Ello ocurrió por imposición de las autoridades y se hizo con vistas a que pudieran demostrar su valía, a fin de convertirse en alemanes del Reich de pleno derecho: las jóvenes, disponibles para el servicio social; los jóvenes, como el tío Jan, que ahora se llamaba Hannes, para el servicio militar.

Escribir sobre estos apuros hubiera sido lógico. El haber situado, sin embargo, el argumento de mi ópera prima, dominado por homicidios y asesinatos, en la época del Interregno del siglo XIII —«esa época sin emperador, época horrible», como dijo Schiller—, sólo puede explicarse por mi tendencia a huir a terrenos históricos sumamente intransitables. Por eso mi ópera prima no era tampoco un intento de llevar al papel una historia costumbrista de antiguos eslavos, sino que trataba más bien de tribunales secretos e ilegalidades, lo que, tras la caída del imperio de los Stauffen, ofrecía un material narrativo de abundante violencia.

De todo ello no ha quedado ni palabra. No quiere aparecer el menor rastro de las escenas sangrientas que servían para las venganzas de sangre. No se me ha transmitido ningún nombre de caballero, campesino o mendigo. Nada, no se me ha grabado ninguna condena clerical, ningún grito de bruja. Y, sin embargo, debieron de correr ríos de sangre y apilarse una docena o más de montones de leña, encendidos con una antorcha de brea, porque, hacia el final del primer capítulo, todos los héroes habían muerto: decapitados, estrangulados, empalados, carbonizados o descuartizados. Más aún: no quedaba nadie para vengar a los héroes muertos.

En ese campo de cadáveres literariamente cultivado mi intento de prosa narrativa encontró un fin prematuro. Si aquel cuaderno existiera aún, sólo sería de interés para fetichistas de fragmentos.

No se me ocurrió hacer aparecer entonces como espíritus a los estrangulados, decapitados, carbonizados y descuartizados, a todos los cadáveres que se bamboleaban del ramaje de los robles como alimento de cornejas, y hacer que intervinieran, asustando a la gente de a pie que quedaba... Nunca me gustaron las historias de fantasmas. Sin embargo, puede ser que mi antieconómica utilización de personajes ficticios, como experiencia temprana de una inhibición literaria, me llevara luego, cuando fui un autor cuidadosamente calculador, a tratar con más cuidado a los héroes de mis novelas.

Oskar Matzerath sobrevivió como magnate de los medios de comunicación. Y con él su abuela, su *Babka,* que cumplió ciento siete años y por la que, para celebrar su cumpleaños, emprendió, en el transcurso temporalmente entrecruzado de la novela *La ratesa* —y a pesar de padecer fuertes molestias prostáticas—, las penalidades de un viaje a Cachubia.

Y como la temprana muerte de Tulla Pokriefke era sólo una sospecha —en realidad, a los diecisiete años y en estado de embarazo avanzado se salvó del hundimiento del barco de refugiados *Wilhelm Gustloff*—, estaba disponible para ser convocada, como superviviente de setenta años, cuando la novela corta *A paso de cangrejo* estuvo madura para su redacción. Es la abuela de un muchacho de extrema derecha que celebra en Internet a sus «mártires».

Lo mismo se aplica a mi querida Jenny Brunies, que, aunque gravemente dañada y resfriada para siempre, pudo superar los *Años de perro;* como al fin y al cabo también yo me salvé, para reinventarme una y otra vez en otro campo.

En cualquier caso, aquel desmesurado muchacho, que todavía hay que seguir descubriendo como esbozo de mí mismo, no pudo participar en el concurso del periódico para colegiales *¡Colabora también!* O, visto de un modo más favorable: de esa forma se me evitó posiblemente participar con éxito en un concurso nacionalsocialista para jóvenes escritores de la Gran Alemania. Porque, distinguido con el segundo o el tercer premio —por no hablar del primero—, habría habido que valorar ese prematuro comienzo de mi carrera de escritor como teñido de pardo: lo que, con indicación de las fuentes, hubiera sido un verdadero regalo para los suplementos literarios, siempre hambrientos. Me hubieran podido clasificar como joven nazi y, con esos antecedentes, declararme simpatizante y tacharme de irrecuperable. Jueces no habrían faltado.

Sin embargo, yo mismo puedo encargarme de incriminar, clasificar y marcar. Al fin y al cabo fui de las Juventudes Hitlerianas y joven nazi. Creyente hasta el fin. No precisamente con fanatismo al principio, pero sí con mirada inconmovible, como un reflejo, en la bandera, de la que se decía que era «más que la muerte», permanecí en filas, experto en llevar el paso. Ninguna duda afectaba a mi fe, no hay nada subversivo, por ejemplo la distribución clandestina de octavillas, que pueda disculparme. Ningún chiste sobre Göring me hacía sospechoso. Más bien veía a la Patria amenazada, al estar rodeada de enemigos.

Desde que me espantaron los relatos de terror sobre el Domingo Sangriento de Bromberg que, inmediatamente después del comienzo de la guerra, llenaron las páginas del *Danziger Vorposten,* convirtiendo a todos los polacos en cobardes asesinos, todas las acciones alemanas me parecieron legítimas como represalias. Mi crítica se dirigía todo lo más contra los caciques locales del Partido, los llamados «faisanes dorados», que eludían cobardemente el servicio en el frente, nos aburrían después de desfilar ante tribunas, con discursos monótonos y utilizando siempre en vano el santo nombre del Führer, en el que creíamos, no, en el que creí con indubitada seguridad hasta que, como la canción sabía de antemano, todo quedó hecho añicos.

Así me veo en el espejo retrovisor. Eso no se puede borrar, no está en una pizarra junto a la cual haya a mano una esponja. Permanece. Todavía, aunque entretanto con lagunas, quedan los himnos: «Avanzan, avanzan, resuenan las claras trompetas, avanzan, avanzan, ya llegan los nuevos atletas...».

Para disculpar al joven y, por tanto, a mí, no se puede decir siquiera: «¡Es que nos sedujeron!». No, nos dejamos, me dejé seducir.

Sin embargo, si la cebolla pudiera susurrar, mostrando zonas en blanco en su octava piel... Pero si quedas bien, sólo eras un tontorrón, no hiciste nada malo, no denunciaste a nadie, a ningún vecino que se atreviera a contar chistes de Göring, el gordo mariscal del Reich, ni te chivaste de nadie con permiso del frente que se jactara de haber evitado las ocasiones de realizar actos heroicos dignos de la Cruz de Hierro. No, no fuiste tú quien denunció a aquel profesor de instituto que en clase de Historia se atrevió a dudar, de pasada, de la victoria final, llamó al pueblo alemán «rebaño de ovejas» y además era un mal profe, odiado por todos los alumnos.

Eso será verdad: chivarme de nadie, al guardián de la manzana de casas o a la dirección nacionalsocialista del distrito, o hablar mal de alguien al bedel de este o aquel colegio no era mi estilo. Sin embargo, cuando un profesor de latín, al que, como además era sacerdote, había que llamar *monsignore,* dejó de preguntarnos severamente vocabulario latino, desapareció y no vino ya, tampoco, una vez más, hice preguntas, aunque, apenas hubo desaparecido, el nombre de Stutthof estuvo, de forma disuasoria, en todos los labios.

Estaba a punto de cumplir los catorce años cuando partes de noticias de nuestra Volksempfänger, anunciados a bombo y platillo, informaban sobre victoriosas «batallas de embolsamiento» en las estepas de Rusia. Mientras, día a día, se abusaba en la radio de *Les préludes* de Liszt, ocurrió algo que amplió mis conocimientos de geografía, aunque en latín seguí sacando insuficiente.

Tras otro cambio de colegio, me veo como alumno del Sankt Johann, un instituto de la ciudad vieja en la Fleischergasse, cerca del museo municipal y de la iglesia de la Trinidad. Ese establecimiento docente resultó tener sótanos góticos, y me atrajo con sus pasadizos de bajo techo hasta los *Años de perro.* Por eso me resultó fácil luego hacer que estudiaran allí los personajes de mi novela: los alumnos amigos y al mismo tiempo enemigos Eddie Amsel y Walter Matern, para que así pudieran abrirse paso desde el vestuario del gimnasio hasta los pasadizos franciscanos...

Y cuando mi profesor de latín, *monsignore* Stachnik, volvió al cabo de unos meses y siguió enseñando en el Sankt Johann, tampoco hice preguntas insistentes, aunque tenía fama de ser un alumno no sólo insubordinado, sino también entrometido.

Bueno, de todas formas él no hubiera podido responder. Así solía ocurrir por todas partes después de salir de un campo de concentración. Las preguntas sólo hubieran puesto en más aprietos a Stachnik, que por fuera parecía igual que siempre.

Sin embargo, mi silencio debió de pesarme bastante, porque de otro modo difícilmente me hubiera sentido obligado a levantar a ese profesor de latín, en otro tiempo presidente del partido del centro del Estado Libre, como incansable valedor de la beata Dorotea de Montovia, un monumento imposible de desconocer en mi novela *El rodaballo,* por principio retrospectiva.

Él y la gótica ermitaña. Sus esfuerzos por verla beatificada. El *monsignore* empezaba a exaltarse cuando le sugeríamos como tema la cura de adelgazamiento de ella. Resultaba fácil sacarlo de la valla disciplinaria de la sintaxis latina; sólo hacía falta preguntarle por la, para él, santa Dorotea.

Lo que la había amargado su matrimonio con el espadero.

Qué milagros debían atribuírsele.

Por qué se había hecho emparedar viva en la catedral de Marienwerder.

Si ella, pronto demacrada, había seguido siendo no obstante de gentil figura.

Todo eso y su cuello alto constantemente cerrado recordé para conmemorar a un profesor de latín.

Sin embargo, ese tardío panegírico de *monsignore* Stachnik sólo podía agradar en parte. Valorábamos la vida y la muerte por inanición de la contrita Dorotea de Montovia desde una perspectiva demasiado contrapuesta. Y cuando, hacia mediados de los setenta, viajé por la zona de Munster para investigar detalles locales del tempotránsito barroco para el relato *Encuentro en Telgte*, lo visitamos a él, que había encontrado en un convento de monjas su lugar de retiro: una celda amplia y confortable, que invitaba a la conversación. En el transcurso de ésta, evité todo conflicto en los campos católicamente cultivados. Un poco asombrada estaba Ute, debido a su origen protestante, por la sosegada vida cotidiana del anciano en medio de aquellas mujeres que vivían de forma monástica y a las que sólo llegamos a ver, con hábitos que las cubrían por completo, cuando nos recibieron.

Coquetamente, como nunca se había mostrado cuando era profesor de latín, *monsignore* se calificó a sí mismo de «gallo del corral». Sentado ante mí, parecía más regordete de lo que en mi recuerdo guardaba: la cocina del convento le sentaba bien.

Hablamos poco de la por fin proclamada beata. En el aspecto político, él seguía defendiendo la postura del partido del centro, postura que veía insuficientemente asumida por los cristianos demócratas actuales. Elogió al párroco Wiehnke, mi confesor de la iglesia del Corazón de Jesús, porque se había ocupado de forma «sumamente audaz» de los obreros católicos de su parroquia. Recordó a este o aquel profesor del Sankt Johann, y también al director del colegio, cuyos dos hijos «encontraron» la muerte, como dijo, en el hundimiento del acorazado *Bismarck*.

Sin embargo, sólo a regañadientes volvía la vista atrás: «Difíciles tiempos aquellos...». «No, no, nadie me denunció...»

Que yo había sido mal alumno de latín parecía haberlo olvidado benévolamente.

Hablamos de Danzig, y de que la ciudad, con todas sus torres y gabletes, tenía aún el mismo aspecto que en las postales. Mi breve relato de repetidos viajes a Gdańsk lo escuchó con agrado —«La Santa Trinidad debe de haber sido reconstruida tan bella como en otro tiempo...»—, pero cuando recordé mi silencio de los tiempos escolares, aquella culpa no prescrita, *monsignore* Stachnik, sonriendo, hizo un gesto de alejamiento con la mano. Creí oír un *«ego te absolvo»*.

Sólo rara vez exhortado a ir a misa por una madre moderadamente piadosa, me crié, no obstante, marcado muy temprano como católico: haciendo la señal de la cruz entre confesionario, altar mayor y altar de la Virgen. «Custodia» y «tabernáculo» eran palabras que pronunciaba con gusto, por su sonido agradable. Sin embargo, ¿en qué creía, antes de creer en el Führer?

El Espíritu Santo me parecía más fácil de entender que Dios Padre y su Hijo. Los altares de abundantes figuras, los cuadros oscurecidos y el fantasmal ambiente cargado de incienso de la iglesia del Corazón de Jesús de Langfuhr alimentaban mi fe, que era poco cristiana, más bien de carácter pagano. Carnalmente próxima me parecía la Virgen María: como Prontootro, yo era el arcángel que la conoció.

Además, me satisfacían las verdades que llevaban una vida ambigua en los libros y en cuyos viveros germinaban mis historias embusteras. Pero ¿qué leía aquel chico de catorce años?

Desde luego, no tratados piadosos, ni escritos de propaganda, que metían a presión los valores patrios en versos aliterados. Tampoco cuadernos de Tom Mix, ni me resultaban interesantes, volumen tras volumen, las novelas de Karl May: unas lecturas que nunca dejaban de nutrir a mis compañeros. De momento, leía todo lo que —¡por suerte!— estaba al alcance de mi mano en la biblioteca de mi madre.

Cuando hace más de un año me dieron en la capital de Hungría un premio en forma de reloj de chimenea monstruoso —porque estaba engastado en un gris azulado—, y que parecía como si el futuro sólo pudiera predecirme «tiempos de plomo», pregunté a Imre Barna, el lector de mi editorial húngara, el nombre de un escritor cuya novela *Aventura en Budapest* me había desconcertado en mi juventud.

Poco después recibí el voluminoso novelón, de los fondos de alguna librería de viejo. Lo escribió Ferenc Körmendi, un escritor entretanto olvidado. Publicado en traducción alemana con el título de *Versuchung in Budapest* («Tentación en Budapest»), en el año treinta y tres, por la editorial Propyläen de Berlín, el libro trata, a lo largo de quinientas páginas, de hombres que buscan apoyo y felicidad y que, al terminar la Primera Guerra Mundial, se aburren en los cafés, y de forma subliminal también de la revolución y contrarrevolución proletarias, y de pasada de los anarquistas que ponían bombas. Sin embargo, sobre todo describe a un desarraigado que, pobre pero ambicioso, deja la ciudad de ambos lados del Danubio, corre mundo y vuelve a casa con una mujer rica, para allí, en Budapest, ser víctima de un amor engañoso y difuso.

El libro sigue leyéndose hoy como si acabara de publicarse, y era uno de los libros de mi madre, aglomeración de literatura mezclada y variopinta, que su hijo acabó pronto de leer y cuyos títulos deben quedar de momento sin citar, porque, hambriento de más libros para leer, me veo ahora cerca del colegio Petri, frente a una mesa de lectura de la biblioteca municipal.

El colegio Petri es mi parada intermedia, a la que fui trasladado por decisión de un claustro de profesores, tras la cual tuve que dejar el Conradinum: hacia un profesor de gimnasia que pegaba y torturaba a los alumnos en la barra y las paralelas, yo —pudieron leer sobre su hijo mis decepcionados padres— me había mostrado «rebelde y desvergonzadamente descarado».

Sin embargo, ¿qué quiere decir que me veo en la biblioteca municipal? En el mejor de los casos puedo, con ayuda de las escasas fotos que mi madre, después de la guerra, se llevó al Oeste, trazar otro retrato de aquel chico que crecía. Todavía no se le pueden contar los granos que, luego, combatí inútilmente con Pitralon y salvado de almendras, pero mi labio inferior protuberante —prognatismo de nacimiento— mitigaba mi expresión infantil. Entre serio y enfurruñado, parezco un colegial tempranamente púber, del que cabe suponer que sea rebelde ante los profes: si se le provocaba, podía volverse violento.

Y a eso se añadió también que un obseso profesor de música, cuya *Zarzarrosa* cantada en falsete habíamos acompañado con sonidos jazzísticos y contorsiones, me riñó, sólo a mí, y se atrevió a zarandearme, por lo que lo agarré por la corbata con la mano izquierda y lo estrangulé hasta que aquella corbatilla, que por ser tiempo de guerra era de papel, se rompió bajo el nudo, con lo que otra vez hubo motivo suficiente para cambiarme de colegio, de una forma pedagógicamente preventiva, como se decía para ocultar los hechos: del colegio Petri al instituto Sankt Johann. No es de extrañar que me aislara, inaccesible hasta para la madre.

Y de esa forma, tan ceñudo en la instantánea, me veo de camino hacia aquella biblioteca enriquecida gracias al sentido ciudadano hanseático, de la que se habría podido suponer que, cuando la ciudad fue incendiada poco antes de terminar la guerra, hubiera sido arrasada con ella. Sin embargo, cuando, en la primavera del cincuenta y ocho, visité la ciudad ahora polaca de Gdańsk en busca de las huellas de Danzig, es decir, para contabilizar las pérdidas, encontré la biblioteca municipal intacta y, en sus entrañas, tan tradicionalmente revestida de madera y vetusta, que me resultó fácil descubrir al jovencito con pantalones hasta la rodilla, como usufructuario de sus libros, junto a una mesa de lectura: verdad era que sin granos, pero el pelo le caía sobre la frente. Protuberante la mandíbula, el labio inferior. El puente de la nariz se encorva ya. Sigue haciendo muecas y no sólo cuando lee.

El tiempo se va depositando capa a capa. Lo que cubre se distingue a lo sumo por alguna grieta. Y a través de una de esas rendijas del tiempo, que puede ensancharse con esfuerzo, me veo y lo veo a la vez.

Yo, ya metido en años, él, desvergonzadamente joven; él, leyendo, comienza a invertir en futuro, yo recupero el pasado; mis cuitas no son las suyas; lo que no quiere ser vergonzoso para él, es decir, no lo oprime como vergüenza, tengo que sudarlo yo, que estoy más que emparentado con él. Entre los dos hay hojas y hojas de tiempo consumido.

Mientras, a sus treinta años, el padre de unos mellizos recién nacidos, que últimamente trata de compensar su prominente labio inferior con ayuda de un bigote, busca detalles locales para un manuscrito siempre voraz, su yo rejuvenecido no se deja distraer por nada, tampoco por él, el caballero del traje de pana.

Sin embargo, mi mirada vaga. Mientras hojea el año treinta y nueve del periódico, traído del archivo, me entero sólo por encima de lo que el *Danziger Vorposten* recogió como sucesos ordinarios desde el comienzo de la guerra. Sin duda, mi provecto yo garabatea en su libreta las películas proyectadas en la primera semana de septiembre en Langfuhr y en los cines de la ciudad vieja, por ejemplo, en el Odeon, junto al muro de los Dominicos, *Agua para Canitoga*, con Hans Albers, pero al mismo tiempo su mirada errante capta al chico de catorce años sentado tres mesas más allá, sumido en una monografía artística de Knackfuß, profusamente ilustrada.

Junto a él hay otros volúmenes apilados. Evidentemente, se ocupa de ampliar sus conocimientos artísticos adquiridos con los cromos de cigarrillos reunidos. Sin levantar la vista, deja el volumen dedicado a Max Klinger para abrir otro enseguida.

Mientras el coleccionista adulto de detalles copia de forma más bien casual precios de mercado y cotizaciones de bolsa de la parte económica del *Vorposten* —seda Bemberg inalterada, comercio de cereales en alza—, y antes de que, por enésima vez, lo espanten las historias de terror a varias columnas, en las que se desguaza página tras página la matanza causada por «bestias polacas» el tres de septiembre, el Domingo Sangriento de Bromberg, se ve a sí mismo, no, ve a aquel muchacho que, gracias a los volúmenes de Knackfuß, admira primero el polifacetismo de Klinger, pintor, escultor y dibujante, pero ahora, después de haberlo fascinado en otro volumen la licenciosa vida de Caravaggio, quisiera ser aprendiz en el taller de Anselm Feuerbach. De momento, sus preferencias se dirigen a los pintores romano-alemanes. Quiere ser, sin falta, artista y famoso.

Al maduro viajero en el tiempo, venido de París, que es artista pero no famoso aún, su contraparte juvenil le parece como ausente. Incluso si lo llamara, una y otra vez, no le prestaría atención.

Ese encuentro conmigo es trasladable. Así expulsado fuera del mundo, me veo también en otro lugar, por ejemplo en el bosque de Jäschkental o en los escalones del monumento de hierro colado a Gutenberg. Antes de que empezara la estación de verano, me llevaba los libros prestados a la playa del Mar Báltico, y leía, acurrucado en alguno de los vacíos sillones de mimbre de la playa. Sin embargo, mi lugar favorito para leer era el desván de la casa de alquiler, en donde me iluminaba un tragaluz. Y en la estrechez del piso de dos habitaciones me encuentro ante la librería de mi madre; la veo con más nitidez que al resto del mobiliario del cuarto de estar.

Sólo un pequeño armario que me llegaba a la frente. Unos visillos azules protegían de una luz excesiva los lomos de los libros. Astrágalos de adorno como molduras. Totalmente de nogal, fue al parecer obra de un aprendiz que, en la carpintería de mi abuelo paterno, trabajaba en el banco de carpintero y terminó su aprendizaje, poco antes del matrimonio de mis padres, con un mueble que le sirvió de regalo de boda.

Desde entonces, el pequeño armario estaba a la derecha de la ventana del cuarto de estar, al lado mismo del nicho que me pertenecía. Bajo el alféizar de la ventana izquierda de ese cuarto, que iluminaba lateralmente el piano con las partituras abiertas, estaban el álbum de poesía y las muñecas y peluches de mi hermana, que ni hacía muecas ni leía, pero, como tenía un carácter alegre, era la preferida de papá y casi no daba guerra.

Mi madre no sólo tocaba, después de cerrar la tienda, piezas para piano que se iban deslizando, sino que habrá sido también socia de un club del libro, nosédecuál. En algún momento interrumpió su suscripción, porque pronto, después de comenzar la guerra, dejaron de llegar nuevos volúmenes que hubieran podido enriquecer su biblioteca.

En los estantes se encontraban *Los demonios* de Dostoyevski junto a la *Crónica del callejón de los gorriones* de Wilhelm Raabe, las *Poesías completas* de Schiller junto al *Gösta Berling* de Selma Lagerlöf. Algo de Hermann Sudermann, codo a codo con *Hambre* de Knut Hamsun, *Enrique el Verde* de Gottfried Keller junto a otro Keller, Paul: *Vacaciones del yo*. Podía encontrarse *¿Y ahora qué?* de Hans Fallada entre *El pastor del hambre* de Raabe y *El caballero del corcel blanco* de Theodor Storm. Probablemente se inspiraba en *La guerra por Roma* de Felix Dahn aquel volumen ilustrado que llevaba el título de *Rasputín y las mujeres* y que más adelante, como lectura opuesta a *Las afinidades electivas* de Goethe, asigné a alguien que, por razones muy diversamente acumuladas, estaba chiflado por los libros, a fin de enseñarle, por medio de esa mezcla explosiva, las letras minúsculas y mayúsculas.

Todo eso y más era mi alimento literario. ¿Formaban parte *La cabaña del tío Tom* y *El retrato de Dorian Gray* de aquel tesoro libresco que había tras los visillos? ¿Qué había a mano de Dickens, qué de Mark Twain?

Estoy seguro de que mi madre, que, al aumentar las preocupaciones financieras, encontró poco tiempo para leer, no sabía, como tampoco su hijo, que uno de los títulos del armario era uno de los libros prohibidos: *Elena Willfüer, estudiante de química*, de Vicki Baum. En esa novela, que ya antes del treinta y tres había provocado un escándalo, se habla de una estudiante tan aplicada como carente de medios, así como de amor y nostalgia de muerte en la inquietantemente idílica vida de una pequeña ciudad universitaria, pero también, porque la estudiante se queda embarazada, de curanderos y parteras clandestinas, es decir —según la ley—, de abortos punibles.

Hay que suponer que mi madre no padeció como lectora el destino de la valiente estudiante de química, porque cuando su hijo de catorce años se sentaba a la mesa del cuarto de estar, sin dejarse apartar por nada de la desgracia y la posterior felicidad materna de la joven, ella me dejaba «fugarme» sin oposición.

En el curso del tiempo, he leído más cosas de Vicki Baum, por ejemplo su filmada novela *Gran Hotel.* Y cuando, a principios de los ochenta, comencé a escribir el relato de viaje *Partos mentales o los alemanes se extinguen,* anticipando la abstinencia de los que se autorrealizaban sin hijos y su culto al ego, celebrado hasta hoy, así como el envejecimiento de la población de la República Federal y, como consecuencia, la crisis permanente del sistema de pensiones y la desolación de una soledad en pareja cultivada con asiduidad, su exótica historia *Amor y muerte en Bali* me ayudó a pintar imágenes de fondo melodramáticas. Sin embargo, nunca he vuelto a estar tan absorto como en mi época juvenil por el arte narrativo, al parecer entretenido sólo, de Vicki Baum.

En cuanto la cena debía aparecer sobre la mesa, el padre exclamaba: «De leer nunca se ha llenado nadie el estómago».

A la madre le gustaba verme «enfrascado» en los libros. Como aquella mujer de negocios, apreciada por clientes y representantes, era, a pesar de su inclinación a melancólicos gestos soñadores, de carácter alegre y a veces burlón, y solía gastar a veces alguna pequeña broma que ella llamaba «travesura», le divertía mostrar a este o aquel visitante, por ejemplo alguna amiga de su común aprendizaje en Kaisers Kaffee, lo distraído que era su hijo, perdido en las páginas impresas, y le cambiaba el pan con mermelada, que él mordía de vez en cuando sin interrumpir la lectura, por una pastilla de jabón Palmolive.

Con los brazos cruzados y sonriendo, segura del éxito, aguardaba el resultado del trueque. Le divertía que su hijo mordiera el jabón y sólo después de haber pastado tres cuartas partes de la página se diera cuenta de lo que, igualmente divertida, había presenciado la visita. Desde entonces, mi paladar conoce el sabor de ese artículo de marca.

El chico del susodicho labio inferior debió de morder jabón con frecuencia, porque en mi recuerdo, que se pierde fácilmente en variaciones, unas veces son bocadillos de salchichón, otras de queso y otras un trozo de bizcocho con pasas los que se convierten en objeto del cambiazo. Y en lo que se refiere al labio inferior, su impertinencia me resultaba útil en cuanto tenía que soplarme los pelos que me ocultaban la vista. Eso me ocurría siempre al leer. A veces la madre tenía que sujetar el pelo del hijo, demasiado suave, con una pinza, que se sacaba de su pelo cuidadosamente ondulado. Yo lo toleraba.

La niña de sus ojos. Por muchas preocupaciones que le causara —la repetición del tercer curso, los cambios de colegio provocados por mi insubordinación—, ella conservaba su orgullo, que nada podía mermar, por aquel hijito que leía y garabateaba figuras, y al que sólo llamándolo se podía sacar de sus mundos de sueños retrospectivos, para entonces —por deseo de ambos— agradarla como un niño faldero.

Mis fanfarronerías, que comenzaban como letanías —«Cuando sea rico y famoso, yo te...»—, le llegaban al alma. Nada parecía gustarle más a mi madre que ser alimentada con mis espaciosas promesas: «... y entonces iremos de Roma a Nápoles...». Ella, que amaba ardientemente lo hermoso y también todo lo hermosamente triste, y que, vestida de forma elegante y burguesa, iba a menudo sola y a veces con su marido como apéndice al teatro municipal, me llamaba, en cuanto me complacía otra vez en prometerle el oro y el moro en mi vuelta al mundo, su «pequeño Peer Gynt». Aquel amor ciego a su jactancioso hijito de mamá tenía motivos que quizá pueden encontrarse en las pérdidas de sus años de juventud.

Aunque la familia de mi padre estaba evidentemente cerca, sólo a la vuelta de la esquina, en la Elsenstraße, donde la sierra circular de la carpintería del abuelo marcaba el tono de la mañana a la noche, y yo apenas podía evitar la permanente disputa familiar, únicamente interrumpida por breves reconciliaciones —una y otra vez decían: «Con ésos no hablaremos más» o «En nuestra casa no volverán a entrar»—, sólo tuve conciencia de mis abuelos maternos y de los tres hermanos, así como de la única hermana de mi madre, por relatos y algunos vestigios. Salvo la hermana, que se llamaba Elisabeth, pero a la que llamaban Betty, y que se había casado «en el Reich», sólo quedaba mi madre.

Es verdad que había parentela cachuba, pero vivía en el campo, no era exactamente alemana y no contaba ya desde que había razones para silenciarla. Los padres de ella, que, como cachubos urbanos, se habían adaptado a las condiciones burguesas, murieron pronto: el padre cayó en Tannenberg, poco después de comenzar la Primera Guerra Mundial. Después de haber perdido también a dos de sus hijos en Francia y haberle sido arrebatado por la gripe el último hijo, igualmente soldado, la madre murió también, no quiso vivir más.

Arthur sólo cumplió veintitrés años. Paul cayó con veintiuno. La gripe mató a Alfons poco antes de terminar la guerra, cuando tenía diecinueve años. Sin embargo, mi madre, de soltera Helene Knoff, hablaba de sus hermanos como si vivieran aún.

Cuando yo, un día sin fecha —¿tenía ya catorce años, o todavía doce?— en el desván de la casa de alquiler del Labesweg, en la que vivíamos con otras diecinueve familias, fui a mi lugar de lectura secreto, el desfondado sillón bajo el tragaluz practicable, y me encontré, en uno de los espacios cercados que nos correspondía como trastero entre los espacios de los otros habitantes de la casa, con una maleta atada con una cuerda, hice o hizo el chico en el que, desde muy pronto, se acumulaba materia narrativa, un descubrimiento orientador. Entre trastos viejos y muebles desechados me aguardaba una maleta especial; al menos así entendí yo el hallazgo.

¿Estaba bajo colchones raídos?

¿Dio pasitos sobre el cuero alguna paloma arrulladora, extraviada por el tragaluz?

¿Dejó, asustada por mí, excrementos frescos?

¿Fue desenredado inmediatamente el anudado cordel?

¿Eché mano a mi navaja?

¿Me contuvo la timidez?

¿Bajé por las escaleras aquella maleta más bien pequeña y se la entregué como era debido a la madre?

Hay otras posibilidades, intercambiables: a causa de las disposiciones oficiales sobre protección aérea, a mediados del cuarenta y dos hubo que despejar los desvanes. Al hacerlo apareció la maleta, y mi madre o yo, quien fuera, la abrió. En ella estaba el escaso legado de los dos hermanos caídos en la Primera Guerra Mundial y del hermano al que la epidemia de gripe, que había afectado por igual a amigos y enemigos, había arrebatado.

Lo que me habían contado con harta frecuencia y mi madre había evocado entre lágrimas como pérdida imposible de superar podía verse confirmado por el contenido de la maleta: ninguno de los tres pudo vivir lo que, por su disposición y diversos talentos, había iniciado.

Atado en cada caso con una cinta de seda, su legado, distribuido en tres montoncitos, hablaba claro: el hermano de en medio, Paul, quería ser pintor y había hecho decorados para escenificaciones teatrales. En la maleta encontré decoraciones y bocetos de vestuario coloreados para la ópera *El cazador furtivo* y para *El holandés errante*. Sin embargo, hubiera podido ser también *Lohengrin,* porque tengo ante mis ojos dibujos de un cisne como vehículo apropiado para la escena, que insisten en pertenecer, como dibujos con lápices de colores, al legado de mi tío Paul, caído cerca del Somme. No había ninguna condecoración entre las hojas.

El hermano menor, Alfons, que murió de la gripe española, había terminado ya su formación como cocinero y quería, con la cabeza llena de exquisitos menús, llegar a ser jefe de cocina en un gran hotel de alguna capital europea: Bruselas, Viena o Berlín. Eso decían las cartas que había escrito desde la isla de Sylt, en el Mar del Norte, su primer y último puesto de trabajo, como uno de los cocineros del balneario; a juzgar por la fecha, poco antes de ser llamado a filas y, en la primavera del dieciocho, ser destinado a un lugar de entrenamiento de tropas.

En las cartas dirigidas a su hermana Helene hablaba por los codos al respecto. En sus historias del balneario mencionaba aventuras amorosas con damas nobles y luego entraba en detalles sobre el arte culinario aprendido: elogiaba el bacalao rehogado en salsa de mostaza, el filete de lampreílla con hinojo, la sopa de anguila sazonada con eneldo y otros platos de pescado que luego, en memoria del tío Alfons, cociné yo.

El mayor de los hermanos, Arthur, que la madre llamaba su hermano preferido, se vio, antes de reventar dos años más tarde de un tiro en el abdomen, coronado de laureles como poeta.

Ya durante su aprendizaje en una filial del Reichsbank cerca de la Gran Puerta —un edificio que superó la última guerra y hoy, con la suntuosidad de los Años de Fundación, sirve a un banco polaco—, un periódico local de Danzig había publicado con su nombre de vez en cuando poesía poliestrófica y agradablemente rimada: una docena amplia de poemas a la primavera y el otoño, un poema de Día de Difuntos y otro de Navidad, que ahora, guardado como recorte de periódico, encontré en aquella maleta que me mostró un camino... Así valoró la madre en años posteriores el hallazgo.

Y como también su hijo se sentía tentado a tomar en serio esa indicación, a mediados de los sesenta, cuando, tras un trabajo ímprobo y bajo el peso de agobiantes manuscritos, escribió varias historias breves, las camufló con el nombre del hermano favorito de su madre y publicó en una serie de folletos del Literarischen Colloquium de Berlín como Arthur Knoff; un placer que me permití, en parte para proteger esas historias de la maldad de una crítica caprichosa, y en parte porque de esa forma se garantizaría a la corta vida de Arthur Knoff un poco de fama.

Su primera publicación —si se prescinde de los poemas de su edad temprana, que se habían teñido de la proximidad de los versos de Eichendorff— encontró un eco favorable. Los críticos pensaron poder acreditar un futuro a aquel talento descubierto, a pesar de haber tomado por modelo, reconociblemente, a un autor conocido. Es cierto que una editora italiana estimó que de momento no se podía pensar en traducir aquellas historias breves, aunque confiaba en poder esperar pronto del hasta entonces desconocido algo más importante, por ejemplo una epopeya familiar. Su talento narrativo, dijo, apuntaba claramente a la novela.

Las historias de Arthur Knoff estuvieron durante veinte años en circulación, y se mantuvieron con seudónimo, hasta que Klaus Roehler, lector más bien solícito en estado de sobriedad, de la editorial Luchterhand-Verlag, reveló en una borrachera a mi tío escritor.

El desván y sus recintos cercados llenos de trastos y telarañas. Más tarde, Oskar Matzerath, antes de que los niños de la vecindad lo acosaran y atormentaran hasta llegar arriba, encontró allí refugio, lo mismo que yo. Él practicaba desde allí su canto de efectos lejanos; para mí, en cambio, fue importante la maleta superviviente.

Veo las manchas del sol sobre el cuero gastado. No, ninguna paloma arrulladora daba indicaciones. Sólo a mí me correspondió el privilegio de descubrirla cerca de mi lugar de lectura secreto, de abrirla. Impaciente, con mi navaja de tres hojas. El olor me golpeó como si se hubiera abierto una cripta. Se levantó polvo, bailó en la luz. Lo que encontré se convirtió en señal e hizo viajar al descubridor durante toda su vida; sólo ahora empieza a cansarse, sólo las miradas hacia atrás lo mantienen despierto.

Una y otra vez me atrajo aquel escondite. El tragaluz, que se podía levantar, me permitía ver patios traseros, castaños, el techo de cartón alquitranado de la fábrica de caramelos, jardines diminutos, cobertizos semicubiertos, sacudidores de alfombras y jaulas de conejos, hasta las casas de la Luisenstraße, la Herthastraße y la Marienstraße, que delimitaban el amplio rectángulo. Yo, sin embargo, veía más allá. Desde el lugar de encuentro con el pintor, el poeta, el cocinero, a los que mi madre solía dedicar adjetivos —Paul, casi siempre sombrío, Arthur, con frecuencia soñador, Alfons, siempre divertido—, yo seguía una línea de vuelo a ninguna parte, lo mismo que ahora, en el vuelo de vuelta, trato de aterrizar con precisión donde no me aguardan restos, sillones desvencijados, ni nada firme que pueda agarrar.

Ay, si se encontrara, si no una maleta, al menos una caja de cartón, llena de primerísimos garabatos. Sin embargo, no ha quedado ni media frase de los primeros poemas, ni una página del único capítulo de la novela de los cachubos. No queda ni uno de los dibujos o acuarelas confusamente fantásticos o minuciosamente reptantes con detalles de ladrillo mohoso. En el equipaje de refugiado de mis padres no había versos rimados escritos con letra redondilla ni hojas sombreadas en blanco y negro. Ningún cuaderno escolar lleno de redacciones completas que, a pesar de molestas faltas de ortografía, hubieran sido calificadas con un «bien» o «muy bien». Nada da testimonio de mis comienzos.

O quizá debiera convencerme: ¡Qué bien que no haya quedado ni un solo trocito de papel!

Qué penoso sería que entre las efusiones de aquel muchacho púber se hubieran encontrado versos rimados que, fechados el 20 de abril e influidos por el estilo ditirámbicamente expresionista de Menzel, Baumann o Von Schirach, bardos de las Juventudes Hitlerianas, siguieran celebrando la fe inquebrantable en el Führer. Rimas como «honor-dolor», «bandera-señera» o «clarines-paladines» me resultarían espantosas a posteriori. O si en el fragmento de mi ópera prima hubiera habido idioteces racistas a costa de los pobres cachubos; un caballero braquicéfalo de la Orden decapita a dolicocéfalos eslavos a docenas. Y otros productos de la demencia autoinoculada.

En cualquier caso, estoy seguro de que en un montón de dibujos, de haber sido hallados no en el sótano de la casa de alquiler sino en el desván, no se habría podido encontrar ninguna lámina a la que pudiera tacharse de intentar retratar a alguno de los muy condecorados héroes de guerra, por ejemplo el teniente de navío Prien o el aviador de caza Galland, aunque los dos fueran para mí modélicos.

¿Qué hubiera ocurrido entonces? Las especulaciones que se alimentan del contenido de maletas perdidas son tan inútiles como persistentes.

¿Qué hubiera podido susurrar traidoramente una caja de Persil en la que la madre, poco antes de la evacuación forzosa, metió los utensilios de su hijo y luego, con la prisa de la partida, olvidó?

¿Qué más hubiera resultado apropiado para dejarme al descubierto a mí, que necesitaba una hoja de parra?

Como yo, hijo de una familia expulsada después de la guerra, a diferencia de los escritores de mi generación, asentados en el lago de Constanza, en Núremberg o en las tierras llanas del norte de Alemania, es decir, en plena posesión de sus notas escolares y productos tempranos, no dispongo de ningún legado de mis años jóvenes, sólo puedo recurrir al más dudoso de todos los testigos, Madame Memoria, una aparición caprichosa, a menudo con dolor de cabeza, que además tiene fama de venderse según la situación del mercado.

De forma que hacen falta medios de ayuda que son diferentemente ambiguos. Por ejemplo el recurso a objetos que, redondos o angulosos, aguardan en el anaquel que hay sobre mi alto pupitre ser utilizados. Objetos hallados que, si se conjuran con intensidad suficiente, comienzan a murmurar.

No, nada de monedas o añicos de loza. Son trozos de un amarillo dorado que pueden atravesarse con la mirada. Trozos a los que el rojo o el amarillo otoñales dan color. Trozos del tamaño de una cereza, o como éste, grande como un huevo de pato.

El oro de mi charco báltico: ámbar encontrado en las playas del Mar Báltico o comprado hace más de un año a aquel comerciante que, en una ciudad lituana que en otro tiempo se llamó Memel, tenía su puesto al aire libre. Toda clase de artículos para turistas, tallados o pulidos: su oferta se componía no sólo de collares, pulseras, pisapapeles y cajitas con tapa, sino también de ámbar bruto o sólo parcialmente pulido.

Habíamos ido con Jürgen y Maria Manthey en el transbordador, desde la lengua de Kurisch. En realidad sólo habíamos querido visitar el monumento de Anke von Tharau y recordar al poeta Simon Dach. Un día ventoso bajo nubes apresuradas, en el que elegí, titubeé y eché mano.

Todos los trozos que encontré o compré tenían inclusiones. En esa gota petrificada pueden verse agujas de abeto, en ese hallazgo líquenes que parecen musgo. En este de aquí perdura un mosquito. Se le pueden contar todas las patitas, las alas, como si quisiera despegar zumbando.

En cuanto sostengo contra la luz el trozo del tamaño de un huevo de pato, la masa solidificada y de capas mutuamente encajadas resulta habitada por todas partes por diminutos insectos. Lo que se encapsuló. ¿Es eso un gusano? ¿Ahí un ciempiés inmovilizado? Sólo una contemplación prolongada revela los secretos de ámbar que se creían a salvo.

Siempre que mi otro medio de ayuda, la cebolla imaginada, no quiere cotorrear o revelar sus noticias con líneas que apenas se pueden descifrar en la piel húmeda, recurro al anaquel que hay sobre el pupitre de mi taller de Behlendorf y elijo entre los trozos que hay allí, sean comprados o encontrados.

Éste, este trozo amarillo de miel, que es transparente y sólo hacia su borde costroso está lechosamente nublado. Si lo sostengo tiempo suficiente contra la luz, detengo el constante tictac de mi cabeza y no me dejo distraer por nada, ninguna injerencia de la política cotidiana o de otra actualidad, es decir, cuando estoy totalmente concentrado en mí mismo, veo, en lugar del insecto encerrado, que hace un momento quería ser una garrapata, a mí mismo de cuerpo entero: a los catorce años y desnudo. Mi pene, que en posición de descanso todavía es el de un chico, comparable al del Amor que un artista genial, pero también capaz de asesinar, pintó para uno de mis cromos de cigarrillos, quiere pasar por mayor, en cuanto, por pura malicia o tras un breve manoseo, se endurece y asoma la cabeza.

La pilila del dios del Amor, dibujada por Caravaggio, tiene un aspecto gracioso —una puntita divertida— y se las da de inocente, aunque el alado pilluelo, claramente sonriendo, sale de una cama en la que, como inductor o cómplice, debió de demostrar lo que valía; mi pilila sin embargo, que cuando está semidormida finge ser inofensiva, ha sucumbido sin ningún humor al pecado. Siempre muy despierta, quiere, firme, penetrar virilmente, penetrar donde sea, incluso en alguno de los agujeros de las paredes de madera que pueden encontrarse en las cabinas del balneario de Brösen.

Y el ámbar revela más cosas si se le interroga lo suficiente: el miembro que me cuelga como pilila del autorretrato encerrado en la resina carece de entendimiento y se propone seguir sin él toda su vida. Todavía se lo puede calmar mediante el uso bíblico tradicional, a diario y por poco tiempo, pero pronto no le basta ya la mano. Resueltamente, su cabeza —también llamada glande— desea otro alivio entretenido y rápida salvación. A pesar de toda su demostrada estupidez, la necesidad aguza su ingenio. No está libre de orgullo y ambiciones deportivas. Es un reincidente al que ningún castigo puede disuadir.

Mientras fui católicamente creyente —el tránsito a la incredulidad fue fluido—, mi pene demostró su capacidad como incombustible objeto de confesión. Sobre él se me ocurrían los pecados más atrevidos. Actos deshonestos con ángeles. Hasta tuvo acceso a una virginal oveja. Sus hechos y fechorías asombraban hasta a mi confesor, el padre Wiehnke, cuyos oídos no querían ser ajenos a nada humano. A mí, sin embargo, la confesión me servía sobre todo para descargarme de todo lo que se debía atribuir e imputar al caprichoso apéndice como placer: el alivio semanal.

Más tarde, cuando aquel chico de catorce años se encontró en un estado de absoluta impiedad, su miembro que con él se había hecho mayor le deparaba más preocupaciones que la situación militar en el frente del Este, en donde el hasta entonces imparable avance de nuestros ejércitos acorazados se detuvo poco antes de Moscú, primero en el fango, y luego en la nieve y el hielo. El «Padrecito Invierno» salvó a Rusia.

¿Y qué fue lo que me ayudó en mi necesidad?
Entretanto, el objeto de todos mis deseos tenía
nombre. Sufrí las penas del primer amor, que no pudieron ser superadas por ningún ataque de locura después. El
dolor de muelas no es nada en comparación, aunque también este martirio vaya acompañado de un dolor que au-
menta y disminuye, que viene y permanece.

Como el comienzo de mi primer amor ni puede
fecharse exactamente ni se tradujo en hechos cuyo desarrollo pudiera describirse hasta el momento del contacto
físico y menos de una posesión penetrante, sólo quedan
las palabras, cuyo tartamudeo ayuda a la expresión excesivamente ferviente o ampulosa, y que ya desde el *Werther*
de Goethe se utilizan en cartas y susurros de almohada.
Seré breve.

Me encontraba con la chica, para la que mi deseo
estaba adiestrado como un perro mordedor, en el camino
del colegio. Entretanto, el viejo edificio del Conradinum
era utilizado no sólo por los colegiales sino también por
las desalojadas colegialas de la escuela Gudrun, en otro
tiempo llamada Helene Lange.

Mañana y tarde, las clases por turnos ocupaban las
aulas. En el Uphagenweg había tráfico en dos direcciones.
Yo iba y ella venía. O yo llevaba ya cinco horas de clase y
ella tenía que aguantar otras tantas aún. Si ella iba con un
pelotón de chicas, yo, solitario reconocido, iba a pie. Atravesaba con mi cartera escolar el pelotón lleno de risitas,
arriesgando sólo una mirada.

No era guapa ni fea, nada más que una colegiala
de pelo negro y trenzas bastante largas. Enmarcado en oscuro, su rostro me parecía pequeño, reducido al famoso
puntopuntocomaytrazo. La boca de labios estrechos, apretados. Las cejas unidas sobre el arranque de la nariz.

Conocía chicas más monas. En un cobertizo de
madera de mi abuelo me había ocupado incluso, palpán-

dola, de una prima mía. Otra chica se llamaba Dorchen, era de Bartenstein, en la Prusia oriental, hablaba también en consecuencia y se quedó un verano entero.

No, a mi amor de las trenzas negras no la nombraré. Tal vez viva aún en alguna parte, haya sobrevivido como yo y, anciana, no quiera ser molestada por un anciano y sus recuerdos que hurgan en lo aproximado, y que ya en su época escolar le causó mala impresión y, finalmente, la ofendió de mala manera.

Mi primer amor debe quedar sin nombre, a no ser que el recurso al ámbar la desenmascare como mosquito o araña encapsulada que yo llame, maldiga y conjure.

No soltaba presa, cualidad que se ha afirmado y, hasta hoy, trata de demostrar tenacidad en este campo o en aquél. Como los alumnos sabíamos más o menos dónde se sentaban en nuestras aulas, por la mañana o la tarde, las chicas del colegio Gudrun, yo dejaba cartas donde ella, agujero no colmable de mis deseos, tenía supuestamente su sitio. Mensajes secretos, pegados bajo la tapa levantable del banco escolar. Cosas ridículas que a veces eran ridículamente respondidas. No, los versos no formaban parte de mi correo escolar. Ni siquiera es seguro que sus mensajes, que los míos, estuvieran firmados.

Eso siguió así hasta que tuve que cambiar de colegio y, un día tras otro, iba con el tranvía, línea cinco, de Langfuhr a Danzig y volvía después de las clases de la ciudad vieja al suburbio. Las estrechas callejuelas, el ladrillo amontonado, la Edad Media que podía adivinarse tras las torcidas murallas y las fachadas con gabletes, todo aquello que la Historia petrificada ofrecía, influía, si no tranquilizadoramente, sí de forma disuasoria, sobre todo porque en el colegio Petri una profesora de dibujo obligada al servicio militar, cuyo nombre era Lilli, se volvió más importante de lo que en el invierno del cuarenta y dos y en el cuarenta y tres, antes y después de Stalingrado, yo podía comprender.

Sólo cuando, después de otro cambio de colegio, los alumnos de mi quinta fueron reclutados como auxiliares de la Luftwaffe y empezaron a llevar un elegante uniforme, recibí de manos de mi primer amor una carta, como correo militar, enviada a la batería de Kaiserhafen, donde yo había recibido formación como K-6.

Ya no sé qué es lo que decía con bella caligrafía, pero aquel artillero recién uniformado fue suficientemente arrogante para corregir con prisa algunas faltas de ortografía y devolver la carta, calificada con tinta roja, como hacían los profesores, y acompañada de un escrito, quizá de contenido poético.

Después mi primer amor guardó silencio. Con mis quince años y mucho tiempo después todavía deficiente, incluso hasta hoy inseguro, en cuestiones ortográficas, yo había destruido algo que, a juzgar por las insinuaciones, empezaba a hacerse tangible y prometía más de lo que podía bastar a mi miembro siempre dispuesto a escala Caravaggio.

Luego el vacío. Un aislamiento cultivado con fruición. Quedaba el deseo, unas veces semidormido y otras totalmente despierto. Duró más que mi época de auxiliar de la Luftwaffe, que, en lo que se refiere a la vida en los barracones de los desiertos terrenos del puerto, se reflejó en la novela *Años de perro:* con historias muy distintas y en la jerga escolar de muchachos también muy distintos, que sin embargo, como yo entonces, estaban contentísimos de que para ellos se hubiera acabado no sólo el servicio en las Juventudes Hitlerianas, cada vez más estúpido, sino también el colegio.

Es cierto que en la trama de la novela aparece, igualmente de pasada, el amor como desvarío, pero aquí debe reiterarse que aquella chica flacucha llamada Tulla Pokriefke, que los fines de semana, a la hora de visitas, asolaba la batería de Kaiserhafen y su dotación, no tiene nada que ver con mi primer amor.

El ámbar finge recordar más de lo que puede gustarnos. Conserva lo que debería estar hace tiempo digerido, eliminado. En él se mantiene todo lo que apresó cuando estaba en un estado blando, todavía líquido. Rechaza los pretextos. Él, que no olvida nada y lleva al mercado como fruta fresca secretos profundamente enterrados, afirma con certeza que fue ya el chico de doce años que llevaba mi nombre, en aquella época todavía devoto y, si no creyente en Dios, sí, al menos, en la Virgen, quien molestó en la clase de catecismo a la chica de las trenzas. Como éramos de la misma edad, dice que el capellán de la casa parroquial de la iglesia del Sagrado Corazón nos preparó para la primera comunión. La lista de fechorías del *Espejo de confesión* —qué son pecados veniales, qué son pecados graves, qué es un pecado mortal— nos brotaba de memoria de los labios. Con un hermano de la chica fui incluso, al parecer, monaguillo sustituto, con campanilla e incensario, y la vista fija en el tabernáculo, la custodia.

Sí, señor, todavía hoy me sé las oraciones del *introito* de la misa. Como Mulligan al comienzo del *Ulises,* susurro mientras me afeito: «*Introibo ad altare Dei...*».

Al parecer, a los trece años —y ya más allá de todos los prodigios de la caja de sorpresas católica— iba a la iglesia, sólo para acechar los sábados por la tarde a la chica: lo más cerca posible del confesionario, un banco detrás de las trenzas.

La resina petrificada de color amarillo miel habla incluso de secretos de confesión: mis labios ensartaron en los oídos del cura tan detalladamente las imágenes que eran objeto de mis prácticas masturbatorias que el nombre de la chica puerto de mis deseos saltó de mi lengua y quedó revelado. Después de lo cual el reverendo tosió tras la rejilla del confesionario.

Más adelante, mientras la penitente de trenzas clasificaba sus pecados a un lado del confesionario, salí al parecer de mi banco de la iglesia y fui al altar de la Virgen, para allí, con deliberación y por pura malicia...

No, digo yo, dejando el trozo con el mosquito junto a los demás trozos, que encierran a otros seres: mosca, araña, diminuto escarabajo... No fui yo. Está en el libro y sólo es verdad allí. De esa fechoría no hay prueba alguna, porque recientemente aún, cuando en la primavera de 2005 me reuní en Gdańsk con diez traductores venidos de muy lejos y con mi lector, Helmut Frielinghaus, porque se quería desentrañar nuevamente mi ópera prima, visitamos este o aquel lugar de los hechos de la historia, llena de súbitos cambios, que cuenta la novela, y por eso también la iglesia del Sagrado Corazón, que ha aguantado la guerra y en la cual, en lugar del altar de la Virgen, fielmente descrito, se muestra una copia de la Virgen de Wilna, con su corona de rayos de chapa dorada, que atrae a los polacos piadosos. Al lado mismo, detrás de unas velas, en un nicho, vimos las fotos del papa públicamente fallecido y del recientemente electo, de origen alemán.

Y allí, en aquel lugar neogótico del sacrilegio juvenil, un sacerdote joven que sonreía de forma críptica y, ni de lejos, se parecía al reverendo Wiehnke, me tendió un ejemplar de la edición polaca del mencionado libro para que se lo firmara, y entonces el autor, en presencia de los asombrados traductores y de su lector, no vaciló en escribir su nombre bajo el título; porque no fui yo quien en aquellos tiempos rompió al Niño Jesús su regaderita en el altar de la Virgen de la iglesia del Sagrado Corazón. Fue alguien de otra disposición. Alguien que nunca renunció al Maligno. Alguien que no quiso crecer...

Yo en cambio no hice más que crecer y crecer. Ya a los dieciséis, cuando entré en el Servicio de Trabajo, pasaba por adulto. ¿O quizá no medí definitivamente un metro setenta y dos centímetros hasta que me convertí en soldado y, sólo por suerte o casualidad, sobreviví a la guerra?

Esa pregunta no preocupa a la cebolla ni al ámbar. Quieren saber otras cosas con precisión. Lo que sigue encapsulado: lo vergonzosamente engullido, secretos con distintos disfraces. Lo que, como las liendres, anida en los pelos de los cojones. Palabras omitidas con profusión de palabras. Astillas de pensamientos. Lo que duele. Todavía hoy...

Se llamaba «Nosotrosnohacemoseso»

Me descubrí volviendo atrás y observé cómo me saltaba páginas y, donde se abrían espacios en blanco, garabateaba adornos y monigotes. De mi mano salían accesorios rápidamente narrados, para distraer, y eran tachados enseguida. ¡Fuera!

Ahora faltan las articulaciones de un proceso que nadie detuvo, cuyo curso no se podía invertir y cuyo rastro no era capaz de borrar goma alguna. Y, sin embargo, en cuanto tengo que recordar el paso fatal que dio aquel quinceañero colegial de uniforme, no puedo pelar la cebolla, ni interrogar a ningún otro medio de ayuda. Lo cierto es que me presenté voluntariamente al servicio de las armas. ¿Cuándo? ¿Por qué?

Como no sé ninguna fecha ni puedo recordar el tiempo, ya entonces variable, que hacía, ni enumerar lo que pasaba simultáneamente entre el Océano Glacial Ártico y el Cáucaso y en los restantes frentes, por ahora sólo quieren convertirse en frases las presuntas circunstancias que alimentaron y alentaron mi decisión, llevándome finalmente a seguir el conducto oficial. A esas circunstancias no se les pueden agregar atenuantes. Lo que hice no puede minimizarse como tontería juvenil. Ninguna coacción que me atosigara en la nuca, ningún sentimiento de culpa autoinducido —por ejemplo por haber dudado de la infalibilidad del Führer— exigía ser compensado con un celo voluntario.

Sucedió en la época de mi servicio como auxiliar de la Luftwaffe, un servicio que no era voluntario pero, al terminar el día escolar, parecía una liberación y que, con su instrucción suave, yo aceptaba.

Los chicos lo veíamos así. De uniforme atraíamos las miradas. En plena pubertad, reforzábamos el frente interior. La batería Kaiserhafen se convirtió en nuestro hogar. Hacia el este se veían las tierras bajas hasta el brazo del Vístula; hacia el oeste se alzaban grúas de carga y descarga, silos de cereales, las lejanas torres de la ciudad. Al principio se hicieron intentos de proseguir la enseñanza, pero, como ésta se interrumpía con excesiva frecuencia por ejercicios militares, la mayoría de los profesores, achacosos por la edad, rehusaron recorrer el fatigoso camino de arena hasta nuestra batería.

Por fin se nos tomaba en serio. Había que orientar hacia el objetivo los seis tubos que componían el dispositivo de mando. Habiendo recibido formación práctica en instrumentos militares, podíamos ser de utilidad —llegado el caso— para proteger la ciudad y el puerto de ataques aéreos «terroristas» enemigos; en las alarmas de ensayo, cada uno ocupaba su puesto de combate en un plazo de segundos.

Sin embargo, nuestros cañones 8.8 sólo entraron en acción dos o tres veces, cuando algunos bombarderos enemigos fueron avistados en el espacio aéreo nocturno y captados, como objetivo, por el haz de rayos. Aquello tenía un aspecto festivamente hermoso. Con todo, no sufrimos grandes ataques, las llamadas tormentas de fuego, como tuvieron que padecer Colonia, Hamburgo, Berlín y otras ciudades de la Cuenca del Ruhr, de las que nada se sabía con seguridad. No hubo daños dignos de mención. Cerca del astillero de Schichau, en la Fuchswall, fueron alcanzadas dos casas; pocos muertos. No obstante, el derribo de un bombardero tetramotor Lancaster nos enorgulleció, aunque no se adjudicó a nuestra batería, sino a la de Zigankenberg, en la margen meridional de la ciudad. Al parecer, los miembros de la tripulación, bastante carbonizados, según se dijo, eran canadienses.

Por regla general, el servicio era aburrido, aunque de un aburrimiento distinto al del colegio. Nos repateaban especialmente los turnos de guardia nocturnos y la enseñanza balística, que se impartía en la barraca-escuela con olor a cerrado. Entonces nos sobrevenía un aburrimiento que nos inducía a recaer en un comportamiento escolar. Hacíamos el tonto contándonos historias de chicas inventadas. Así pasaban los días.

Uno de cada dos fines de semana librábamos. Podíamos, como se decía, ir a casa «con mamá». Y cada vez la estrechez de la vivienda de dos habitaciones moderaba mi alegría anticipada por la visita.

De nada servía el pudin de vainilla con trocitos de almendra, cuyos ingredientes el padre, cocinero familiar por vocación, apartaba de los escasos suministros, reservándolos para ocasiones festivas. Especialmente para mí, echaba salsa de chocolate sobre el pudin al sacarlo del molde, y lo colocaba como bienvenida sobre la mesa puesta especialmente para el hijo.

Sin embargo, ningún dulce podía ayudar contra la estrechez. Todo me molestaba, por ejemplo la falta de baño y de retrete en nuestro piso. En la batería Kaiserhafen estaba al menos la sala de duchas y, a distancia, la letrina de la dotación. Unos junto a otros, nos acurrucábamos en la «tabla de los truenos». Todos cagaban junto a todos. Eso no me molestaba.

En casa, sin embargo, el retrete del piso intermedio, que utilizaban cuatro familias de inquilinos, me resultaba cada vez más embarazoso, hasta darme asco, porque siempre estaba cochambroso de los niños de los vecinos, u ocupado cuando uno lo necesitaba. Era una celda apestosa, de paredes embadurnadas con los dedos.

Yo escondía de los otros ese retrete exterior como una vergüenza, por lo que no invitaba a ninguno de mis compañeros, en cuyas casas la bañera y el retrete exclusivo se daban por supuestos. Sólo Egon Heinert, al que en la

Luisenstraße repateaba también un retrete exterior, venía a veces y me prestaba libros.

El cuchitril de dos habitaciones. La trampa del origen. Allí todo coartaba a quien volvía los fines de semana. Ni siquiera la mano de la madre podía disipar con sus caricias las miserias del hijo. Aunque a él no se le pedía ya que durmiera en la alcoba de los padres, en la que, además, dormía la hermana, él seguía siendo testigo, en el cuarto de estar donde el sofá, preparado para la noche, lo aguardaba, de una vida matrimonial que se desarrollaba regularmente de sábado a domingo. Oía o creía oír lo que, aunque sólo amortiguado, guardaba desde niño en los oídos y, por tanto, en la cabeza, como un ritual monstruoso: susurros anunciadores, besos ruidosos, el crujiente somier, el suspirante colchón de crin, gemidos, quejidos, todos los ruidos que son propios de las relaciones sexuales y, percibidos en la oscuridad, resultan en especial memorables.

De niño, había aguantado aquel alboroto palpablemente próximo, con curiosidad y, mucho tiempo, con inocencia. Ahora, al auxiliar de la Luftwaffe, uniformado de día, le resultaba insoportable lo que oía en pijama, cuando su padre, en cuanto el hijo estaba de permiso breve, caía sobre su madre.

Sin embargo, no es seguro que los padres mantuvieran relaciones cuando su hijo, al alcance de la voz, yacía despierto en el sofá. Más bien cabe suponer que tenían consideración con quien venía de permiso, y dejaban de utilizarse mutuamente. Lo que me quitaba el sueño era sólo la expectativa de los ruidos, cuyo orden, con pocas variaciones, estaba como prescrito.

En la oscuridad, veía con toda claridad cada variante del apareamiento conyugal. Y siempre se sacrificaba la madre en aquella película que en cualquier momento podía proyectarse; cedía, permitía, aguantaba hasta quedar agotada.

El odio del niño de mamá hacia el padre, esa situación subliminalmente compleja que determinó ya el curso de las tragedias griegas e hizo a Freud médico de almas y a sus discípulos tan comprensivos y elocuentes, ese odio fue en mi caso, si no la causa, al menos un estímulo adicional para irme de casa a donde fuera.

Exploré vías de escape. Todas iban en la misma dirección. Había que marcharse de allí, al frente, a uno de los muchos frentes, tan rápidamente como se pudiera.

Busqué la pelea con el padre. No era posible, o sólo con ayuda de enormes reproches, porque, como pacífico hombre de familia, cedía rápidamente: siempre estaba necesitado de armonía. En boca de él, el progenitor, resplandecía siempre un deseo para sus hijos: «Quiero que algún día estéis mejor...», «Seguro que algún día os irá mejor que a nosotros...».

Por mucho que me esforzara en hacer de él un fantoche, el padre no se prestaba como dócil objeto odiado. A sus ojos de color azul pálido habré parecido extraño, como salido de un huevo de cuclillo. Mi hermanita lo quería tiernamente, tal vez suavizando así un tanto la dureza del hermano.

¿Y la madre? Con frecuencia se sentaba al piano, pero no tocaba. Estaba harta de la tienda con su escaso surtido de artículos. O bien sufría, como el padre y la hermana, durante la breve estancia del hijo y hermano, el cual pretendía ser especialmente capaz de sufrir.

No obstante, el piso de dos habitaciones, que se me había vuelto insoportable, y el retrete para cuatro familias del piso intermedio no pueden explicar, como único motivo, que un día indeterminado me presentara voluntario. Mis compañeros de colegio se criaban en pisos de cinco habitaciones con cuarto de baño y aseo en el que había rollos de papel higiénico y no, como en nuestra casa, periódicos cortados en trozos rectangulares. Algunos habitaban incluso en villas fastuosas en el Uphagenweg o a lo largo de la Hindenburgallee, tenían habitación propia y, sin embargo, deseaban estar muy lejos, allí en el frente. Como yo, querían vivir en peligro; en lo posible sin miedo, hundir un barco tras otro, reventar tanques enemigos en serie o, en los últimos Messerschmitts, ir a bajar del cielo a los bombarderos «terroristas» del enemigo.

Ahora bien, después de Stalingrado, el frente retrocedía en todas partes. Quien, como mi tío Friedel, lo seguía con alfileres de colores, en mapas ampliados y pegados en cartón, tenía dificultades para mantenerse al día, tanto en el este como en África del Norte. Todo lo más, el aliado Japón podía apuntarse éxitos en las batallas navales y en sus avances en Birmania. Y nuestros submarinos alimentaban de vez en cuando los partes especiales con la cifra de barcos hundidos del enemigo, citando exactamente la suma de toneladas de su registro bruto. En el Atlántico y cerca del Océano Glacial Ártico atacaban en manada a los convoyes.

No había noticiario que no me mostrara el regreso victorioso de esos submarinos. Y como aquel chico de permiso corto, que, después de ir al cine, permanecía largo tiempo despierto en el sofá del cuarto de estar, conseguía sin esfuerzo situarse en alguno de aquellos submarinos de setecientas cincuenta toneladas, podía verme con mar gruesa, como suboficial, en la torreta: vestido de hule, salpicado de espuma y con el catalejo enfocado hacia un horizonte que bailaba.

Con anticipado celo, el futuro voluntario deseaba incursiones victoriosas y, después de superados los peligros —el enemigo no escatimaba las cargas de profundidad—, el retorno a algunos refugios para submarinos de la costa atlántica de Francia. Integrado en la tripulación, está junto al barbudo Capi, bajo gallardetes que indican los barcos hundidos. El grupo, al que se creía perdido, es saludado por la briosa música militar exactamente como el espectador de cine había visto una y otra vez el regreso de sus héroes; de los submarinos que se habían ahogado en alguna parte, con sus tripulaciones, faltaban imágenes animadas.

No, ningún periódico me dio aquella fe en los héroes —mis padres no estaban suscritos al rígido *Vorposten* sino al objetivo y solícito *Neueste Nachrichten*—, era el noticiario el que me servía, en blanco y negro, verdades adornadas que yo creía sin vacilar.

Lo pasaban antes del documental y del largometraje. En los cinematógrafos del barrio de Langfuhr o en el Palacio de la UFA de la Elisabethkirchengasse de la ciudad vieja, veía a Alemania rodeada de enemigos, ahora en una guerra defensiva que se libraba heroicamente en las estepas infinitas de Rusia, los arenales ardientes del desierto libio, el protector Muro del Atlántico y, con submarinos, en los siete mares; y también en el frente patrio, en donde las mujeres torneaban granadas y los hombres ensamblaban tanques. Un bastión contra la marea roja. Un pueblo que luchaba por su destino. La fortaleza de Europa, cómo resistía al imperialismo angloamericano; y sin duda con muchas pérdidas, porque en el *Danziger Neueste Nachrichten* aumentaban cada día las esquelas que, con orla de luto y adornadas con la cruz negra alemana, daban testimonio de los soldados muertos por el Führer, el Pueblo y la Patria.

¿Iban en esa dirección mis deseos? ¿Se mezclaba al caos de mis ensoñaciones alguna nostalgia de muerte? ¿Quería ver mi nombre inmortalizado y orlado de negro? Probablemente no. Sin duda habré sido egoísta y solitario, pero, por mi edad, no estaba harto de vivir. Entonces, ¿es que era sólo idiota?

Nada me ilustra sobre lo que piensa un muchacho de quince años que, por su propia voluntad, quiere ir sin falta a donde se lucha y —como puede suponer y sabe incluso por los libros— la Muerte hace su cosecha. Las suposiciones se suceden: ¿fue el desbordamiento de un río de sentimientos, el placer de actuar por cuenta propia o el deseo de crecer muy deprisa, de ser un hombre entre los hombres?

Probablemente le fue posible al ayudante de la Luftwaffe cambiar el permiso de fin de semana que le correspondía por un miércoles o jueves libre. Una cosa es segura: tras una caminata bastante larga, tomé el tranvía de Heubude a la estación central, y de allí el tren, pasando por Langfuhr y Zoppot, hasta Gotenhafen, una ciudad que en mi infancia se llamaba Gdingen y en polaco Gdynia. Crecida demasiado aprisa, no gravaba sobre ella la Historia. Edificios nuevos de tejados planos se extendían hasta el puerto, cuyos muelles y malecones delimitaban el mar abierto. Allí se instruía a los reclutas de la Marina como submarinistas. Y lo mismo se hacía también en otra parte, en Pillau, muy lejos. Gotenhafen se brindaba como accesiblemente cercano.

Una hora escasa de trayecto me llevó al objetivo de mis deseos, orientados a un heroísmo deslumbrante. ¿Fue en marzo o con tiempo de abril? Probablemente llovía. El puerto en la bruma. Allí, en el muelle de Oxhöft, estaba amarrado el antiguo buque de «A la fuerza por la alegría», el *Wilhelm Gustloff*, utilizado por una división de formación de la flota submarina como cuartel flotante. Yo no lo sabía con exactitud. El puerto militar y el astillero se consideraban zona prohibida.

Sesenta años más tarde, cuando, con el retraso de una vida, pude escribir por fin la novela *A paso de cangrejo*, que trata de esa motonave llamada *Wilhelm Gustloff*, su ovacionada botadura, sus populares cruceros en tiempo de paz y la decisión de convertirlo en barco cuartel fondeado, luego de su salida y su carga humana —mil reclutas y muchos miles de refugiados—, y finalmente de su hundimiento el 20 de enero de 1945 a la altura del Stolpebank, sabía todos los detalles de la catástrofe: la temperatura, veinte bajo cero, el número de torpedos, tres...

Mientras hablaba del curso, entrecruzado en el tiempo, de los acontecimientos, pero escribiendo bajo cuerda una novela corta, me veía como uno de los reclutas submarinistas a bordo del *Gustloff* que se hundía. Podía adivinarse lo que aquellos chicos de diecisiete años tendrían en la cabeza, bajo el gorro de marinero, antes de morir prematuramente en el helado Báltico: chicas que prometían un éxito fácil y heroicas proezas futuras, mientras —también en eso se parecían a mí— creían en un milagro, en la victoria final.

Encontré el centro de reclutamiento en un edificio bajo de los tiempos polacos, en el que, tras puertas con letreros, se administraban, organizaban, tramitaban y archivaban en carpetas otros expedientes. Después de anunciarse, había que esperar a que llamaran. Dos o tres chicos mayores, con los que no tenía mucho que hablar, pasaron antes que yo.

Un suboficial del Ejército y otro de Marina quisieron rechazarme por demasiado joven; todavía no le tocaba a mi quinta. Sin duda, la llamarían un día. No había razón para apresurarse.

Fumaban y bebían café con leche en tazas barrigudas. Uno de aquellos hombres, desde mi punto de vista de cierta edad —¿era el del ejército de tierra?—, iba afilando, mientras yo hablaba, varios lápices de repuesto. ¿O es que he visto una previsión igualmente pedante en alguna película, noséencuál?

Aquel auxiliar de la Luftwaffe vestido de uniforme o de paisano, quizá con pantalones cortos y calcetines largos, ¿se cuadró a la debida distancia de la mesa —«¡Me presento voluntario para servir en el Arma Submarina!»— con resuelta decisión, como se le había enseñado?

¿Se le invitó a tomar asiento?

¿Se sintió valiente, ya casi como un futuro héroe?

Sólo me responde una imagen borrosa, en la que no se puede leer ningún pensamiento.

En cualquier caso, debí de insistir, incluso cuando me dijeron que, de momento, no se necesitaban voluntarios para los submarinos: el cupo se había llenado.

Luego me dijeron que, como era sabido, la guerra no se hacía sólo bajo el agua, y por eso iban a tomar nota y comunicar mi presentación a otros centros de reclutamiento. En las nuevas divisiones acorazadas cuya creación estaba prevista, en cuanto le tocase a la quinta del veintisiete, tendría, sin duda, probabilidades.

—No te impacientes, muchacho, os llamarán antes de lo que pensáis...

¿Se mostró el voluntario enseguida flexible: «Si no en los submarinos, por mí que sea en el arma acorazada...»?

¿Hizo preguntas sobre los novísimos blindados oruga: «¿Entraré en acción en el Tiger?»?

Debieron de ser otra vez los noticiarios los que habían dado formación premilitar al aficionado al cine: los carros blindados de Rommel en el desierto de arena.

Posiblemente me jacté de mis conocimientos escolares sacados del *Weyer* o del *Calendario de la Armada* de Köhler.

Incluso conocía detalles de los buques de guerra japoneses, portaaviones y cruceros, así como de sus éxitos en el Pacífico, por ejemplo la conquista de Singapur, la lucha por Filipinas y —lo que recuerdo hasta hoy con pelos y señales— el armamento y la velocidad en nudos de los cruceros acorazados *Furutaka* y *Kako*. La memoria acumula con predilección chatarra, es decir objetos que prometen ser duraderos, incluso desguazados.

En algún momento, tanto el paternal suboficial del Ejército como el de Marina, bastante seco, consideraron que habían oído suficiente. Mientras ponían fin claramente a la entrevista, me aseguraron que apoyarían mi solicitud. Bueno, me dijeron que antes tendría que hacer mi Servicio de Trabajo. Ni siquiera los voluntarios para el frente se libraban. ¡Pispás! Allí se aprendía a hacer instrucción con la pala.

—Ya os enseñarán lo que es bueno...

Mientras doy orden de que aparezca aquel chico de entonces para que, con sus rodillas desnudas, medias de rayas y zapatos de cordones, que se ha limpiado para la convocatoria, se ponga firmes, y me esfuerzo por evitar imágenes de segunda mano —escenas de películas, cosas leídas—, es como si oyera a los dos viejos de uniforme, o que entonces me parecieron viejos, reírse, entre burlones y compasivos, como si supieran lo que aguardaba a aquel chico de pantalones cortos. La manga izquierda del suboficial del Ejército estaba vacía.

Luego pasó el tiempo. Nos acostumbramos a la vida en barracones con literas. Transcurrió lentamente un verano sin Mar Báltico ni temporada de baños. Las expresiones de un suboficial, que pretendía haber estudiado filosofía, se entremezclaban con nuestra jerga de colegiales: «¡Perros olvidadizos del ser!», nos insultaba. «Habrá que sacaros vuestro poquitín de autenticidad.» Nuestro aspecto lo llevaba a ver ante sí «al ser arrojado de un montón de mierda al mundo». Sin embargo, por lo demás era inofensivo. No un negrero. Alguien a quien le gustaba escucharse..., lo que luego utilizó el chico, hasta llegar a las «materniadas» de Walter Matern, el protagonista de *Años de perro*.

Desde la zona del puerto, en donde, junto a instalaciones fabriles, había indefinibles materias blanquecinas amontonadas que atraían a las cornejas, nos llegaba con viento del noroeste un hedor desagradable. Y cuántas cosas vi y olí aún. Y cuántas cosas tuvieron luego consecuencias tardías. Comíamos yanoséqué.

Hacia finales de agosto, voluntarios ucranianos, llamados *hiwis* (de *hilfswillige*, «dispuestos a ayudar»), ocuparon un barracón recientemente construido. No eran mucho mayores que nosotros y debían aliviar a las dotaciones de las baterías de eventuales ocupaciones secundarias, como el servicio de cocina o las excavaciones. Por las noches se sentaban solos ante los cobertizos de utensilios.

Sin embargo, entre los ejercicios de combate y las clases de balística, cazábamos con ellos en los lavabos y detrás del barracón de la cocina, así como en los cobertizos de los cañones 8.8, ratas de larga cola. Uno de nosotros —¿o era un *hiwi*?— las cogía con las manos. Si presentábamos más de diez colas cortadas se nos recompensaba de distintas formas: a los auxiliares de la Luftwaffe, con rollitos de caramelos con sabor a fruta, a los soldados veteranos con cigarrillos y a los *hiwis* con *majorka,* un tabaco que gustaba a los rusos.

Con todo, por abundante que fuera nuestro botín, conteniendo la plaga, la batería Kaiserhafen no pudo celebrar ruidosamente ninguna victoria sobre las ratas, ni contabilizarla en silencio como éxito; sin duda por ello, decenios más tarde, esos roedores imposibles de exterminar se volvieron locuaces a lo largo de una novela. Aparecieron en mis sueños individualmente y como colonias de ratas... Se reían de mí porque seguía confiando... Sabían más y se enterraban a tiempo. Sólo ellas estaban dotadas para sobrevivir a la especie humana y sus rifirrafes...

Poco después de cumplir dieciséis años fui trasladado con una parte de la dotación de Kaiserhafen a la batería de playa de Brösen-Glettkau que, para proteger al cercano aeropuerto contra ataques aéreos a baja altura, fue provista además de cañones de cuatro bocas. Allí había más conejos que botín de cola larga.

Durante las horas libres, habré desaparecido en las hondonadas de las dunas de la playa, garrapateando en un cuaderno poemas otoñales. Escaramujos más que maduros, aburrimiento cotidiano, conchas y melancolía, la hierba de las dunas inclinada por el viento o una bota de caucho arrastrada por el mar me inspiraban. Con niebla costera, mis presuntas penas de amor merecían unos versos. Y, después de una tormenta, se podían recoger en algas marinas diminutos trozos de ámbar y, con suerte, del tamaño de una avellana. Un día encontré un trozo como una nuez, en el que algo así como un ciempiés había sobrevivido a los hititas, egipcios y griegos, al Imperio Romano y a quéséyoqué. Sin embargo, no volví a hacer castillos de goteante arena mojada.

En casa, todo seguía su curso determinado por la economía de guerra. Los fines de semana, la disputa con el padre durante el breve permiso se mantenía dentro de ciertos límites: probablemente me complacía despreciarlo, sólo porque existía; porque estaba de pie o sentado entre los muebles del cuarto de estar, con traje, corbata y zapatillas de fieltro; porque, con su eterno cuenco de gres ante su eterno delantal de cocina, revolvía sin cesar masa pastelera; porque era quien, cuidadosamente, convertía viejos periódicos en papel de retrete: y porque, declarado «imprescindible», no tenía que ir al frente y, por ello, resultaba ineludible para mí. Sin embargo, el padre me regaló por mi cumpleaños un reloj de pulsera Kienzle.

La madre apenas tocaba ya el piano. Sus suspiros sobre la situación general desembocaban en la frase:

—A ver si no sale todo mal...

Una vez le oí decir:

—Lástima que Rudolf Heß se fuera. Me gustaba mucho más que nuestro Führer.

También se le podía oír:

—No sé por qué tienen tanta manía a los judíos. Antes venía a vernos un representante de artículos de mercería. Se llamaba Zuckermann, pero era sumamente amable y me hacía siempre descuentos...

Después de la cena cubría la mesa de comer con los cupones de todos los productos comestibles asignados.

Había que pegarlos con engrudo de harina de patata en hojas de periódico. Luego las hojas se entregaban en la oficina de Abastos, a fin de que se suministrara a la tienda nuevos artículos, de acuerdo con los cupones presentados. Desde que la sucursal de Kaisers Kaffee de la plaza Max Halbe había cerrado, teníamos más clientela.

A menudo la ayudaba yo a pegar los cupones. El *Danziger Neueste Nachrichten* me ofrecía lo fundamental de la actualidad ya pasada. Probablemente, los cupones de harina y azúcar ocultaban el parte correspondiente del Alto Mando de la Wehrmacht, en el que, en lugar de «retirada», las palabras «rectificación de frentes» calmaban la situación general. Los nombres de ciudades evacuadas me resultaban conocidos aún de avances anteriores. Los cupones de la grasa y el aceite de mesa podían cubrir páginas llenas de esquelas de soldados muertos. Los de las legumbres hacían ilegibles el programa de cine, que cambiaba todas las semanas, o la página de anuncios por palabras.

A veces ayudaba el padre. De esa forma, al pegar cupones, nos acercábamos. Él llamaba a su mujer «Lenchen». Ella lo llamaba «Willy». A mí me llamaban «Chico». «Daddau», mi hermana, no ayudaba casi nunca.

Mientras el engrudo se secaba, la radio ofrecía, en *La hora del oyente* de todos los domingos, las melodías favoritas de la madre, allí aclimatadas: «¿Qué haré sin Eurídice...?», «Oye cómo llama el palomo...», «Solo, otra vez solo...», la canción de Solveig: «El invierno puede...», «Campanas del hogar...».

También durante el invierno la situación del frente fue en gran parte regresiva. Apenas había partes especiales. Sin embargo, cada vez más, los bombardeados buscaban refugio en la ciudad y sus suburbios. Entre ellos la hermana de mi padre, la tía Elli, con un marido inválido y dos chicas mellizas, que me gustaban las dos, sobre todo una de ellas. Llegaron de Berlín, con escasas pertenencias, a la ciudad perdonada por la guerra, que, en su antigüedad de ladrillo, parecía tan flemática como si todos los combates fueran a desarrollarse también en el futuro en una lejanía apartada.

Los «palacios del cine» seguían funcionando con regularidad, igual que en tiempo de paz, y el aficionado aprovechaba los permisos de fin de semana. Con una de las mellizas, que hablaba persistentemente berlinés, vi *Quax, el piloto rompetechos,* con Heinz Rühmann, y *Patria,* con Zarah Leander. Tal vez fueron otras películas las que vimos muy juntos el uno del otro. Mi prima era un año mayor y, en la oscuridad, de dedos más ágiles que yo.

Probablemente, en el curso del invierno, aquella firma que, en una oficina de reclutamiento de Gotenhafen, me había convertido en voluntario para esta Arma o aquélla se convirtió en un capricho que se disipó y no tuvo consecuencias. La atracción hacia fuera, hacia cualquier frente, se redujo. Mis aspiraciones tenían un objetivo más o menos opuesto. Leía versos de Eichendorff y de Lenau, me sumía en el *Kohlhaas* de Kleist y el *Hiperión* de Hölderlin, y hacía además guardias junto a cañones de protección antiaérea, cargado de pensamientos. Mi vista se perdía en el Mar Báltico, en gran parte helado. Allí, en la niebla sobre la rada, había anclados buques de carga, quizá suecos.

Aproximadamente en esa época, antes aún de que empezara la primavera, me llegó por correo militar aquella carta que me había enviado el objeto de trenzas negras de mi amor primero y nunca en ardor superado, escrita por aquella mano colegial cuya ortografía me creí obligado a corregir. Lo que se podía leer en la carta se ha desvanecido. Mi felicidad se hizo añicos antes de poder alcanzarla.

Años después de terminar la guerra he buscado en las listas de la Cruz Roja a una persona desaparecida, y en los boletines de los expulsados de Danzig, que de vez en cuando hablaban de reuniones de antiguas alumnas del colegio Gudrun, antes Helene Lange, el nombre de una chica que se ocultaba en distintas figuras, para mí al alcance de la mano, pero luego otra vez irreal, y que en mis libros se llamaba unas veces de un modo y otras de otro.

Una vez, a mediados de los sesenta, creí verla ante el portal principal de la catedral de Colonia, con un sombrero cloche y un rostro consumido. Pedía limosna. Cuando le hablé, una mujer casi desdentada masculló algo en el colonés allí habitual.

Y cuando, a finales de los años noventa, visitamos nuevamente Gdańsk y, en un piso privado, en medio de un público reducido y en un sala estrechísima, vimos la lograda representación de la versión teatral de mi relato *Malos presagios* como teatro de cámara germano-polaco, Ute y yo, después de la función, pasamos junto a un edificio viejo del antiguo Brunshöferweg. «Aquí vivía ella», dije, sintiéndome ridículo.

Lo que había perdido no pude superarlo al principio, pero luego sí, bastante. Al fin y al cabo, me quedaba mi prima preferida. Y, en lo que se refiere al servicio, nos iba, de forma aburrida, entre soportablemente y bien. Nuestros instructores, suboficiales y cabos, hartos de la guerra, se portaban con suavidad y parecían estar agradecidos de tener que meternos en cintura a nosotros, «rebaño de ovejas», muy lejos de los tiros.

En la zona costera de la batería, el Mar Báltico golpeaba monótonamente la playa. Como ejercicio, se disparaba contra los conejos y —lo que estaba prohibido— contra las gaviotas, con armas de pequeño calibre. Yo luchaba inútilmente contra mis granos. Con tiempo lluvioso, jugábamos en las horas libres a las damas, a tres en raya o al *skat*.

Ese pasatiempo hubiera podido prolongarse toda la primavera, que ahora no remoloneaba ya, y continuar hasta el verano sin acontecimientos. Pero, poco después del reconocimiento médico, encontré en el edificio del mando militar de distrito, junto a la Wiebenwall, al que, quinta tras quinta, tenían que dirigirse todos los obligados al servicio militar, un papel sellado con mi llamamiento al Servicio de Trabajo del Reich.

No fui el único que lo recibió sobre la mesa por correo certificado. Todo funcionaba como un reloj. Le tocaba a la quinta del veintisiete. Duración del servicio, tres meses. La incorporación al servicio estaba fijada para el primero de abril o el primero de mayo. Con otros chicos, para los que inmediatamente vinieron sustitutos de los institutos de Danzig, fui licenciado como auxiliar de la Luftwaffe, volví a llevar medias hasta la rodilla y pantalones cortos, y ni ante el espejo ni al visitar a amigos que tenían hermanas guapas me gustaba.

Todo esto ocurrió con cortos intervalos y en un espacio estrechamente delimitado, mientras que, al mismo tiempo y lejos de allí, se recogían de los muertos las placas de identificación y se colgaban condecoraciones a los que aún vivían.

Durante el invierno y hasta la primavera, los comunicados sobre reducciones del frente en el Este —se evacuó Kiev— y sobre los combates que libraban japoneses y americanos por islas del Pacífico, y también sobre los acontecimientos en el sur de Europa, volvieron a ampliar mis conocimientos geográficos: después de la apostasía de los aliados italianos, que consideramos una infame traición, y de la liberación del *Duce* por nuestros paracaidistas en los Abruzos —nuestro nuevo héroe se llamaba Otto Skorzeny—, se prolongó la lucha por las ruinas de la abadía de Montecassino. Los angloamericanos desembarcaron en la costa, al sur de Roma, y ensancharon una cabeza de puente por la que todavía se seguía luchando cuando tuve que dejar el elegante uniforme de auxiliar de la Luftwaffe y me vi, poco después, con los poco favorecedores trapos del Servicio de Trabajo del Reich: eran de un color marrón caca, de forma que se podía decir que los otros y yo teníamos aspecto de estar cagados. Sobre todo resultaba ridículo el cubrecabezas, un sombrero de fieltro de copa alta, abollado, ridículo, al que, como si sólo sirviera para tirarlo, llamaban «culo con asa».

En mi temprana novela corta *El gato y el ratón* que, apenas publicada, fue clasificada como peligrosa para la juventud, pero luego autorizada como lectura en los colegios, y que desde entonces ha quedado expuesta al gusto por la interpretación de pedagogos más o menos creyentes en el plan de estudios, Joachim Mahlke, como personaje tragicómico, lleva durante algún tiempo ese imposible sombrero. Así lo vio Pilenz, el narrador, en el parque del palacio de Oliva. Y también la landa de Tuchel, una comarca en la que mi campamento del Servicio de Trabajo se componía de cuatro barracones que formaban un cuadrilátero y del edificio de los servicios, concordaba con el paisaje entre llano y ligeramente ondulado en el que, a lo largo de un episodio, se desarrolla la conversión en héroe de guerra de Joachim Mahlke: «... las nubes eran hermosas sobre los abedules y las mariposas, que no sabían adónde ir. Redondos estanques claroscuros en el tremedal, en los que con granadas de mano se podían pescar percas y unas carpas cubiertas de musgo. Naturaleza a mansalva. El cine estaba en Tuchel...». Para completarlo deben citarse los suelos arenosos, el bosque mixto y los matorrales de enebro; un escenario adecuado para partisanos polacos.

Sin embargo, mi época del Servicio de Trabajo está estratificada de otro modo en mi memoria. Se diferencia de lo que Pilenz, en su compulsión literaria, atribuye al Gran Mahlke, no sólo en detalles sino también en su tendencia a desenmascarar: yo perdí la oportunidad de aprender a dudar en la primera lección, lo que, demasiado tarde, pero a fondo, me permitió derribar todos los altares y decidir por encima de cualquier fe.

No siempre me resultó fácil, porque repetidas veces se encendieron hogueras de esperanza que invitaban a calentar en su proximidad un ánimo congelado. Unas veces era el deseo de una paz duradera y justicia para todos, luego la felicidad consumista del *American way of life;* hoy, al parecer, el nuevo papa al que se piden milagros...

Desde el principio, como miembro del Servicio de Trabajo, pude, como solía decirse, «no dar un palo al agua», porque dibujaba con habilidad y sabía manejar los colores, y en consecuencia pasaba por privilegiado. Las paredes de la cantina para instructores y tropa, que se encontraba en el edificio de servicios, debían ser decoradas con pinturas, para las que los matorrales de enebro, un estanque que reflejara las nubes y los abedules de la landa entre plana y ondulada debían servir de inspiración. Una ondina chapoteante, aunque no de rigor, sería bien acogida.

Para poder hacer bocetos del natural, me liberaron; por la mañana tenía que hacer la instrucción de siempre —manejar la herramienta: primero la pala y luego el fusil 98—, pero por la tarde podía salir del campamento con mi caja de acuarelas, el frasco de agua y el bloc Pelikan. Hermosas nubes, estanques de un brillante oscuro y abedules, delante o detrás de poderosos bloques erráticos, se trasladaban, saturados de color, al papel. De esa forma sobraron un montón de bocetos, que más adelante sirvieron para decorar la cantina con colores al temple sobre las paredes blancas. Como desde el principio me centré en los árboles, ningún roble aislado pudo haber sido mi motivo preferido.

Y como todavía y hasta en mi vejez, sea de viaje o en el huerto frutal de Behlendorf, me gusta pintar a acuarela del natural, me resulta fácil imaginarme a orillas de algún pantano burbujeante o sentado en alto sobre piedras de redonda joroba, residuos de la última época glaciar.

Obediente, pintaba aquella comarca plana u ondulada hasta muy lejos y, mientras lo hacía, si me interrogo con severidad, resulto no haber estado libre de miedo. Detrás de los redondeados matorrales de enebro o escondidos por los bloques erráticos que se alzaban distantes en la landa, por todas partes hubiera podido haber partisanos al acecho, con fusiles apresados. En el visor de su fusil, un hombre del Servicio de Trabajo, que mientras pintaba diligentemente hacía muecas, hubiera sido un blanco alcanzable al primer disparo.

Antes de empezar, la carrera del voluntario habría terminado. Además, yo no estaba armado. Los fusiles guardados al alcance de la mano sólo se distribuían por la mañana para la instrucción y para disparar a blancos redondos o figuras de cartón.

Aunque yo mismo y mi vida cotidiana como miembro del Servicio de Trabajo me parezcan subexpuestos y de contornos borrosos, la distribución de fusiles resulta de una precisión dolorosa y se me ha quedado grabada hasta ahora.

Día tras día se desarrollaba una ceremonia, que oficiaba un subteniente de rostro grave por principio, del que dependía la armería. Él distribuía, nosotros agarrábamos. Un hombre tras otro se veía armado. Por lo visto, todo miembro del Servicio de Trabajo debía sentirse honrado en cuanto tenía agarrados la madera y el metal, la culata y el cañón del fusil.

Y sin duda era así: los jóvenes nos inflábamos para convertirnos en hombres, cuando estábamos firmes con el mosquetón junto al pie, lo presentábamos o nos lo echábamos al hombro. Probablemente aceptábamos a la letra la máxima: «El fusil es la novia del soldado». Nos veíamos, si no casados, al menos prometidos al fusil 98.

Sin embargo, aunque aquí se hable repetidas veces de «nosotros», en esa mayoría formada y fácil de emparejar hay una excepción que se me aparece con más claridad como personaje que el afortunado pintor de paredes, sus aplicados brochazos y todo lo demás que ocurría bajo un cielo de nubosidad variable sobre la landa de Tuchel.

La excepción era un chico muy espigado, rubio como el trigo, de ojos azules y un perfil tan dolicocéfalo que sólo se encontraba, como ejemplo, en las láminas para enseñar la crianza de razas nórdicas. Barbilla, boca, nariz, frente, dibujados con un solo trazo, merecían la calificación de «pura raza». Un Sigfrido parecido a Baldur, dios de la Luz. Resplandecía más radiante que la luz del día. No tenía ninguna tacha, ni una verruga diminuta en el cuello, en la sien. No ceceaba, ni mucho menos tartamudeaba cuando tenía que responder a una orden. Nadie mostraba más resistencia en las carreras de fondo ni más valor al salvar fosas mohosas. Nadie era tan rápido cuando se trataba de superar en segundos una pared escarpada. Podía hacer sin flaquear cincuenta flexiones de rodillas. Batir récords en competiciones le hubiera sido fácil. Nada, ningún defecto enturbiaba su imagen. Sin embargo, él, cuyo nombre de pila y apellido se me han borrado, se convirtió para mí en una auténtica excepción, por su desobediencia.

No quería aprender a manejar un arma. Más aún: se negaba a tocar siquiera su culata o su cañón. Peor todavía: si el mortalmente serio subteniente le ponía en la mano el fusil, lo dejaba caer. Él o sus dedos actuaban de una forma punible.

¿Había algún delito más grave que, distraídamente o mucho más con deliberación y desobedeciendo una orden, dejar caer al polvo del campo de instrucción el mosquetón, el fusil, la prometida novia del soldado?

Con la pala, la verdadera herramienta de todos los miembros del Servicio de Trabajo, hacía todo lo que se le ordenaba. Conseguía presentar la hoja de su pala tan resplandeciente que ante su perfil nórdico parecía un escudo contra el sol. Se le podía mirar como digno de adoración y como modelo. El noticiario, dentro de lo que el Gran Reich Alemán seguía ofreciendo en los cines, lo hubiera podido proyectar en la pantalla como aparición sobrenatural.

También en lo que se refiere a su trato con los compañeros, hubiera habido que darle las máximas calificaciones: el pastel de nuez que le enviaban de casa lo compartía de buena gana, estaba siempre dispuesto a ayudar. Era un chico de carácter amigablemente bondadoso, que hacía sin rechistar lo que se le pedía. Si se le rogaba, limpiaba, después de sus botas, las de sus compañeros de habitación, de una forma tan reglamentaria, que incluso para el más severo subteniente resultaba un placer verlas. Manejaba los trapos de limpieza y los cepillos, y sólo evitaba coger el fusil, el arma, el mosquetón 98, para el que, como todos, debía recibir instrucción premilitar.

Le impusieron toda clase de servicios de castigo, tuvieron paciencia con él, pero no sirvió de nada. Incluso el vaciar las letrinas de la dotación con un cubo al final de una larga pértiga en la que pululaban gusanos, castigo que, en la jerga de las barracas, se llamaba «centrifugar miel», lo hacía a fondo durante horas y sin protestar, rodeado de moscas, sacando de la fosa la mierda que había debajo de la tabla de los truenos, llenando el cubo hasta el borde para transportarla, y sólo para, poco después, recién duchado, y formado para recoger el arma, volver a rehusarla: veo caer el fusil y golpear contra el suelo como a cámara lenta.

Al principio le hacíamos preguntas, tratábamos de convencerlo, porque realmente nos caía bien aquel «bobalicón»:

—¡Cógelo! ¡Sostenlo sólo!

Su respuesta se limitaba a algunas palabras, que pronto se convirtieron en cita que nos susurrábamos.

Sin embargo, cuando, por su culpa, nos impusieron a todos servicio de castigo y, a pleno sol, nos hicieron sudar hasta desmayarnos, todo el mundo empezó a odiarlo.

También yo intenté encolerizarme. Se esperaba que le apretáramos las tuercas. Lo que hicimos. Lo mismo que él sobre nosotros, ejercimos nuestra presión sobre él.

En la habitación de su grupo, fue golpeado incluso por uno de los chicos a los que antes había limpiado impecablemente las botas: todos contra uno.

A través de la pared de tablas que separaba una habitación de otra, oigo sus gemidos, porque se me han quedado grabados. Oigo restallar los cinturones de cuero. Alguien va contando en voz alta los golpes.

Sin embargo, ni palizas ni amenazas, nada podía obligarlo a coger de una vez el arma. Cuando algunos chicos se mearon en su saco de paja y quisieron acusarlo así de mojar la cama, aceptó también la humillación y, en la primera oportunidad, volvió a decir su frase inalterada.

No había forma de detener aquel proceso inaudito. Una mañana tras otra, en cuanto formábamos para la subida de bandera e, inmediatamente después, el subteniente del depósito de armas comenzaba, con inalterable seriedad solemne, a repartir los fusiles, él dejaba caer el que se le destinaba como si fuera la proverbial patata caliente. Enseguida, el incorregible rebelde estaba otra vez firmes, con las manos en la costura del pantalón y la mirada fija en lontananza.

No puedo enumerar cuántas veces repitió la representación, que ahora irritaba incluso al mando, pero intento acordarme de las preguntas que le hicieron desde sus superiores hasta el subteniente, y con las que lo acosábamos nosotros.

—¿Por qué hace eso, hombre del Servicio de Trabajo?

—¿Por qué haces eso, idiota?

Su respuesta, que nunca variaba, se convirtió en frase acuñada y se me ha quedado para siempre como digna de ser citada:

—Nosotros no hacemos eso.

Siempre hablaba en plural. Con voz ni baja ni alta, clara, de bastante alcance, decía para la mayoría lo que se negaba a hacer. Se hubiera podido imaginar que, si no un ejército, había tras él un batallón de hombres imaginarios, dispuestos en todo momento a pronunciar esa frase breve. Cuatro palabras se juntaban, convirtiéndose en una: Nosotrosnohacemoseso.

Tampoco al ser interrogado se explicaba más, se aferraba al incierto «eso» y se negaba a designar claramente por su nombre el objeto, el fusil, que no quería tomar en sus manos.

Su actitud nos cambiaba. De día en día se desmoronaba lo que antes parecía firme. En nuestro odio se mezclaba el asombro y, al final, una admiración disfrazada con preguntas: «¿Cómo aguanta ese idiota?», «¿Qué es lo que lo hace tan tozudo?», «¿Por qué no se da de baja por enfermo, pálido como está ya?».

Desistimos. Nada de azotes ya en el culo pajarero. Los más insubordinados de nosotros, unos chicos de Alsacia y Lorena que farfullaban en algo incomprensible para todos, se pegaban en las horas libres unos a otros como lapas y a la primera oportunidad —tras una marcha con equipo bajo lluvia persistente— se daban de baja por enfermos en un alto alemán extraño, susurraban en francés, lo que tenían prohibido, algo que podía querer decir «peculiar».

El objetor estaba en alto, como sobre un estrado. Más aún: desde el punto de vista de nuestros superiores, parecía como si, bajo la presión de una negativa individual, toda la disciplina cediera. Se ordenó un servicio más duro, como si en adelante fueran culpables todos los de su quinta.

Y, por fin, el arresto privó al disidente de su actuación mañanera. Para ello había una celda. «¡Al trullo!», fue la orden. Sin embargo, aunque desapareciera permanentemente de nuestra vista, como agujero siguió estando allí.

A partir de entonces sólo reinaron el orden y la disciplina. Acto seguido acabó la pintura vespertina al aire libre. Se limpiaron los pinceles. Las pinturas murales quedaron inacabadas. El temple se secó. Al perder mis privilegios ya como alguien autorizado a «no dar un palo al agua», me correspondió como entrenamiento una instrucción que se centraba en disparar con puntería, arrojar granadas de mano, atacar con la bayoneta calada y arrastrarse en campo abierto.

Sólo a veces se hablaba del que seguía arrestado. Alguien —¿fue un subteniente o uno de nosotros?— dijo: «Seguro que pertenece a los testigos de Jehová». O bien dijeron: «Seguro que es un investigador de la Biblia».

No obstante, el chico rubio y de ojos azules, de perfil de pura raza, nunca había invocado la Biblia, ni a Jehová o algún otro poder omnipotente, sino que sólo había dicho:

—Nosotrosnohacemoseso.

Un día vaciaron su taquilla: objetos personales, entre los que había folletos piadosos. Luego él mismo desapareció, fue destacado, como se decía.

No preguntamos adónde. Yo no pregunté. Sin embargo para todos resultaba claro: no lo habían licenciado por incapacidad manifiesta sino más bien, susurrábamos, «hacía tiempo que estaba maduro para el campo de concentración».

Algunos se hacían los graciosos, sin cosechar muchas carcajadas:

—¡Un chiflado así debe estar en un campo de «concertación»!

Alguien sabía:

—Es una secta que no hace esas cosas. Por eso están prohibidos los testigos de Jehová.

Así hablábamos, aunque nadie sabía exactamente por qué estaban prohibidos, de qué daban testimonio ni qué otras cosas no hacían. Pero todos tenían claro que objetores de esa índole obstinada sólo podían tener una residencia: Stutthof. Y como todos conocían ese campo de oídas, lo veían —a aquel que en secreto sólo llamaban «Nosotrosnohacemoseso»— a buen recaudo en Stutthof:

—¡Allí le ajustarán las cuentas, seguro!

¿Se desarrolló todo de una forma natural?

¿Se derramó por él alguna lágrima contabilizable?

¿Recuperó todo su ritmo acostumbrado?

¿Qué pudo pasarme por la cabeza o irritarme en cualquier caso cuando a él, por una parte, lo pusieron en cuarentena, como portador de una enfermedad contagiosa, es decir, desapareció, y por otra faltó tan llamativamente como si, en adelante, con un agujero al lado, tuviéramos que practicar la instrucción, hacer guardia, arrastrarnos en campo abierto, comer sopa de patata en la larga mesa, acurrucarnos en la tabla de los truenos, limpiar botas, dormir, tener sueños húmedos o recurrir rápidamente a la mano y adentrarnos olvidadizos en el verano que comenzaba? Que fue seco, ardiente, ventoso. Por todas partes se depositaba polvo de arena que cubría muchas cosas, también los pensamientos que hubieran podido molestarme.

Sin embargo, más allá de toda intriga secundaria y en resumidas cuentas, me veo, si no alegre, al menos aliviado desde que el chico había desaparecido. Aquel asomo de duda en todo lo que creía firmemente se calmó. Y la calma chicha que reinaba en mi cabeza evitó sin duda que cualquier pensamiento se independizara. Sólo la apatía se había instalado en ella. Estaba contento y satisfecho conmigo mismo y sin hambre. Un autorretrato de aquellos tiempos me mostraría otra vez bien alimentado.

Y después, mucho después, cuando, para mi novela corta *El gato y el ratón*, esbocé un personaje empinado y singular, Joachim Mahlke, monaguillo huérfano, estudiante de secundaria, buceador experto, condecorado con la Cruz de Caballero de la Cruz de Hierro y desertor, aquel objetor, que llamábamos «Nosotrosnohacemoseso», pudo servirme de modelo, aunque Mahlke tenía que luchar con un bocado de Adán desmesurado y aquél parecía no tener defecto cuando, una y otra vez, dejaba caer su fusil, despacio, como a un ritmo premeditadamente lento para que se quedara grabado.

Cuando, entonces, el parte diario del Alto Mando de la Wehrmacht —fijado a la pizarra— dio a conocer el desembarco del enemigo angloamericano en la costa atlántica, ampliando de nuevo mis conocimientos geográficos —sólo los compañeros de Alsacia y Lorena sabían pronunciar correctamente los nombres de las ciudades y pueblos normandos y bretones—, la batalla del Muro del Atlántico eclipsó todo lo ocurrido antes, y por consiguiente también a él, que hubiera podido ser modélico para la cría de la raza nórdica y, para nosotros, era una espina clavada.

Sin embargo, se mantuvo la intensificación del servicio. Por la noche, la alarma de partisanos sobresaltaba dos veces al campamento, sin que se hicieran disparos ni pasara nada. Centinelas aislados y en parejas debían prestar guardia en el entorno del cuadrilátero de barracones.

En cuanto estaba solo de guardia, trataba de disminuir el miedo dejando vagar mis pensamientos. En eso tenía práctica. La Historia retrocedía y se convertía en el acto en leyenda. Antiguas divinidades pruzas, como Percuno, Picolo y Potrimpo, la princesa Mestvina de Pomerelia, el príncipe Svantopolk, y, más atrás todavía, los godos que migraron desde la desembocadura del Vístula al Mar Negro, y ejércitos armados siempre de acuerdo con su época poblaban mis ensoñaciones y ayudaban a minimizar el miedo a los partisanos.

Además, la fortificación del campamento formaba parte del servicio. Se excavaron fosas, se pusieron alambradas minadas. Hubo que instalar un complicado sistema de alarma. Sin embargo, no ocurrió nada alarmante, salvo que un día, sin motivo reconocible, toda la dotación, unos doscientos cincuenta muchachos, tuvimos que formar en el cuadrilátero al aire libre: no vestidos de dril gris claro sino de marrón caca, y con el «culo con asa» en la cabeza rapada.

En el centro de la plaza, al lado mismo del mástil de la bandera, un dirigente del Servicio de Trabajo del Reich, llegado de pronto con un rígido séquito, declamó frases entrecortadas. Habló de ignominia y cobarde traición, de la vergonzosa infamia y maldad de una camarilla de oficiales de la nobleza, del atentado frustrado, gracias a la Providencia frustrado, contra la vida de nuestro muy amado Führer, y de la venganza, despiadada venganza, y la «exterminación de esa chusma». Luego, sólo de él, que —«¡por verdadero milagro!»— había sobrevivido.

Con frases más largas, lo exaltó después como elegido por el destino, y fuimos a él consagrados: en aquel momento, a partir de entonces, desde aquel día, dependería de nosotros, sobre todo de nosotros, porque, antes que a todos los demás, allí, en aquel momento, como por todas partes en el Gran Reich Alemán, se hacía un llamamiento a la juventud que llevaba su nombre, para que en adelante con fe inquebrantable, y hasta la victoria final...

Sentimos un escalofrío. Algo parecido a la religiosidad nos hizo sudar por todos los poros. ¡El Führer salvado! Todavía, o de nuevo, se podía confiar en la Providencia.

Se entonaron los dos himnos. Se gritó tres veces *Sieg Heil!* («¡Victoria! ¡Salve!»). Brotó la ira o, más bien, una furia sin objeto contra traidores todavía sin nombre.

Aunque prácticamente nunca me había encontrado con ningún miembro de la nobleza, ni en el colegio ni, mucho menos, en la tienda de ultramarinos de mi madre, traté de ejercitarme en el odio que se me ordenaba contra presuntas personas de sangre azul, pero me encontré al parecer en un dilema, porque, desde el tempotránsito de mi retiro intelectual en las oscuras cámaras de la historia alemana hasta sus figuras más luminosas, nunca había dejado de admirar a todos los emperadores Staufer. Al segundo Federico lo había servido de buena gana, lejos, en Palermo, como doncel. Y en cuanto a la Guerra de los Campesinos, no sólo era simpatizante de Thomas Müntzer, sino que me veía igualmente al lado de caballeros que dirigían a los campesinos y se llamaban Franz von Sickingen, Georg von Frundsberg o Götz von Berlichingen. Mi ídolo era Ulrich von Hutten, y el papa y todos los clérigos eran mis enemigos. Y cuando, más tarde, se conocieron algunos nombres de los conjurados y de los autores del atentado —Von Witzleben, Von Stauffenberg—, me costó esfuerzo cultivar el odio jurado a aquella «cobarde camada de nobles», como si fueran una cizaña que retoñara.

Qué confusión en las cabezas bajo el pelo siempre corto. Hace un momento todavía del todo clara, la imagen de aquel miembro del Servicio de Trabajo de dieciséis años comienza a desdibujarse por los bordes. No es que me resulte más extraño que aquello a lo que, entretanto, me he acostumbrado, pero parece como si mi yo uniformado quisiera escabullirse. Incluso su sombra se niega e, interpretable a voluntad, quiere figurar entre las menos culpables.

De ésos hubo más adelante una mayoría. Salvo el cumplimiento de su deber, no se les podía probar nada. Cantaban a coro: «Ningún país más bello en este tiempo...». Y, como seducidos y cegados, enumeraban circunstancias atenuantes, se fingían inocentes y se atribuían mutuamente un alto grado de ignorancia. Lo mismo que también a mí las gratuitas excusas y el recurso al cordero inocente querrían ayudarme, en cuanto, en la piel de cebolla, las notas escritas al margen en letra pequeña pretenden distraer con excesiva elocuencia, mediante anécdotas e «historietas» saturadas de ambiente, de lo que quiere ser olvidado y, sin embargo, se atraviesa.

Entonces tengo que echar mano al ámbar más transparente del estante que hay sobre el pupitre, para averiguar hasta qué punto sigue ilesa mi fe en el Führer, a pesar de grietas comprobables en la fachada, rumores susurrados cada vez más a menudo y retrocesos del frente, ahora también en Francia.

Creer en él no cansaba, era facilísimo. Él mismo seguía intacto, y era lo que representaba. Su mirada firme, que llegaba a todos. Su gris de campaña renunciaba a cualquier chatarra de condecoraciones. Allí estaba, retratado a tamaño natural, dondequiera que se mirase, cargado sólo con la Cruz de Hierro de la Primera Guerra Mundial. Su voz venía como desde lo alto. Sobrevivía a todo atentado. ¿No lo protegía algo incomprensible, la Providencia?

Todo lo más, seguía siendo irritante el recuerdo de aquel chico rubio de ojos azules que no quería desaparecer y que nunca se había cansado de decir: «Nosotros no hacemos eso». Desde que no existía, se le echaba en falta casi dolorosamente, pero nunca se convirtió en modelo.

Poco después del atentado nos licenciaron. Entregamos el poco elegante uniforme y la pala que, al ser solemnemente llamados, hubo que presentar por última vez, reluciente como un espejo. Luego nos oímos cantar la canción del Servicio de Trabajo del Reich: «Pardo como la tierra es nuestro uniforme...».

Otra vez de paisano, me avergonzaba de mis rodillas desnudas, de las medias que siempre se me bajaban y, al volver atrás, me sentía como un colegial. En el Langfuhr veraniego, los padres, inalterados, aguardaban al que volvía al hogar, y encontraron a su hijo, según dijeron, «un poquitín cambiado».

El piso de dos habitaciones, familiar y odiado, me oprimía más aún, aunque entre sus paredes empapeladas todo era más tranquilo, casi demasiado tranquilo: faltaba mi hermana, su risa, los remolinos que desencadenaban, en torno a la mesa de comer, sus saltos entre el cuarto de estar y el dormitorio. No era ya una «chiquilla» que jugaba, que quería jugar siempre y me cerraba el libro. Sólo sus muñecas y peluches habían quedado bajo el alféizar izquierdo.

Obedeciendo el decreto de la Gauleitung, se había evacuado al campo a todos los niños, para sustraerlos a los ataques «terroristas» de las escuadrillas de bombarderos enemigas. Profesores que habían ido con ellos continuaban la enseñanza de su clase y de otras clases escolares, cerca del pueblecito pesquero de Heisternest, en la península de Hela. Desde allí, enferma de nostalgia, la hermana escribía postales.

Los padres me mimaban: el padre, con asado de buey con vinagre y especias, la madre, escuchándome con una sonrisa inmóvil, en cuanto me iba con ella a los países del sur, en donde florece el limonero; sin embargo, el hijo no quería ser ya niño de mamá. Ella aguardaba temerosa al cartero. Su pequeña esperanza se escondía en la frase:

—Tal vez antes se acabe ya todo de alguna manera.

Quedaban menos de dos meses para que me llegara el correo con el llamamiento a filas; un período que sólo puede cubrirse con recortes de recuerdos, ordenados a placer, como una espera desganada.

¡Qué retroceso! Como había temido después de ser licenciado del Servicio de Trabajo, durante las largas vacaciones del verano habré ofrecido la imagen de un alumno de secundaria, pero sin el ajetreo de la playa, ni besuqueos o magreos en las dunas, escondidos tras los arbustos de escaramujo.

Adondequiera que iba, había fotos de orla negra sobre las cómodas, y se hablaba a media voz de maridos, hijos y hermanos caídos. La ciudad vieja parecía miserable, como si aguardara un desmoronamiento, si no súbito, sí paulatino. Por la orden de oscurecimiento nocturno, las calles resultaban siniestras para sus habitantes. Por todas partes, carteles de «¡El enemigo escucha!» y «¡No robes carbón!». Los escaparates, sólo mal provistos de artículos invendibles. En la tienda de mi madre se vendía abiertamente, sin necesidad de cupones, un sucedáneo de nata llamado «Sekosan».

Delante de la estación central, en el puente del Motlava y en la isla del Almacén, en las proximidades del astillero de Schichau y a lo largo de la Hindenburgallee, la policía militar y patrullas de las Juventudes Hitlerianas controlaban a paisanos, personas con permiso del frente y, cada vez más, chicas que vagaban por allí, más que abordables para soldados ordinarios y militares de graduación. Se advertía contra los desertores, se difundían rumores fantásticos sobre una banda de jóvenes: robo en la oficina de Abastos, incendio en la zona portuaria, reuniones secretas en una iglesia católica... Todo ello, increíble, se atribuía a aquella «banda de Curtidores» que, más adelante, cuando finalmente pude disponer a voluntad de suficientes palabras, me resultaría importante durante algunos capítulos.

En mi novela *El tambor de hojalata,* uno de los dirigentes de la banda se llama Störtebeker. Sobrevivió al final y, en la época de la posguerra, se transformó consecuentemente en el catedrático de instituto Starusch, temeroso de conflictos, una existencia adaptada a las circunstancias, que en otra novela —*anestesia local*— tiene miedo del dolor y valora todo lo que ocurre según el criterio: «Por una parte, por otra».

Yo era sólo oyente. Al visitar a amigos del colegio que, voluntariamente o no, aguardaban el llamamiento a filas como si fuera la salvación, me llegaron, con rumores, los nombres de compañeros que habían desaparecido súbitamente; como se decía, se habían «sumergido». Un compañero, cuyo padre era oficial superior en el servicio de vigilancia de la policía de Renania, podía contar cosas de una banda de jóvenes que, con el nombre de «Piratas de la Edelweiss», hacían insegura la ciudad de Colonia, destruida por las bombas.

Más por costumbre que por ganas, iba al cine, veía en el Palacio Tobis de la calle Larga *Romanza en tono menor* y comparaba a la actriz Marianne Hoppe con las bellezas de los cromos de cigarrillos que pegaba en tiempos pasados: las damas del Renacimiento me brindaban su claro perfil.

También me entretenía, unas veces en las calles de la ciudad vieja y otras en el bosque de Jäschkental, recogiendo sin reflexionar detalles, que se acumularon y formaron una masa de material luego difícil de liquidar. Me veo en los bancos de iglesias góticas —de la Trinidad a San Juan—, como si cada ojiva y cada pilar de ladrillo debieran grabárseme en la memoria.

Además, me quedaban sitios para leer, sobre todo el desván, cuyo enrejado de listones, con los trastos y el sillón desvencijado, había desaparecido entretanto, porque se lo consideraba yesca para las bombas incendiarias. Un lugar despejado bajo tejas ilesas, en espera de lo que pudiera venir. Por ello había cubos de agua en hilera, y además mantas apagafuegos y una tonelada de arena para el mismo fin.

Sin embargo, ¿qué leí bajo el tragaluz? Probablemente *El retrato de Dorian Gray,* una lectura rumiada que, encuadernada en tela y con lomo de cuero, pertenecía al tesoro libresco de mi madre. La exuberante oferta de vicios de Oscar Wilde, que rivalizaban pecaminosamente entre sí, resultaba apropiada para verse reflejado.

En esa época habré devorado, en el desván, *El romance de Leonardo* de Merezhkovski, prestado por alguien. Me sentaba en un cubo de incendios puesto del revés y leía más de lo que podía retener. Así estuve absorto en libros que invitaban a ser otro en otro lugar: el *Jürg*

Jenatsch de Meyer, el *Augusto* de Hamsun, *Enrique el Verde*, *David Copperfield* o *Los tres mosqueteros* a la vez...

Resulta dudoso cuándo saqué de la biblioteca de mi tío *Sin novedad en el frente*. ¿Cayó en mis manos ese libro sólo mientras esperaba como voluntario para la guerra o lo leí al mismo tiempo que *Tempestades de acero* de Jünger? Un diario de guerra que mi profesor de alemán del colegio Petri de la Hansaplatz nos había prescrito como lectura preparatoria para futuras experiencias en el frente.

Es verdad que el profesor Littschwager, veterano de pierna rígida de la Primera Guerra Mundial, elogió el «fantástico colorido» y, como dijo, la «plenitud gráfica» de mis redacciones, incluidos sus «juegos de palabras sumamente osados», pero censuró la «falta de seriedad en conjunto» que, según decía, merecían las «trascendentales pruebas sufridas por la Patria».

Da igual que fuera como alumno o licenciado del Servicio de Trabajo: encontré la novela de Erich Maria Remarque en la biblioteca del hermano menor de mi padre. Él, como maestro de obras, era responsable de la colocación de elementos de barracones —paredes, ventanas, puertas—, que cinco oficiales fabricaban en la carpintería de mi abuelo, sin que dejara de funcionar nunca una sierra circular. Por eso no habían llamado al tío Friedel a filas, calificándolo de «imprescindible». Instalaban esos elementos con frecuencia, ya que en los terrenos del astillero y del puerto cada vez surgían más barracones para trabajadores del Este, rodeados de alambre de espino.

Supongo que mi tío no sabía que *Sin novedad en el frente* era uno de los libros prohibidos, lo mismo que yo leí esa historia de la miserable muerte de los jóvenes voluntarios de la Primera Guerra Mundial sin sospechar que el libro había estado entre los quemados. Hasta hoy no me ha abandonado el retardado efecto de aquella temprana lectura. Cómo el par de botas cambia de propietario... Cómo van reventando uno tras otro.

Una y otra vez, autor y libro me recuerdan mi insensatez juvenil y, al mismo tiempo, el decepcionantemente limitado efecto de la literatura.

Cuando, a mediados de los sesenta, con Anna y nuestros cuatro hijos, pasábamos el verano en el Tesino y allí, con mi hija Laura, buscaba en las boscosas pendientes cabras monteses que, cuando las encontrábamos, lamían sal de nuestras manos, aproveché la oportunidad, gracias a la mediación de mi editora estadounidense Helen Wolff, para visitar al escritor Remarque en su villa, repleta de antigüedades, a orillas del lago Mayor. Le hablé de la ducha escocesa de mis lecturas contrapuestas: por un lado, me fascinó la celebración por Jünger de la guerra como aventura y prueba de virilidad; por otra, la opinión de Remarque de que la guerra convertía a todo soldado en asesino me había hecho temblar con todo el cuerpo.

El anciano caballero se rió para sus adentros y, con inglés de acento prusiano, comunicó mi experiencia juvenil de lectura a su tardío amor, Paulette Goddard, actriz del cine mudo que había sido la enésima mujer de Charlie Chaplin. Luego elogió algunas de sus antigüedades, jarrones chinos y vírgenes talladas en madera. No, no tomamos ninguna *grappa* juntos.

Sin embargo más tarde, mucho más tarde, cuando escribí las historias de *Mi siglo,* me sedujo otra vez la idea de hacer intervenir a Remarque y Jünger, los antípodas. En cuanto los años de la Primera Guerra Mundial tuvieron que dar su material narrativo, senté a los dos caballeros de la vieja escuela en el hotel Storchen de Zúrich y los animé a una discusión, dando a una joven historiadora, neutral al estilo suizo, la moderación del debate. Aunque ambos conocedores de vinos se trataron cortésmente, permanecieron distanciados por completo cuando se trató del sentido de la asesina guerra de trincheras. Su guerra no había cesado. No era posible reconciliarlos. Quedaba algo por decir.

Y tampoco yo —mirando el cuenco de plata del lago Mayor— confesé a Erich Maria Remarque que, a pesar de haber leído su libro, que enumera suficientemente las formas habituales de morir en la guerra, aquel colegial de quince años se había presentado voluntario para los submarinos o los tanques. De todas maneras, aquel emigrante, harto de un éxito ya caducado, sólo hablaba de mala gana de la famosa novela, que había dejado en la sombra todos los demás libros que escribió.

Y entonces la orden de incorporación estuvo sobre la mesa del comedor, asustando a madre y padre. ¿Se sentó ella inmediatamente al piano para aporrear algo del *Jardín de rosas*? ¿Hubo lágrimas sólo después?

No, hay que rebobinar la película: pocos días antes de que aquel papel sellado hiciera enmudecer a mis padres, fui con ellos, pasando por Zoppot y Gotenhafen, a Putzig, para visitar a la hermana evacuada. Un autobús nos llevó, con tiempo estable de agosto, hasta Heisternest.

El hogar se encontraba en las proximidades del mar. De ello da testimonio una foto que mi madre salvó, en el álbum familiar, de la guerra y la expulsión. Sobre la arena clara, como la que ofrecía toda la playa de la península de Hela, hermano y hermana están sentados juntos. Poco antes o después del baño en el Báltico, mi brazo derecho la rodea fraternalmente. Hermanos que saben poco o nada el uno del otro. Tan próximos no volveríamos a estar en mucho tiempo.

Qué guapa está la hermana, a la que desde la infancia llamo Daddau. Sonríe. Su hermano, todavía a medias juvenil, aunque casi proporcionado como hombre, quiere sin falta mirar serio al objetivo de la cámara de cajón.

El padre consiguió esa instantánea de aspecto pacífico con tiempo hermosísimo de finales de verano; fue la última antes de mi marcha.

Porque sólo ahora se convierte en realidad lo que durante mucho tiempo se quiso reprimir, allí estaba negro sobre blanco, firmado, fechado y estampado: el llamamiento a filas. Sin embargo, ¿qué era lo que había previamente impreso en letras mayúsculas y minúsculas?

Ninguna ayuda me vale. El encabezamiento de la carta sigue borroso. Como si hubiera sido degradado luego, no puede determinarse la graduación militar del firmante. La memoria, normalmente una parlanchina que se complace en las anécdotas, me ofrece una página en blanco; ¿o soy yo quien no quiere descifrar lo que está escrito en la piel de cebolla?

Pueden citarse los apaciguamientos disponibles: el llamamiento y sus consecuencias, todo ha sido bien masticado, se ha alineado en palabras y convertido en libro. Los *Años de perro* cubren más de setecientas páginas. Se ha descrito abundantemente cómo alguien, llamado Harry Liebenau, lleva un diario en cuanto es soldado y, desde el campo de maniobras de Fallingbostel, escribe cartas mechadas de citas de Löns a su prima Tulla, cartas en las que luego, adondequiera que lo envía una orden de marcha, lejos de las landas de Lüneburg y hacia el frente oriental que retrocede, busca, sin encontrarla, una rima para Tulla: «No he visto todavía a ningún ruso. Algunas veces ya no pienso en Tulla. Se ha ido nuestra cocina de campaña. Leo siempre una y la misma cosa. Los fugitivos obstruyen las carreteras y ya no creen en nada. Löns y Heidegger se equivocan en muchas cosas. En Bunzlau colgaban cinco soldados y dos oficiales de siete árboles. Esta madrugada hemos cañoneado un bosque. Durante dos días no he podido escribir, porque estábamos en contacto con el enemigo. Muchos ya no viven. Después de la guerra, escribiré un libro...».

Yo, sin embargo, a quien, desde luego, en septiembre del cuarenta y cuatro, ningún libro futuro prometía páginas llenas de tribulaciones, pero tenía también la intención de llenar un cuaderno de instantes coleccionados, seguía sentado, con mis pantalones hasta la rodilla, en el banco de madera de un compartimento de tren de tercera clase.

El tren salió de la estación central de Danzig, dejó Langfuhr atrás y se dirigió hacia Berlín. La maleta de cartón, comprada especialmente para aquel viaje, la metí en la red de equipajes. Por mi cabeza pasaban cosas sin clasificar: más confusas que con las apreturas habituales. Con todo, ningún pensamiento produce una cita, susurrada o balbuceada, sólo la orden de incorporación crepita en el bolsillo del pecho de mi chaqueta demasiado estrecha.

La madre se había negado a acompañar a su hijo a la estación. Más baja que yo, me abrazó en el cuarto de estar, como esfumada entre el piano y el reloj de pie:

—Con tal de que vuelvas sano y salvo...

Cuando Harry Liebenau se despidió de su prima Tulla Pokriefke, ésta, como cobradora auxiliar de tranvía, llevaba una atractiva gorra:

—¡Ten cuidado de que no se te lleven la nariz de un tiro!

Me acompañó mi padre. Hicimos el trayecto en tranvía sin decir palabra. Luego tuvo que sacar para él un billete de andén. Con su sombrero de terciopelo, parecía bien cuidado, de clase media. Un hombre de cuarenta y tantos que había conseguido hasta entonces sobrevivir a la guerra de paisano.

Quiso llevar sin falta mi maleta de cartón. Él, a quien yo, mientras crecía, había deseado lejos; él, a quien echaba toda la culpa de la estrechez del piso de dos habitaciones y del retrete para cuatro familias; él, a quien hubiera querido asesinar con mi puñal de las Juventudes Hitlerianas y, en mis pensamientos, había apuñalado repetidas veces; él, que más tarde alguien imitó, transformando los sentimientos en sopas; él, mi padre, al que nunca me acerqué con cariño y con demasiada frecuencia sólo para pelearme; él, aquel hombre que disfrutaba de la vida, fácil de seducir, sin preocupaciones, que se esforzaba siempre por la compostura y por, como decía él, «una hermosa caligrafía», y que me quería de acuerdo con sus criterios; él, el esposo nato, a quien su mujer llamaba Willy, estaba a mi lado cuando el tren entró, produciendo abundante vapor.

A él, no a mí, le rodaron las lágrimas por las mejillas. Me abrazó. No, insisto en haber abrazado yo a mi padre.

¿O sólo fue un varonil apretón de manos?

¿Fuimos parcos o avaros con las palabras: «¡Que te vaya bien, chico!», «¡Hasta pronto, papá!»?

¿Se quitó el sombrero al salir el tren de la estación? ¿Se alisó tímido el rubio cabello?

¿Me saludó con su sombrero de terciopelo? ¿O con el pañuelo de bolsillo, al que hacía cuatro nudos en verano los días de mucho calor y —de una forma para mí ridícula— utilizaba como cubrecabezas?

¿Lo saludé yo a mi vez desde la ventanilla abierta del compartimento, lo vi volverse cada vez más pequeño?

Queda claro que, al fondo lejano, se alzaba la ciudad con todas sus torres contra el cielo del atardecer. También pretendo haber escuchado el carillón de la cercana iglesia de Santa Catalina: «Sé siempre fiel y honrado hasta la tumba fría...».

Entre todas las demás iglesias de la ciudad que, en el transcurso de los años de la posguerra, volvieron a surgir, piedra sobre piedra, de las ruinas, la iglesia de San Juan, apartada, a orillas del Motlava, me ha atraído en cada visita a mi ciudad natal, que se esforzaba por volver a parecerse a sí misma. Exteriormente intacta, pero en su interior chamuscada y devastada, la dañada construcción de ladrillo sirvió durante decenios, a los restauradores polacos, de almacén para reutilizar fragmentos ilesos.

Cuando, en marzo del cincuenta y ocho, pregunté por la iglesia a un hombre anciano que había quedado allí y que se identificaba como «toavía alemán», me dijo que, mientras la ciudad se desmoronaba primero bajo las bombas y luego bajo una lluvia de granadas, y ardió también la iglesia de San Juan entre las casas quemadas de las calles de los Tejedores y de San Juan, la calle de los Nueve Ojos y la del Perejil, cientos y más hombres, mujeres y niños, que habían buscado refugio en la iglesia, se asfixiaron o, si no fueron rodeados por las llamas, resultaron alcanzados y enterrados por muros, y fragmentos de la cúpula y del revestimiento de los muros.

—Sin embargo, de eso —dijo el anciano— no quiere saber ya naide...

Por otra parte, se dijo en polaco, fueron luego los rusos quienes incendiaron la iglesia de San Juan, porque muchas mujeres se habían refugiado en ella. Fuera quien fuera el que lo hizo: sólo quedaron muros carbonizados.

Más tarde se reunieron los restos de la ciudad sobre las piedras agrietadas de la iglesia que seguía firme como ruina y sobre los escombros que quedaron: adornos de piedra de los gabletes, fragmentos de placas en relieve, balaustradas de las terrazas con escalera exterior de la calle de los Tenderetes del Pan, del Espíritu Santo y de Nuestra Señora, intradoses barrocos de granito de las puertas. Lo que había quedado de la hermosa tracería de la fachada de la Corte de Arturo y las demás cosas que ofrecían los montones de ruinas de la ciudad, cada hallazgo se anotaba y numeraba cuidadosamente y sólo entonces se apilaba y depositaba para su ulterior utilización.

Siempre que me introducía de forma subrepticia en el interior de la iglesia gótica de naves iguales —el portal estaba siempre mal cerrado—, encontraba entre el polvo y la grava, así como entre las piedras almacenadas, huesos y huesecillos humanos, aunque no se podía saber si eran de origen medieval tardío o debían recordarme a los hombres, mujeres y niños de los que se decía que, cuando la ciudad y todas las iglesias ardieron, encontraron la muerte en la iglesia de San Juan, totalmente en llamas.

Nadie sabía nada más en concreto. Es probable que las tumbas que había bajo las lápidas reventadas dejaran en libertad los huesos. Todos los esqueletos, de la época que sea, se asemejan a primera vista. En la iglesia de San Juan, donde en otro tiempo los gremios de los navegantes, toneleros y constructores de cajones habían tenido sus altares, encontraron reposo eterno hasta el siglo XVIII mercaderes y navieros opulentos bajo lápidas con inscripciones, de arenisca y granito.

Fueran quienes fueran aquellos a quienes podían atribuirse los huesos y huesecillos, eran parte de las piedras ocultas y daban con ellas testimonio. Sin duda por eso, se decía, aquel desolado espacio eclesiástico sirvió ya en los cincuenta de decorado para filmar películas polacas: en opinión de los cámaras y directores, aquella luz elevada que venía de las ventanas sólo parcialmente tapadas con maderos resultaba ventajosa, porque daba mucho ambiente.

En una de mis últimas visitas a Danzig encontré la iglesia de San Juan cambiada. No había ya depósito de piedras, ni huesos o huesecillos. El suelo allanado, las ventanas con cristales, las paredes de ladrillo reparadas. Los oyentes estaban sentados en sillas puestas en filas hasta el fondo del espacio cuando leí pasajes de mi novela corta *A paso de cangrejo*.

Y mientras, línea a línea, se iba produciendo el hundimiento del buque de carga humana y yo, leyendo en voz alta, probaba la acústica de la iglesia, esa parte de mis pensamientos que prefiere ir hacia atrás buscó a aquel chico que dejó la ciudad en un momento en que todavía se alzaba ilesa, con todas sus torres y gabletes.

De cómo aprendí a conocer el miedo

Durante mi trayecto a Berlín, ¿me habrá venido el recuerdo de mi primer viaje en esa dirección, reduciéndome así a la condición de niño? ¿Fue en el treinta y seis, el año de las Olimpiadas, o al año siguiente?

Siendo todavía alumno de primaria, un tren de transporte del llamado «Envío de niños al campo» me llevó a Renania, hasta poco antes de la frontera holandesa. Enviados en la época del Estado Libre, los niños vivíamos una versión actualizada del teatro de cachiporra: primero los controles de los aduaneros del Estado Libre, luego, dos veces, los de la aduana polaca, de distinto uniforme, y finalmente, en la estación fronteriza de Schneidemühl, los controles aduaneros del Reich Alemán, en otro uniforme más. Además, los uniformados saludaban de distintas maneras: con la mano estirada, llevándose dos dedos a la visera de la gorra y otra vez con la mano estirada.

Todo eso ocurría con breves intervalos. Los niños llevábamos colgados al cuello los documentos de identidad, en una cubierta transparente, de los que nos enorgullecíamos.

Con un campesino que tenía vacas lecheras y cebaba cerdos, y cuyo hijo Matthias era de mi edad, aprendí a sacar espárragos de altas parcelas cuidadosamente aplanadas y, al hacerlo, romper los menos posibles. De forma que debió de ser en el mes de mayo. El pueblo se llamaba Breyel. Allí todo era más católico aún que en la iglesia del Sagrado Corazón de Langfuhr. Incitados por la campesina, Matthias y yo teníamos que ir todos los sábados a confesarnos. Yo creía todavía en el infierno y sabía pecados de sobra.

El camino desde el recinto cuadrangular de la granja hasta la escuela del pueblo no me dejó huella. Y tampoco me han quedado muchos otros recuerdos. Sin embargo, veo innumerables moscas de colores brillantes sobre las paredes de blancas baldosas de la cocina del aldeano. Si se las cazaba, se podía hacer algo con las más gordas, lo que pude ver en casa de un compañero de escuela cuyo amor por los animales no conocía límites: pegaba al cuerpo de las moscas hilos de colores. Era muy bonito cuando las moscas volaban con sus colas rojas, azules y amarillas, describiendo círculos sobre la mesa de la cocina.

Compitiendo, Matthias y yo empezamos a cazar con la mano moscardones en las paredes de baldosas. «Mejor cazar una mosca que no comerse una rosca», nos elogiaba la abuela, firmemente encajada en su sillón y manoseando sin cesar su rosario. Fuera se extendía, llana, la tierra. Tres campanarios más allá estaba Holanda...

Mi segundo viaje hacia el Oeste sólo cínicamente hubiera podido considerarse un envío de niños. Cuando el tren, después de un trayecto nocturno y repetidas paradas, llegó, con retraso, a la capital del Reich, iba tan despacio como si quisiera animar a los viajeros, si no a tomar apuntes, al menos a llenar previsoramente lagunas posteriores de memoria.

Esto es lo que se me quedó: a ambos lados del terraplén de la vía férrea ardían casas aisladas y bloques. Por las ventanas de los pisos superiores brotaban llamas. Luego, otra vez: vistas sobre las oscuras gargantas que había entre las calles y sobre los patios traseros, en los que había árboles. Todo lo más se veía a personas aisladas, en silueta. No había muchedumbres.

Los incendios se consideraban normales, porque Berlín estaba en un estado de diaria destrucción progresiva.

Tras el último bombardeo había cesado la alarma. El tren rodaba despacio y, como deliberadamente, me invitaba a una visita turística de la ciudad. Hasta entonces, el aficionado al cine sólo había visto, en los noticiarios, breves insertos de ruinas que debían servir de bastidores para letreros que animaban a la resistencia. En ellos se podía leer: «¡No podrán con nosotros!» o «¡Quizá nuestros muros se rompan, pero nuestros corazones no!», y otras aseveraciones análogas.

Todavía recientemente se había podido ver a Goebbels, ministro de Propaganda del Reich, en la pantalla del Palacio Tobis de la ciudad, interpretando con agilidad el papel de sí mismo, mientras hablaba ante los escombros, animando a las mujeres y hombres bombardeados, estrechando la mano de algún vigilante de la defensa antiaérea ennegrecido por el hollín, y dando palmaditas a tímidos niños sonrientes.

Poco antes de que mi orden de incorporación estuviera sobre la mesa, visité a mi tío materno, que era proyeccionista en el Palacio Tobis y al que debía desde hacía años experiencias cinematográficas que, como *El baño en la era*, no eran «aptas para menores». ¿Vi ya entonces por la mirilla que había junto al proyector, inmediatamente después del noticiario en el que Goebbels charlaba ante las ruinas con supervivientes, la película *Kolberg*, con Heinrich George en el papel principal, que animaba a la resistencia?

Más tarde, noséquién rumoreó que algunos de los chicos que, durante el rodaje, habían tenido que luchar, valientes y vestidos de época, contra la superioridad de Napoleón, al año siguiente, cuando Kolberg fue sitiado, sin figurantes sino de veras, por rusos y polacos, habían sido movilizados por el Volkssturm en la última leva. Muchos pudieron haber palmado sin que nadie filmara su muerte de héroes.

En la estación, nadie se ocupaba de los incendios que había al alcance de la vista. Reinaba una actividad

normal: apreturas en sentidos opuestos, insultos, carcajadas súbitas. Los que tenían permiso volvían al frente o venían de allí. Chicas de la sección femenina de las Juventudes Hitlerianas repartían bebidas calientes y toleraban,
con risas sofocadas, que los soldados las toquetearan.

¿Qué predominaba: el olor del humo encajona-
do de las locomotoras de vapor bajo el techo sólo moderadamente dañado de la nave de la estación o el olor
a quemado?

Estaba ante un número desconcertante de indicadores de puntos de reunión y de centros de presentación y
orientación. Dos policías militares, reconocibles por los
escudos de metal que les colgaban sobre el pecho —por lo
que se los llamaba prudentemente «perros encadenados»—, indicaban el camino. En la sala de ventanillas de la
estación —¿pero cuál de las estaciones de Berlín era?—,
en donde los reclutas de mi edad hacían cola, recibí, tras
una breve espera, una hoja de ruta que me señalaba Dresde como próxima etapa.

Ahora veo una fila de espera de chicos que parlo-
tean. Sentimos curiosidad, como si nos hubieran prometido aventuras. Reina un ambiente alegre. Me oigo reír demasiado fuerte, nosédequé. Se distribuyen provisiones de
viaje, incluidos cigarrillos, hasta a mí, que no fumo. Mis cigarrillos son rápidamente repartidos. Uno de los chicos me
ofrece como contrapartida algo que por lo común sólo hay
en Navidades: bolas de mazapán enharinadas de cacao. Así
acosado por la realidad, creo estar soñando.

Entonces, la alarma aérea nos llevó a la amplia
planta sótano de la estación, utilizada como refugio antiaéreo. Allí se acumuló enseguida una multitud variada:
soldados y paisanos, entre ellos muchos niños, y también
heridos en camillas o apoyados en muletas. Y en medio un
grupo de artistas de circo, algunos liliputienses: todos ellos
disfrazados; la alarma aérea los había hecho huir directamente de la función al sótano.

Mientras fuera disparaba la artillería antiaérea y caían bombas tanto lejos como cerca, allí abajo el teatro del grupo continuaba: un enano nos asombró como malabarista, sosteniendo al mismo tiempo en el aire bolos, pelotas y anillos de colores, y haciéndolos girar. Varios liliputienses realizaron números acrobáticos. Entre ellos estaba una delicada dama, que sabía anudar su cuerpo con gracia mientras repartía besitos con los dedos y que cosechó grandes aplausos. El grupo, que viajaba como teatro de campaña, estaba dirigido por un anciano de corta estatura que hacía de payaso. Sus dedos, rozando copas entre llenas y vacías, puestas en fila, hacían surgir una música patéticamente dulce. Él sonreía, maquillado. Una imagen que se me quedó.

Poco después del fin de la alarma, llegué con el tranvía a otra estación. Otra vez ardían, con llamas que salían por las ventanas, manzanas de casas. Otra vez fachadas en ruinas, hileras enteras de calles que, en pasadas noches de bombardeo, habían ardido por completo. A lo lejos la nave de una fábrica, resplandeciente como por una iluminación interior. Al amanecer, el tren de Dresde estaba listo para salir.

Nada sobre el viaje hasta allí. Ni una palabra sobre lo que había en la rebanada de pan de las provisiones de boca, ni sobre pensamientos que tomaran la delantera o vinieran de atrás. Únicamente puede afirmarse y, por ello, ponerse en duda que sólo allí, en la ciudad todavía no afectada por la guerra, mejor dicho, cerca de la ciudad nueva, y concretamente en el piso alto de una villa de la alta burguesía, situada en el barrio del Ciervo Blanco, se concretó la unidad a la que yo debía pertenecer. Mi siguiente orden de marcha decía claramente que el recluta que llevaba mi nombre debía ser adiestrado como artillero de tanque, en un lugar de entrenamiento militar de la Waffen-SS: muy lejos, en los bosques de Bohemia...

La pregunta es: ¿me asustó lo que en aquella oficina de reclutamiento no se podía pasar por alto, lo mismo que todavía hoy, después de sesenta años, me resulta horrible esa doble S en el momento en que escribo?

En la piel de cebolla no hay nada grabado que me permita leer signos de susto ni, mucho menos, de espanto. Más bien habré considerado a la Waffen-SS como una unidad de élite, que entraba en acción cada vez que había que tapar una brecha en el frente, hacer saltar un cerco como el de Demyansk o reconquistar Jarkov. La doble runa del cuello de mi uniforme no me resultaba chocante. Para aquel joven, que se consideraba un hombre, lo importante era sobre todo el Arma: si no podía ser en los submarinos, de los que no decían ya nada los partes especiales, que fuera como artillero de tanque en una división que, como sabían en la central del Ciervo Blanco, iba a reorganizarse, concretamente con el nombre de «Jörg von Frundsberg».

Conocía ese nombre por ser el del jefe de la Liga de Suabia en la época de la Guerra de los Campesinos y el «padre de los lansquenetes». Alguien que luchó por la libertad y la liberación. Además, de la Waffen-SS se desprendía algo europeo: agrupados en divisiones, en el frente oriental luchaban voluntarios franceses, valones, flamencos y holandeses, muchos noruegos, daneses y hasta suecos neutrales, en una guerra defensiva que, según decían, salvaría a Occidente de la oleada bolchevique.

Así pues, evasivas suficientes. Y, sin embargo, durante decenios me negué a admitir esa palabra y esas dos letras. Lo que había aceptado con el tonto orgullo de mis años jóvenes quise ocultármelo a mí mismo después de la guerra, por una vergüenza que surgió después. No obstante, la carga subsistía y nadie podía aligerarla.

Es verdad que durante mi adiestramiento en la lucha de tanques, que me embruteció durante el otoño y el invierno, no se sabía nada de los crímenes de guerra que luego salieron a la luz, pero la afirmación de mi ignorancia no podía disimular mi conciencia de haber estado integrado en un sistema que planificó, organizó y llevó a cabo el exterminio de millones de seres humanos. Aunque pudiera convencerme de no haber tenido una culpa activa, siempre quedaba un resto, que hasta hoy no se ha borrado, y que con demasiada frecuencia se llama responsabilidad compartida. Viviré con ella los años que me queden, eso es seguro.

Detrás y entre bosques, en campos removidos. La nieve pesaba sobre árboles, techos de barracones. Muy lejos, la cebolla de una torre de iglesia. No se oía una sola palabra checa en aquel campo de ejercicios innominado, sólo órdenes en alemán, que con la helada llegaban especialmente lejos.

Nuestra formación con armas anticuadas —el Panzer III y el Panzer IV, que habían intervenido en la Primera Guerra Mundial— resultó una paliza desmoralizadora. Yo creía que debía ser así, pero la reserva de calor del entusiasmo inicial se enfriaba cada vez más. Nosotros, tanto reclutas de mi edad como soldados de largo historial que habían sido enviados por la Luftwaffe a la Waffen-SS, como «donativo de Hermann Göring», hacíamos instrucción de la mañana a la noche y, como se nos había anunciado, teníamos que «pasarlas moradas».

Ocurría como en los libros que había leído, pero el olvido de los nombres de los peores negreros se produjo premeditadamente. Allí se aprendía a utilizar trucos refinados y a adaptarse en silencio. Una vez conseguí, mediante una ictericia fingida —tragándome el aceite recalentado de una lata de sardinas— y, luego, con ayuda de la forunculosis difundida en el campo, escapar a la instrucción, pero el barracón de enfermería, siempre abarrotado, sólo ofrecía un refugio temporal. Después continuaba la paliza.

Nuestros instructores, que por su edad podían pasar por jóvenes, pero que tras uno o dos años de movilización en el frente se habían fosilizado en cínicos prematuramente envejecidos, querían ahora, con categoría de jefe de escuadra y distinguidos con pasadores de combate cuerpo a cuerpo y con la medalla del Este, llamada de la «carne congelada», transmitirnos sus experiencias, adquiridas en la cabeza de puente de Kuban y la batalla de tanques de Kursk. Lo hacían unas veces con seriedad adusta y otras con humor despiadado, y muchas veces según su capricho. Con voz alta o baja, nos abrumaban con una jerga establecida, mientras trataban de superarse ideando formas de hostigarnos, algunas nuevas y otras usuales desde la noche de los tiempos militares.

De ello no se me ha quedado mucho. Sólo uno de sus métodos para intimidar a los reclutas se me ha fijado en el recuerdo, como anécdota más bien risible, aunque no estoy seguro de si la reacción del hostigado fue sólo un deseo de venganza o si mi acto de venganza fue real y se desarrolló además como una historia digna de contarse; en cualquier caso, no carece de gracia.

Me veo de madrugada yendo a tientas por un tramo de bosque nevado, aunque todavía oscuro, y llevando a izquierda y derecha bidones. A la ida voy a paso ligero, a la vuelta sólo despacio. Escondida en el bosque, pero vislumbrada por sus ventanas iluminadas, hay una granja parecida a un palacio en la que —se supone— se alojan altos cargos. Una vez creí haber oído música que salía de allí. Hoy estoy seguro a veces de que un cuarteto de cuerda ensayaba algo de Haydn o de Mozart, aunque ello no tiene nada que ver con mi historia, que en el original se desarrolló en completo silencio.

Desde hace días me han ordenado que me ocupe de la bebida para el desayuno del jefe de escuadra y del jefe de pelotón, trayendo especialmente para ellos, en dos bidones, el café, que tiene que estar caliente y —recalentado una y otra vez— todo el día disponible. El café está más allá del bosque, en el barracón de la cocina. Y también nosotros, los reclutas, recibimos de allí una bebida de malta o de cebada, a la que, según se rumorea, se añade carbonato sódico para inhibir el instinto sexual. Sin embargo, el gusto de lo que tengo que suministrar, a ser posible caliente, a la media docena de jefes de escuadra y jefes de pelotón privilegiados procede sin duda de auténticos granos de café. En cualquier caso, los bidones exhalan un olor a café de verdad.

El camino de ida y vuelta reduce a la mitad mi tiempo para el desayuno y los pocos minutos que me quedan para sacudir y cepillar mi ropa de dril, de forma que, en reiteradas ocasiones, llamo la atención en la convocatoria matutina y tengo que hacer ejercicios de castigo: carrera de resistencia con equipo de marcha y máscara de gas atada delante, subiendo y bajando por un campo accidentado, con barro bajo la suela de las botas que se queda adherido: una paliza que proporciona al enmascarado recluta odio para toda la vida.

Cabe suponer que habré ideado mi venganza, llorando tras los empañados cristales redondos de la máscara de gas repetidas veces, hasta en todos sus detalles.

Al volver del barracón de la cocina, me detengo, oculto por los abetos cargados de nieve. Es cierto que, a lo lejos, veo centellear la granja, pero la granja no me ve. Reina el silencio. Sólo se oye mi aliento.

Ahora vierto en la nieve dos dedos de café del contenido en los bidones, los dejo en el suelo y meo para llenarlos, tanto uno como otro, hasta que me parece suficiente. El resto sobrante, entre los árboles, de forma que la nieve, como cabe sospechar, adquiere un tono amarillento.

Ahora nieva incluso, cubriendo mis huellas. Siento calor en medio del frío. Me inunda algo que se parece a un sentimiento de felicidad.

Susurro interior: Síseñor, se tomarán el brebaje, aunque endulzado con terrones de azúcar que consiguieron quiénsabedónde para atesorarlo. Enseguida, ya para el desayuno, y luego al mediodía y, recalentado, también a la noche, cuando se hayan hartado de vociferar, echarán mano a los potes de café. Los veo con mirada anticipada, al jefe de escuadra y al jefe de pelotón, y voy contando, un trago tras otro.

Se bebían, pote tras pote, lo que yo les suministraba más o menos caliente. A pedir de boca. Quién puede dudarlo. Cabe suponer incluso que mi repetido gesto de impotencia, aquella venganza de todas las mañanas, me ayudó a soportar la instrucción e incluso los peores acosos, riéndome por dentro; en la compañía próxima a la nuestra, un recluta se colgó con la correa de la funda de su máscara de gas, poco antes de un ejercicio de castigo.

Por lo demás, hacía todo lo que se me ordenaba, sin reservas, por ejemplo, arrastrarme bajo el casco del tanque de ejercicios. «¡Medir la altura libre sobre el suelo!», se llamaba la orden.

Lo que debía hacer de mí un hombre: breve formación con armamento pesado. Tiro sobre blancos móviles. Marchas nocturnas con equipo de asalto. Flexiones con el mosquetón extendido. De vez en cuando, como recompensa, despiojamiento en uno de los barracones sanitarios dedicado expresamente a ese fin. Luego podíamos ducharnos desnudos en grupo y después reírnos en el cine del campamento, con Hans Moser y Heinz Rühmann.

El correo llegaba cada vez más irregularmente. Por las tardes nos atiborraban de teoría. En la barraca de clases se hablaba del motor Maybach, de uso corriente en los tanques. No se me ha quedado ningún detalle técnico. Hasta hoy no sé ni quiero conducir un coche. Y tampoco del alfabeto Morse, que nos metían en la cabeza ante el aparato de radio, se me quedó nada.

Una vez por semana nos aburríamos durante una hora de clase en la que se hablaba de espacio vital y cosmovisión: sangre y suelo... No quedaron más que desechos verbales que, resistentes, todavía hoy pueden descargarse de Internet.

De forma más clara, porque puede narrarse, se me ha quedado un suceso al margen de la paliza cotidiana. A algunos reclutas y a mí también se nos ordenó sucesivamente que fuéramos a aquella granja de aspecto de palacio que, desde mis paseos mañaneros, me resultó enigmática. Por todas partes, en el vestíbulo de entrada, en el que había un piano, subiendo por la sinuosa escalera y en las paredes de una habitación del tamaño de una sala, colgaban cornamentas de ciervo y pinturas exuberantemente enmarcadas, cuyas escenas de caza se iban ennegreciendo. Pocos muebles, sólo un escritorio que reposaba sobre unas patas barrigudamente alabeadas. Detrás de él había un teniente que se las daba de amable y que hubiera podido ser también profesor de instituto.

Me dijo que «me pusiera cómodo» y quiso conocer mis deseos profesionales para después de la victoria final. Era una especie de tío simpático quien me hablaba, preocupado por el futuro de su sobrino.

Yo no dije que estaba seguro de querer ser artista, e indiqué de forma más bien vaga como objetivo estudiar historia del arte, y entonces se me prometió apoyo, si estaba dispuesto y era capaz de ir a algo así como un colegio noble para directivos.

Allí, me dijo, se estaba formando ya a hombres con conciencia nacional para tareas que no faltarían tras la victoria definitiva: en materia de ordenación territorial, en el necesario traslado de poblaciones extranjeras, como directivo empresarial, en la reconstrucción de ciudades, en el sector fiscal, tal vez incluso en el deseado campo del arte... Luego me preguntó qué conocimientos tenía ya.

Aquel simpático tío de detrás del escritorio, que llevaba gafas sin montura y cuyo rango militar me resulta ahora dudoso —¿era teniente?— parecía estar realmente interesado por, como él decía, «mi carrera». Por eso le solté lo que, gracias a mis cromos de cigarrillos y las monografías artísticas de Knackfuß, se había enredado en un ovillo. Hablé sin pausa y, probablemente, con arrogancia, de los autorretratos de Durero, el altar de Isenheim y *El milagro de San Marcos* de Tintoretto, alabando el vuelo en picado del apóstol como ejemplo de perspectiva audaz.

Cuando, tras dar saltos sin ton ni son por el mundo pictórico resumido en tres volúmenes, mis conocimientos reunidos se agotaron y sólo quedaron audaces afirmaciones sobre Caravaggio como genio asesino, el futuro alumno de un colegio noble elogió con demasiada amplitud la vida de Anselm Feuerbach y, en general, a los pintores romano-alemanes, y finalmente a Lovis Corinth, al que Lilli Kröhnert, su maestra de dibujo del colegio Petri, había calificado de genial. Por ello, situaba su obra por encima de todo lo que nunca se había expuesto en la «Casa del Arte Alemán» como pintura contemporánea.

Con un ligero movimiento negativo de cabeza fui despedido por el simpático tío, que hizo un breve gesto con la mano: por lo visto yo no era apto para una carrera como dirigente después de la victoria final, porque ningún colegio noble me libró de la instrucción militar.

Por mi decimoséptimo cumpleaños recibí correo, aunque con retraso: un paquetito con calcetines de lana y pastel desmigajado, con una doble página llena de inocentes preocupaciones, escrita con la bella y esmerada letra del padre. Luego, sólo cartas y, después de Navidades, nada más.

La pizarra nos hizo creer que la ofensiva de las Ardenas se desarrollaba victoriosa y traería finalmente el cambio, pero pronto pudo leerse en los partes militares que los rusos habían invadido la Prusia oriental. Noticias de violaciones y asesinatos cometidos contra mujeres alemanas en la región de Gumbinnen ocuparon mis sueños diurnos durante las clases teóricas.

Durante el día, veíamos en un cielo despejado y helado agrupaciones de bombarderos enemigos. Sin ser obstaculizados, los aviones seguían su rumbo como estelas de condensación concentradas, ¿hacia dónde? En realidad era hermoso verlos. Pero ¿dónde estaban nuestros cazas?

Por lo demás, seguía hablándose de cohetes V-1 y V-2, así como de armas milagrosas que pronto aparecerían. Hacia finales de febrero, cuando llegaron ya rumores sobre la tempestad de fuego de Dresde, prestamos juramento con luna llena y un frío cortante. Un coro cantó el juramento de la Waffen-SS: «Aunque todos se vuelvan infieles, nosotros seguiremos fieles...».

Poco después fui testigo de un proceso en el que, demorado, luego acelerado y finalmente precipitado, hubiera podido percibirse el hundimiento del Gran Reich Alemán como caos organizado.

Sin embargo, ¿percibí yo lo que corría a su fin?

¿Me di cuenta de lo que sucedía con nosotros, conmigo?

¿Permitía en su constante ir y venir mi necesidad insistente durante el día de un cazo de sopa y un chusco de pan, acompañada de temores de distinta intensidad, algo así como una comprensión de la situación general?

¿Tuvo conciencia aquel chico de diecisiete años del comienzo del fin, de lo que luego se llamaría «el derrumbamiento», en todo su declive y proporción?

Cuando mi primer intento de ordenar y llevar al papel la confusión que había en la cabeza de un joven soldado, cuyo casco de acero, demasiado grande, se le resbalaba continuamente, se plasmó a principios de los años sesenta en la novela *Años de perro,* se entremezclaron y engranaron en las páginas del diario de Harry Liebenau, soldado de la división acorazada, los sucesos bélicos, como una retirada continua, con las insistentes invocaciones a su prima Tulla, a la que él, a consecuencia de rumores, creía a bordo del buque de refugiados hundido *Wilhelm Gustloff:* ahogada en el helado Báltico.

También yo escribí algo parecido a un diario en un cuaderno que, finalmente, con otro equipo de marcha y mi capote, se perdió al lado de Weißwasser o cerca de Cottbus. Sin embargo, al contabilizar esa pérdida, me parece como si también yo me hubiera perdido repetidas veces.

Porque ¿qué garrapateaba en el papel rayado durante los descansos breves o prolongados?

¿Qué evasiones mentales me sustrajeron a lo que realmente sucedía o se desmigaba en aburrimiento, que surgía en cuanto esperábamos al eterno rezagado, la cocina de campaña u órdenes que nos enviaban en esta o aquella dirección?

¿Ayudó el tiempo preprimaveral a llenar mi cuaderno de versos rimados?

¿Me gustó el ambiente apocalíptico?

Aunque no haya ningún pensamiento abstruso que anotar en limpio, ningún poema de marzo que descifrar y no quiera aparecer ninguna duda que valga la pena del diario perdido, sigue existiendo la pregunta: ¿qué hacía aquel recluta instruido?

¿Se sentaba, si no como artillero conductor, al menos como artillero de carga, en un tanque?

Entrenado en disparar a compañeros de cartón, ¿llegó a disparar sobre blancos móviles?

¿Cuándo y dónde, a qué grupo de combate fui destinado?

A la primera no consigo hacer tangible al miembro de una más bien ficticia División Jörg von Frundsberg. Desde el campo de formación en medio de los bosques bohemios, grupos aislados fueron enviados a emplazamientos lejanos de compañías encargadas del traslado de tropas. Un grupo salió en dirección a Viena, otro debía participar en la batalla de Stettin. A nosotros nos llevó un tren de carga, de noche, por Tetschen-Bodenbach, hasta Dresde, y luego más allá en dirección al este, donde, en la Baja Silesia, se suponía que estaba el frente.

De Dresde sólo me quedaron el olor de los incendios y una ojeada por la puerta corredera entreabierta del vagón de carga: entre las vías y delante de las fachadas carbonizadas sobresalían montones de fardos quemados. Algunos del vagón supusieron que eran cadáveres encogidos. Otros pretendieron haber visto noséqué. Discutimos al respecto y hablamos una y otra vez para disipar nuestro espanto; lo mismo que, todavía hoy, lo que ocurrió en Dresde está enterrado bajo habladurías.

Al parecer, habíamos llegado a la realidad para volver a abandonarla enseguida o cambiarla por algo que quería ser otra realidad. Una y otra vez enviado en direcciones contrapuestas, nuestro grupo encontró por fin la compañía que le había sido asignada, cuyos efectivos todavía incompletos habían hallado alojamiento en una escuela evacuada. Los bancos apilados al aire libre fueron aserrados por un comando de cocina para convertirlos en leña. En el patio de recreo había barracones listos para nosotros, a fin de que mi permanente vida de barracón desde los tiempos de auxiliar de la Luftwaffe no acabara demasiado pronto.

Allí había que aguardar armamento militar, los prometidos tanques de tipo Tiger. La espera se prolongó, pero, con una alimentación regular y una vigilancia relajada, resultó soportable. Incluso tuvimos tiempo para ir al cine. ¿Vi otra vez aquella película, *Hagamos música,* con la incansablemente silbadora Ilse Werner, que ya en mi época escolar había sido un sustitutivo del prohibido *jazz*? ¿O vi sólo entonces la película de resistencia *Kolberg*?

Sin embargo, ¿cuánto tiempo esperó aquel grupo heterogéneo, del que formaban parte también miembros de la Wehrmacht y personal de tierra retirado de los campos de aviación abandonados, el correo militar reenviado, que no llegó, en vez de los prometidos tanques?

Ese lapso de tiempo me parece no fechable y como una película compuesta de diversas tramas, que unas veces se desarrollan a cámara lenta y otras a cámara acelerada, unas veces hacia atrás y otras hacia delante, y una y otra vez rasgada, para, con otros personajes, tratar de casualidades de otro tipo en una película muy distinta.

Como mucho, tengo ante mis ojos, como persona de perfil claramente definido, a un suboficial que, después de coger su rancho, se sentaba entre nosotros a la larga mesa de madera: el cerdo habitual en el frente. Cuando de pronto tiene que ir al retrete con urgencia, pone bajo vigilancia su plato todavía lleno, sacándose de la órbita del ojo derecho, con dos dedos expertos, un globo de cristal y colocándolo, azul celeste, sobre un trozo de carne del tamaño de la palma de la mano como los que nos han repartido a todos, con patatas sin pelar, col y una salsa parda, en calidad de rancho del mediodía. Parafraseando un dicho, exclama: «¡Ojo al Cristo, que es de cristal!». Con lo que ninguno de los de la mesa puede apartar ya la vista hasta que el precavido cagón vuelve del retrete.

A lo que se agarra el recuerdo: una naturaleza muerta que sólo quería ser útil, no arte. Por lo demás, muchos de los soldados estaban marcados por heridas ya curadas o habían sido enviados directamente del hospital militar a la compañía: hacia el final, todo el mundo era apto para el servicio.

En algún momento, bajo la red de camuflaje hubo, no un tanque Königstiger, sino cuatro tanques Jagdpanther: con cañones de asalto sin torreta giratoria, y para los que nuestro grupo estaba insuficientemente entrenado. Sin embargo, tuvimos que dejar los barracones, e íbamos en los tanques como dotación de escolta, armados al estilo tradicional con fusiles, y algunos con fusiles de asalto.

Se suponía que el frente estaba ante Sagan, una pequeña ciudad de Silesia que, ciertamente, había sido recuperada, pero por la que se seguía luchando. Desde allí, se decía, una ofensiva debía liberar Breslau, la fortaleza sitiada. No obstante, sólo llegamos hasta Weißwasser, en donde se perdió la relación con la compañía y, con ella, el equipo de marcha, con el diario y el capote atados encima...

A partir de entonces, la película se desgarra. Cada vez que la encolo y vuelvo a pasarla, me ofrece una ensalada de imágenes. En algún lado puedo tirar los andrajosos trapos con que me envolvía los pies y sustituirlos por medias de lana que encontramos en un depósito de intendencia abandonado; en él hay también, apiladas, camisetas y lonas contra la lluvia. En una parada en una vega acaricio flores de sauce.

¿Cantó un cuco antes de la hora? ¿Conté sus cantos?

Y entonces veo los primeros muertos. Soldados jóvenes y viejos con uniforme de la Wehrmacht. Están colgados de árboles todavía pelados de las carreteras y de tilos en las plazas de mercado. Los cartones que llevan sobre el pecho identifican a los ahorcados como «cobardes que socavan nuestra capacidad de defensa». Un chico de mi edad, peinado además con raya a la izquierda como yo, cuelga junto a un oficial entrado en años de graduación incierta, al que el consejo de guerra degradó antes de ahorcarlo. Una doble fila de cadáveres por la que pasamos traqueteando con el estrépito de las cadenas de nuestros blindados, que lo sofoca todo. No quedan pensamientos, sólo imágenes.

A un lado veo campesinos que cultivan sus campos. Surco tras surco, como si nada los preocupara. Uno de ellos ara con una vaca que tira del arado. Cornejas detrás del arado.

Luego veo otra vez caravanas de fugitivos que taponan la carretera: arneses entre los que ancianas y adolescentes tiran y empujan carretas sobrecargadas. Sobre maletas y fardos atados se acurrucan niños, que quieren salvar sus muñecas. Un anciano tira de una carretilla en la que dos corderos querrían sobrevivir a la guerra. El coleccionista de imágenes ve más de lo que puede agarrar.

Durante un descanso, otra vez de retirada, estoy detrás de una chica que —de eso estoy seguro— se llama Susanne y ha huido con su abuela de Breslau. Ahora la chica me acaricia el pelo. Se me permite cogerle la mano, pero nada más. Esto ocurre, excitantemente, en el establo ileso de una casa de campesino destrozada por los disparos. Un ternero nos mira. Ay, si esa historia tuviera un desenlace por el que valiera la pena sacrificar la aburrida verdad.

Sin embargo, en el diario sólo habría podido escribir esto: «Susanne lleva un collar de perlas de madera de color cereza...». ¿O llevaba un collar así otra chica muy distinta, que tenía el cabello negro y una larga trenza, no rubio como el lino, y cuyo nombre no quiero decir?

De lo que ocurría fuera de mi campo visual, la película, rota una y otra vez, no dice nada. Es cierto que se puede saber, porque hay noticias que circulan como rumores, que mi ciudad natal, entretanto, fue conquistada por los rusos, pero no sé que el interior de Danzig es un montón de escombros que todavía humeará largo tiempo, en donde las ruinas de las quemadas iglesias de ladrillo esperan ya fotógrafos cuya misión es, antes de la prevista reparación de todos los daños, documentar cada muñón de torre, cada resto de fachada, a fin de que los escolares reconozcan luego...

Con el pensamiento, sin embargo, se podía pasar revista aún a la intocable silueta urbana de la ciudad, se podían contar las torres a izquierda y a derecha. No faltaba ni un adorno de los gabletes. Ida y vuelta al colegio. También me obligaba a ver a la madre tras el mostrador de la tienda, al padre en la cocina. ¿O me atormentaba el temor de que los padres, con la hermana y un equipaje demasiado escaso, hubieran encontrado sitio por fin en el *Gustloff*?

A partir de ahí, la caprichosa serie de imágenes cuya producción dirige el azar quiere proyectar sin falta la secuencia de mi primer contacto con el enemigo, verdad es que sin indicar fecha ni lugar y sin que llegue a avistarlo.

Sólo puede suponerse una cosa: debió de ser hacia mediados de abril, cuando los ejércitos soviéticos, tras larga preparación artillera, rompieron las líneas alemanas a lo largo del Oder y el Neisse y, en nuestro sector del frente, entre Forst y Muskau, para vengar su país devastado y los millones de muertos, y para vencer, nada más que vencer.

Veo tomar posiciones en un bosque joven a nuestros Jagdpanther, algunos transportes blindados de personal, varios camiones, la cocina de campaña y un montón abigarrado de soldados de infantería y artilleros de tanque revueltos, ya sea para contraatacar, ya para formar un muro defensivo.

Árboles que echan brotes, entre ellos abedules. El sol calienta. Gorjeos de pájaros. Una espera soñolienta. Alguien, no mayor que yo, toca la armónica. Un soldado hace espuma, se afeita. Y entonces, súbitamente —¿o fue aviso suficiente el enmudecimiento de los pájaros?—, los «órganos de Stalin» caen sobre nosotros.

Queda poco tiempo para comprender por qué, coloquialmente, se los llama así. ¿Sus aullidos, gruñidos y zumbidos? Desde dos o tres baterías lanzacohetes, el trozo de bosque va siendo cubierto progresivamente. No quieren perdonar nada, trabajan a conciencia, aplastan lo que, como bosque joven, prometía cobertura. No había escapatoria; ¿o quizá sí, si se trataba de un simple artillero?

Me veo arrastrarme, como he aprendido, bajo un Jagdpanther. Y alguien más, quizá el conductor, el artillero de control de tiro o el comandante del Jagdpanther, está midiendo bajo el casco la altura libre sobre el suelo. Nuestras botas se tocan. A derecha e izquierda nos protegen las ruedas con cadenas. Los órganos tocan quizá tres minutos, una eternidad. Invadido por el miedo, me meo en los pantalones. Luego silencio. A mi lado, castañeteo de dientes, en muchas estrofas.

Antes, no, ya antes de que los órganos acabaran su concierto, comenzó el castañeteante tableteo, que continuó y duraba aún cuando los gritos de los heridos dominaban todos los otros ruidos.

Por corto que fuera ese lapso, me bastó: ya en el curso de la primera lección aprendí a tener miedo. El miedo se apoderó de mí. Nada de gatear expertamente, salí arrastrándome de debajo del Jagdpanther, y me veo reptar, dejando la tierra removida de bosque y follaje podrido, una mezcla contra la que, mientras los órganos de Stalin llevaron la voz cantante, aplasté el rostro y cuyo olor se me quedará.

Todavía inseguro sobre las piernas, presencié una tormenta de imágenes. A mi alrededor, el bosque joven despedazado, los abedules como quebrados por la rodilla. Las copas de los árboles habían hecho que los obuses estallaran anticipadamente. Por todas partes había cuerpos, aislados o encima de otros, muertos, vivos aún, retorcidos, ensartados por ramas, acribillados de metralla. Algunos de ellos se habían anudado como acróbatas. También hubiera podido encontrarse trozos de cuerpos.

¿Era aquello el chico que, antes, tocaba expertamente la armónica?

Reconocible el soldado en cuyo rostro se secaba la espuma de afeitar.

Por en medio se arrastraban los supervivientes, o permanecían de pie, paralizados como yo. Algunos gritaban aunque no estaban heridos. Alguien lloriqueaba como un niño pequeño. Yo estaba mudo, con los pantalones meados, mirando a mi lado el abierto cadáver de un chico con el que hacía un momento había charlado de noséqué. Las vísceras. Su cara redonda, que parecía haberse encogido en el momento de la muerte...

Sin embargo, esto que aquí aparece escrito detalladamente lo he leído en forma parecida en Remarque o Céline, lo mismo que ya Grimmelshausen, al describir la batalla de Wittstock, cuando los suecos hicieron pedazos a los imperiales, citaba imágenes de horror transmitidas.

Y de pronto estuvo a mi lado aquel al que le habían castañeteado los dientes, se estiró cuan largo era, dejó de estar acometido por escalofríos y mostró en cambio en el cuello una alta graduación de la Waffen-SS. Bajo la barbilla le colgaba, torcida, la Cruz de Caballero. Un héroe como salido del noticiario que, durante años, nos había suministrado a los colegiales héroes de parecida estatura.

A mí, testigo de un castañeteo ordenado por el miedo, me increpó:

—No se quede ahí, soldado. Concéntrese. Todos los hombres aptos para el combate deben concentrarse enseguida. Ocupen nuevas posiciones. ¡Vamosvamos! Listos para contraatacar...

Lo veo precipitándose por encima de cuerpos destrozados, muertos, y aún vivos. Grita, gesticula, se pone en ridículo, no es ya un héroe de libro, de forma que a posteriori quiero estarle agradecido, porque su aparición en medio de la unidad de combate aplastada —sólo dos Jagdpanther y algunos carros ligeros de transporte parecen capaces todavía de entrar en acción— desvalorizó la imagen de héroe que yo tenía presente desde mi época escolar. Algo se desencaja. Mi aparato ideológico, que en otro tiempo sufrió una fractura todavía encolable, causada por un chico de ojos azules llamado Nosotrosnohacemoseso, se tambalea ahora, aunque quiera seguir demostrando su estabilidad...

Después de eso, sólo pertenecí a unidades de combate a las que no se podía dar nombre. Los batallones, las compañías se disolvían. La División Frundsberg no existía, si es que alguna vez había existido. Atravesando el Oder y el Neisse, los ejércitos soviéticos habían conseguido penetrar en un amplio frente. Nuestra línea principal de combate había sido arrollada y perforada, y existía todo lo más sobre el papel. Sin embargo, ¿qué sabía yo de una línea principal de combate, de lo que era o hubiera tenido que ser?

En el caos de la retirada, traté de unirme a grupos desbandados que buscaban igualmente los restos de sus unidades. Sin volver a experimentar el contacto con el enemigo, tenía el miedo metido en el cuerpo. Una y otra vez los soldados ahorcados de los árboles de las carreteras advertían del peligro que corría quien no pudiera demostrar que pertenecía a una compañía o que, con una hoja de ruta estampillada, se dirigía a esta o aquella tropa.

El sector central del frente oriental, muy desplazado hacia el oeste, estaba bajo el mando del tristemente célebre general Schörner. Por «orden de Schörner», la policía militar —los «perros encadenados»— buscaba militares que, cualquiera que fuera su rango, debían ser apresados si carecían de hoja de ruta, y comparecer ante consejos de guerra ambulantes. Luego eran ahorcados sin contemplaciones y muy a la vista. Había una frase que servía de aviso: «¡Hay quien roba héroes!». Schörner y su orden resultaban más temibles que el enemigo.

No sólo después de la penetración entre Forst y Muskau, sino mucho tiempo después seguí teniendo a Schörner sobre mis espaldas. A mediados de los sesenta esbocé una obra de teatro que, con el título de *Batallas perdidas,* debía tratar de aquel temido perro de presa. De aquel juego de cajón de arena no resultó nada. Otra vez se dejó paso a la narrativa. Sin embargo, también en la novela que surgió, *anestesia local,* en cuyo desarrollo, una y otra vez cohibido, se habla en realidad del prognatismo mandibular, tratado por el dentista, del profesor de instituto Starusch y de sus efectos secundarios, y también de un colegial que, para protestar contra la guerra de Vietnam, quiere quemar a su teckel *Max,* hace acto de presencia el mariscal de campo Ferdinand Schörner, con el nombre de Krings; tan incesantemente miraba por encima de mi hombro aquella bestia que hacía ahorcar sin contemplaciones.

El miedo era un equipaje que no podía quitarme de encima. Habiendo salido para aprender a conocer el miedo, diariamente recibía lecciones. Agazaparse, apartarse, adaptarse, pasar inadvertido eran las lapidarias técnicas de supervivencia que había que practicar sin entrenamiento previo. Ay de quien no quisiera aprender. Muchas veces sólo ayudaba esa niña engendrada por la astucia y la casualidad, llamada suerte.

Más tarde he recordado tanto algunas situaciones de las que sólo pude escapar con ayuda de afortunadas casualidades, que se acabaron redondeando en historias que, en el transcurso de los años, se hicieron cada vez más manejables, porque insistían en ser creíbles hasta en sus menores detalles. Sin embargo, debe dudarse de todo lo que se ha conservado como peligro para el que se sobrevivió en la guerra, aunque éste se jacte de detalles concretos en historias que quieren pasar por verdaderas, fingiendo ser tan demostrables como el mosquito en el ámbar.

Lo que es seguro es que, a mediados de abril, como parte de un grupo formado al azar, fui a parar dos veces detrás de las líneas rusas. Ocurrió en la precipitación de la retirada. Y, cada vez, yo era parte de un grupo de alguna patrulla de reconocimiento de misión poco clara, y una y otra vez fue la suerte, si no la casualidad, la que me salvó; sin embargo, esas dos situaciones apuradas ocuparon durante años mis sueños para, con variaciones constantes, ofrecerme escapatorias.

Conocía esos escondrijos por libros que, ya de colegial, me había tragado más que leído. El profesor Littschwager, a quien le gustaban mis redacciones, que derivaban hacia lo absurdo, me había puesto en la mano una edición popular de fácil lectura de *El aventurero Simplicissimus,* con la recomendación: «Realismo barroco; es increíble, pero cierto, cómo ya en Grimmelshausen todo...», y yo me la leí hasta acabar ardiendo.

De modo que puedo haberme dado ánimo con el siguiente razonamiento: si Simplicius, artista de la supervivencia, consiguió, con astucia y fortuna, evitar los peligros, que acechaban tras cada seto, de una guerra que duró treinta años, y si, como durante la batalla de Wittstock, lo ayudó su amigo del alma, que antes de que transcurriera su última horita lo salvó, a tajos y estocadas, de aquel preboste de juicio rápido, para que luego pudiera escribir y escribir, ¿por qué no podría ayudarte a ti la suerte u otro amigo del alma?

La primera oportunidad para reventar bajo el fuego de las ametralladoras o caer prisionero y aprender luego supervivencia en Siberia se dio cuando una dispersa cuadrilla de seis o siete hombres, mandada por un sargento, intentó escapar del sótano de una casa de un solo piso. La casa estaba en la parte ocupada por los rusos de un pueblo por el que todavía se luchaba.

No resulta claro cómo habíamos ido a parar detrás de las líneas rusas y nos encontrábamos en el sótano de la casa, que más bien parecía una cabaña. Ahora debía salvarnos la evasión hacia el lado opuesto de la calle, para refugiarnos en alguna de las casas que todavía defendían los nuestros. Oigo decir al sargento, un hombre larguirucho con la gorra torcida:

—¡Ahora o nunca!

El nombre de la disputada localidad, que estaba en la arenosa Lusacia y, como pueblo con casas a ambos lados, era de forma alargada, no se mencionó nunca o lo he olvidado. Por la ventana del sótano se podía oír entre las pausas un intercambio de disparos: aislados y de ametralladora. En ninguna estantería se podía encontrar nada comestible. Sin embargo, el propietario de la casa, que al parecer había huido a tiempo, debía de haber sido comerciante de bicicletas, y había hecho acopio de su solicitada mercancía, escondiéndola en el sótano, porque de soportes de madera colgaban, con la rueda delantera hacia arriba, muchas y suficientes bicicletas, que parecían todas aprovechables y de neumáticos bien hinchados, y que en cualquier caso estaban pidiendo ser utilizadas.

Y el sargento debía de pertenecer a la categoría de los que deciden rápidamente, porque, después de haber dicho «ahora o nunca», lo oí más bien susurrar que gritar:

—Vamos, que cada uno agarre una bicicleta. Y luego, cruzad a toda mecha...

Mi objeción sin duda tímida, pero expresada con decisión: «Mi sargento, lo siento pero no sé montar en bicicleta», debió de considerarla como un mal chiste. Nadie se rió. Tampoco hubo tiempo para exponer las causas profundas de mi vergonzosa incapacidad y disculparme, por ejemplo así: «Mi madre, que tiene una tienda de ultramarinos que económicamente sólo va regular, no tenía desgraciadamente suficiente pasta para comprarme una bicicleta nueva ni usada, por lo que nunca tuve ocasión de aprender a su debido tiempo a montar en bicicleta, lo que en ciertas circunstancias podría salvarme la vida...».

De manera que fue el sargento, antes de que yo, como alternativa, pudiera preciarme de haber aprendido pronto el arte de la natación, quien decidió de nuevo rápidamente:

—Vamos, coja la ametralladora y cúbranos. Volveremos a buscarlo, más adelante...

Es posible que uno u otro soldado, quien fuera que cogiera, obediente, una bicicleta del soporte, tratara de calmar mi miedo. Sus palabras no fueron escuchadas. Tomé posición en la ventana del sótano con un arma para la que no había recibido instrucción. El nuevamente incapaz soldado no habría llegado tampoco a disparar, porque apenas habían salido por la puerta delantera de la casa los cinco o seis hombres del sótano agarrando los cuadros de sus bicicletas, entre las que había también de señora, los segó en el centro de la calle del pueblo un fuego de subfusiles, salido noségdedónde, si de este lado o de aquél, o de ambos a la vez.

Pretendo haber visto un montón que se agitaba, y que pronto sólo se estremecía. Alguien —¿el largo sargento?— dio una voltereta al caer. Luego nada se movió ya. Todo lo más, vi una rueda delantera que sobresalía del montón: cómo daba vueltas y más vueltas.

Sin embargo, puede ser también que esa descripción de la carnicería sea una imagen transmitida más tarde, puesta en escena, porque ya antes del estrépito final había abandonado mi puesto en la ventana del sótano y no vi nada, no quise ver nada.

Sin la ametralladora ligera, el arma que se me había confiado, salí con mi fusil de la casa del comerciante de bicicletas y me largué por jardines traseros y puertecillas chirriantes. Detrás de los jardines y entre ellos, permanecí oculto por arbustos que ya echaban brotes, dejé de forma subrepticia el pueblo por el que audiblemente se luchaba y tropecé de pronto con los carriles de un ferrocarril de vía estrecha, bordeados a ambos lados por arbustos y terraplenes de la altura de un hombre. Se dirigían derechos hacia nuestra presunta línea de frente. Silencio. Sólo gorriones y herrerillos en los arbustos.

No es que hubiera aprendido nada de aquel sargento para quien mi incapacidad a la hora de utilizar la bicicleta había sido sólo un mal chiste, pero seguir los carriles como indicación profética resultó ser una decisión acertada, adoptada con rapidez.

Después de más de un kilómetro de ir a pie por traviesas de madera y grava, vi, en un puente no destruido que cruzaba la vía férrea, primero todoterrenos y camiones con soldados de infantería, y también un obús tirado por caballos, y luego grupos más pequeños a pie: soldados de inconfundible hechura alemana, con su paso lento. Me uní a ciegas a la columna, porque, incluso sin actividad enemiga, un soldado solitario, de camino sin hoja de ruta, hubiera sido candidato a la muerte, maduro para la soga al cuello.

Sé que esto parece difícilmente creíble y huele demasiado a un tejido de mentiras. Sin embargo, habla a favor del fondo auténtico de esa historia de supervivencia el hecho de que, decenas de años más tarde, siempre que los hijos, las hijas, han intentado convencer al padre para que, en un camino del bosque y sin espectadores, aprendiera a montar en bicicleta, que era facilísimo, me haya negado a hacer más de un intento. Porque en cuanto, por ejemplo en el bosque de Ulvshale danés, me dejo animar por Malte, Hänschen y Helene, que desde pequeños saben montar en bicicleta, con gritos como: «¡No seas cobardica!», «¡Vamos, papá!», para que me suba a una bicicleta, se cae el hijo de una madre para la que, sin sospechar nada y sin embargo de forma salvadora, el dinero fue siempre demasiado escaso para comprar un «burro de alambre», como llamaba despectivamente a esos vehículos de dos ruedas.

Sólo mi Ute consiguió seducirme, a principios de los ochenta, cuando, según ella, me hacía falta ejercicio, para que demostrara un poco de valor como acompañante en un tándem holandés: ella se sentaba delante y guiaba; a mí, que me sentaba detrás, me gustaba ver su pelo rizado, que se agitaba con el viento de la marcha. Así seguro, mis pensamientos podían vagar, sin verme en peligro por decisiones precipitadas.

Por lo que se refiere al curso ulterior de mis días y de noches pasadas nosécómo tras el derrumbamiento del frente del Oder y el Neisse, de momento la película rebobinada y a menudo remendada no ofrece gran cosa. Ni la piel de cebolla todavía antes elocuente ni el fragmento más transparente de ámbar, en el que un insecto antiquísimo hace como si fuera de hoy, pueden ayudarme. Tengo que recurrir otra vez a Grimmelshausen, a quien una confusión bélica comparable enseñó a conocer el miedo, y ayudó en las aventuras del cazador de Soest. Porque lo mismo que su descripción de la batalla de Wittstock se concentra en el río Dosse y sus pantanosos alrededores, donde mueren miserablemente los imperiales —y en la que sabe dar refinado color a la carnicería, con palabras de su compañero barroco Opitz—, yo puedo identificar la región de los acontecimientos bélicos que me afectan como Lusacia, entre Cottbus y Spremberg.

Por lo visto, había que estabilizar de nuevo el frente y, precisamente allí donde yo vagaba de un lado a otro, romper, con nuevos grupos de combate, el cerco cada vez más estrecho que rodeaba a la capital del Reich. Allí, se decía, el Führer aguantaba bien.

Ello tuvo como consecuencia órdenes contradictorias y llevó a movimientos de tropas que se cerraban mutuamente el camino; sólo los flujos de fugitivos de Silesia trataban de mantener un rumbo claro: hacia el oeste.

Ay, con qué facilidad fluyeron de mi mano las palabras a comienzos de los sesenta, cuando fui lo suficientemente sin escrúpulos para desmentir los hechos y comprender todo lo que quería ser paradójico. Las puertas de las esclusas estaban abiertas. El flujo de palabras controlado página a página se precipitaba en cascada. Formas de narrar tradicionales se rejuvenecían con baños verbales unas veces calientes y otras fríos. Y tormentos cosquilleantes extraían del silencio obstinado un grito de confesión. Todo pedo encontraba su eco. Y cada chiste tenía el valor de cambio de tres verdades sacrificadas. Y como todo lo fáctico transcurría de forma consecuente, también lo contrario era por consiguiente posible.

Así, en el capítulo final de la segunda parte de *Años de perro* se trataba de atribuir un sentido, que sólo obedecía a la demencia, al centralmente enterrado búnker del Führer y por consiguiente a la lucha final por Berlín. La búsqueda de un perro pastor escapado que respondía al nombre de *Príncipe* y pasaba por ser el perro favorito del Führer se condensó en palabras de forma que, del titilante alemán de Heidegger —«La nada nadea sin cesar»— y el uso del idioma del Alto Mando de la Wehrmacht, toscamente ensamblado con sustantivos, surgió una mezcla cuya superabundancia derivada inundaba todo lo que se le ocurría a la verdad como objeciones pusilánimes: «Por orden del Führer, se espera que la vigesimoquinta división de infantería de tanques cierre la brecha del frente de Cottbus y la asegure contra ruptura por el perro... La revelación original del perro del Führer la determina el sentido de la distancia... La nada determinada por el sentido a distancia se reconoce, en el sector del grupo Steiner, como la nada... Tiene lugar la nada entre los tanques enemigos y nuestras puntas...».

Sin embargo, allí donde yo estaba o tenía que estar —¿la brecha del frente de Cottbus?— no había ni puntas nuestras ni ninguna cohesión militar reconocible. En el mejor de los casos, hubiera podido aparecer como Nada la División Frundsberg, que posiblemente hubiera podido adjudicarse al ominoso grupo Steiner. Sólo había restos reunidos aprisa que reaccionaban a órdenes contradictorias. Todo estaba sacado de quicio, nada se desarrollaba de forma consecuente, hasta que —ahora vuelve a proyectarse la película y aparezco en cuadro—, por capricho de un poder más alto, al soldado aislado se le asigna otro puesto.

Arrojado por un viejo conocido, el azar, yo pertenecía a un grupo de doce a quince hombres que, por carecer de armamento pesado, debía ser utilizado como tropas de infantería de choque, en un, así llamado, «destacamento de ascensión a los cielos».

Como, yanosédónde, mi impermeable, mi lona y, lo que era peor, mi fusil se habían perdido, me armaron con un subfusil de fabricación italiana que, si hubiera habido ocasión de utilizarlo, habría estado en manos poco seguras.

Recuerdo una congregación de cascos de acero, que daban sombra a rostros de hombres taciturnos y jóvenes temerosos, entre los que debería contarse el mío —tercero por la izquierda— si hubiera habido alguna foto del extraviado pelotón.

Otra vez era un sargento de muchos años de servicio quien tenía el mando, ahora uno bajito de anchos hombros. La orden era avanzar y buscar el contacto con el enemigo.

Al comienzo del crepúsculo nos movíamos, después de haber seguido largo tiempo senderos equivocados, por un camino del bosque removido por las cadenas de los tanques, por el cual, se decía, había pasado traqueteando una columna de Tiger y transportes blindados, precipitándose como cabeza de una ofensiva. Ahora había que enlazar con esa avanzada. Sin embargo, las radios que llevábamos no emitían la menor señal, sólo ruidos y una ensalada de palabras.

A ambos lados del camino, las reservas de árboles ensayaban repeticiones: pinos, sólo pinos, altos pinos a izquierda y derecha. Verdad era que no teníamos que arrastrar armamento pesado, pero en el camino habíamos recogido a un hombre de edad, que según su brazalete pertenecía a la Volkssturm, la última leva, y a dos soldados ligeramente heridos que, como si fueran gemelos, cojeaban ambos del lado izquierdo.

El hombre de la Volkssturm decía incoherencias. Alternativamente, arremetía mascullando contra Dios o insultaba a su vecino. Los dos soldados heridos en la pierna necesitaban a medias apoyo y a medias ser llevados. Avanzábamos sólo despacio.

Como de la cabeza acorazada seguía sin llegar respuesta por la radio, el sargento ordenó un alto en la marcha, al borde del camino. Experimentado en el frente como parecía ser, quería aguardar el posible regreso de los blindados sobrantes, confiando en que transportaran al menos a los dos cojos y al desvariado hombre de la Volkssturm. De todas formas estábamos agotados. Por suerte, no puso como centinela a ninguno de los jóvenes, sino que me puso a mí en el camino del bosque, dándome órdenes de mantener los ojos bien abiertos.

Otra vez surge una imagen: yo, según mi propia imaginación. Yo, bajo un casco de acero que se me resbalaba. Yo, actuando según órdenes. Yo, esforzándome con empeño por cumplir una misión.

Lo conseguí a pesar del cansancio, porque, tras un tiempo no muy largo, vi, en aquel cortafuegos, entretanto negro como la noche, que era el camino del bosque, un punto de luz que, al acercarse, se dividió en dos. Después de notificarlo conforme a la ordenanza, «¡Vehículo motorizado a la vista, probable transporte de personal!», me situé en medio del camino, para ser fácilmente reconocible y, cumpliendo las órdenes, detener al supuesto transporte blindado: como zurdo, levanté la mano izquierda.

Puede ser que el vehículo oruga que se aproximaba rápidamente me sorprendiera, porque iba con todas sus luces largas y, cuando se detuvo a dos pasos de mí, mi asombro se vio confirmado. Me bastó una ojeada. Sólo podían ser los rusos, que no escatimaban luces sino que, sin vacilar...

—¡Ruskis! —grité al grupo desde el borde del camino, pero no me detuve a reconocer como tales a los soldados que iban sentados muy juntos en el blindado enemigo, para encontrarme así por primera vez, cara a cara, con soldados soviéticos vivos. Más bien me lancé hacia la derecha antes de que se disparase un solo tiro, me tiré de cabeza en la plantación de pinos que limitaba con el camino y desaparecí, aunque no quedé fuera de peligro.

Lo que oí fueron gritos en dos idiomas, dominados por salvas de los subfusiles, hasta que finalmente sólo los Kalashnikov llevaron la voz cantante.

Mientras me arrastraba entre los jóvenes pinos erguidos y, lentamente, ganaba distancia, hubo impactos en el bosquecillo, a la izquierda, a la derecha, pero salí ileso, lo que no podía suponerse del resto del grupo del sargento. Ni siquiera el hombre de la Volkssturm se metía ya con Dios ni insultaba a su vecino, no quería ajustar cuentas pendientes. Nada más que voces rusas, entretanto lejanas. Alguien se rió, lo que parecía indicar buen humor.

Como el ramaje seco crujía fortísimo, el soldado que había quedado no quiso, como había aprendido, avanzar arrastrándose sobre los codos. Se hizo pasar por muerto, como si de esa forma pudiera escapar al curso de la historia, aunque, con su subfusil italiano y dos cargadores de munición, pudiera considerarse como apto todavía para el combate.

Sólo cuando el blindado enemigo, al que pronto siguieron otros, se puso en movimiento, volví a arrastrarme hacia delante, hasta pasar de la plantación de pinos al bosque adulto, plantado en hileras, es decir, en orden prusiano. No, de volver a donde sólo hubiera podido encontrar cadáveres no tenía ganas; además, el pálido resplandor de luces y el ruido de motores confirmaba, desde el camino del bosque, el avance del enemigo.

Me adentré cada vez más en el bosque, al que, real y súbitamente, o sólo porque yo lo deseaba, iluminaba la media luna con cielo moderadamente nublado, de forma que el soldado aislado no tropezaba con demasiada frecuencia con los troncos de los árboles. Sin embargo, el olor a resina lo encerró de una forma tan definitiva, encapsulándolo, que podía parecerse al insecto que perdura en mi trozo de ámbar y pretende encarnarme: con otros trozos encontrados, está siempre al alcance de la mano en el estante superior de mi alto pupitre y quiere ser sostenido contra la luz, interrogado. Sea araña, garrapata o escarabajo, con un poco de paciencia da información...

¿Qué veo sin embargo cuando visito al solitario artillero de tanque, versión temprana de una persona de cierta edad, a la luz de la media luna?

Tiene aspecto de haberse escapado de algún cuento de los hermanos Grimm. Pronto empezará a llorar. Indudablemente, no le gusta la historia en que aparece. Preferiría mucho más parecerse al protagonista de un libro que en todo momento siente tan próximo como si pudiera agarrarlo. Y es verdad: ahora se asemeja a aquel héroe de la escudería de Grimmelshausen para quien el mundo es una casa de locos laberíntica y llena de recovecos, a la que sólo es posible sustraerse, con pluma y tinta, como alguien llamado Prontootro. Su truco desde los tiempos escolares: crear palabras lo ayudará para seguir viviendo, como desea.

Y por eso brota también de nuevo todo lo que sucede en adelante, en el vivero de las suposiciones cargadas de nutrientes. Le gustaría ser éste o aquél; yo, sin embargo, veo sólo a alguien que vaga sin rumbo, que entre los troncos de la misma altura y detrás de ellos resulta a veces vagamente visible, y otras desaparece, para volver a ser captado por el visor como un soldado al que continuamente se le resbala el casco de acero.

Sigue estando armado, y mantiene el subfusil listo para disparar. Inútilmente le cuelga, como un tambor alargado, la caja de una máscara de gas. En el zurrón del pan se desmigajan todo lo más los restos de las provisiones de marcha distribuidas. La cantimplora semivacía. Su reloj de pulsera marca Kienzle —el regalo de cumpleaños del padre tenía cifras luminosas— se ha parado quiénsabecuándo.

Ay, si tuviera ya ahora aquel cubilete de cuero y los tres dados de hueso que próximamente, poco después de acabar la guerra, le corresponderán como botín. Con ellos, él y un compañero de la misma edad se jugarán el futuro en el campo de prisioneros de Bad Aibling. Joseph se llamará ese compañero y será tan resueltamente católico que querrá ser sin falta sacerdote, obispo, cardenal tal vez... Pero ésa es otra historia, cuyo comienzo se ha extraviado, y no se le ha perdido nada aquí, en el bosque oscuro.

Ahora duerme, sentado y apoyado en un árbol. Ahora se sobresalta, pero no pasa frío, aunque antes ha echado en falta su capote, que se perdió junto a Weißwasser. Ahora, a la luz del sol, arroja como los troncos de los árboles una sombra, pero no sabe salir del bosque, da tropezones, sin darse cuenta, en círculo, saca del zurrón un biscote algo desmigajado, desenrosca la cantimplora y bebe, con lo que el casco de acero le resbala por la nuca. No sabe cómo pasan los minutos, no tiene nada a mano con lo que pueda interrogar, jugando a los dados, el futuro, pero ansía tener un compañero que todavía no tiene nombre, y trata de ser ahora aquel Simplex que consigue escapar de peligros siempre renovados, convirtiéndose de esa forma en el cazador de Soest, celebrado por todos, y que mientras forrajea consigue un botín nutritivo, incluido pan negro de centeno y jamón de Westfalia.

Ahora mastica, mientras otra vez oscurece y un mochuelo grita, últimas migajas, tiene hambre y está abandonado de Dios bajo un cielo nocturno bastante nublado.

Totalmente preso en la oscuridad, aprende otra lección: tener miedo, siente el miedo cuando se le sienta encima, quiere recordar sus oraciones de niño: «Señor, haz que sea piadoso, para que un día vaya a ese cielo hermoso», llama posiblemente a su madre —«¡Mamá, mamá!»— y, como desde muy lejos, su madre, llena de presentimientos, trata de llamarlo a él: «¡Ven, chico! ¡Te daré una yema de huevo revuelta con azúcar en un vaso!», pero sin embargo él se queda en el bosque oscuro, muy solito, hasta que realmente ocurre algo.

Oí pasos, o algo que hacía suponer pasos. Ramas que crujían en el suelo del bosque. ¿Un animal grande? ¿Un jabalí? ¿Acaso un unicornio?

Si me quedaba quieto, evitando todo ruido, inmediatamente él o aquello, hombre, animal o ser fabuloso, quienquiera o lo que quiera que daba pasos por el bosque oscuro, se quedaba quieto.

Apareció alguien, unas veces más cerca, otras lejos de nuevo, para volver a aproximarse, demasiado.

Cuidado. ¡No tragar con ruido! Ponerse a cubierto tras los árboles.

Lo que se ha aprendido en la instrucción militar. Quitar el seguro al arma, lo mismo que, sin duda, en el otro lado están quitando al arma el seguro.

Dos hombres que se suponen mutuamente enemigos. También imaginable como esbozo para, años más tarde, una escena de ballet o de película, lo mismo que se busca en cualquier buena película del Oeste el punto álgido de una trama apasionante: el baile ritual poco antes del último intercambio de disparos.

Se dice que silbar en el bosque oscuro ayuda. Yo no silbé. Algo, quizá mi lejana madre, me sugirió cantar. Sin buscar algo cantable entre marchas entretanto aprendidas —por ejemplo «Erika»— y canciones conocidas de película, recientemente interpretadas por Marika Rökk —«Al hombre no le gusta estar solo de noche...»—, me vino a los labios, como compulsivamente, una canción infantil apropiada a la situación. Canté en alemán, muy largo y repetido, el primer verso sólo: «Hans pequeñito muy solo iba...», hasta recibir una respuesta a ese comienzo: «... por el mundo abajo y arriba...».

No es seguro cuánto tiempo se prolongó ese cántico alternativo, probablemente hasta que la señal de reconocimiento —dos seres humanos de lengua alemana vagan de noche por un bosque oscuro— dijo lo suficiente para que ambas partes pudieran dejar su cobertura, hablarse en el alemán de los soldados y, con el arma baja, acercarse hasta poder tocarse, más aún.

Mi compañero de coro llevaba un arma de asalto y era algunos años mayor y unos centímetros más bajo que yo. Sin casco de acero, bajo una gorra de campaña arrugada, yo tenía delante a un tipejo enclenque, que hablaba berlinés como si fuera de talante naturalmente quejoso. Luego, por un momento, el sobresalto porque encendió su mechero: el cigarrillo en un rostro que, huraño, no decía nada.

Y luego se pudo saber esto: en el curso de la guerra, desde la campaña de Polonia, pasando por Francia y Grecia, y finalmente en la península de Crimea, había llegado a ser cabo. No quería ascender más. Nada podía hacerlo perder la calma, lo que se iba a demostrar en cualquier situación delicada: para mí fue mi ángel de la guarda y el amigo del alma prestado por Grimmelshausen, que finalmente me sacó del bosque por los campos y a través de la línea del frente soviética.

Como el cabo, a diferencia de mí, había llegado hasta los lindes del bosque y estimado repetidas veces que el campo abierto que allí comenzaba, como podía saberse por los fuegos de campamento, estaba ocupado por el enemigo, buscamos un lugar no iluminado por ningún fuego. Es decir: lo buscó él, yo siempre dos pasos detrás.

Durante un descanso en la marcha, se enjabonó, con luz de luna bastante duradera, y se afeitó a fondo la barba de tres días. Yo tuve que sostener el espejo de bolsillo a mi superior.

Únicamente cuando un campo con surcos que se perdían hacia el oeste en la oscuridad nos indujo a arriesgarnos, abandonamos el bosque protector. El campo parecía haber sido recientemente arado y terminaba detrás de una ondulación del terreno. Luego seguimos un camino vecinal ribeteado de arbustos, que atravesaba un curso de agua. El puente no estaba vigilado. Llenamos nuestras cantimploras, bebimos, las rellenamos y él hizo una pausa para fumar.

Sólo en el puente subsiguiente —¿eran brazos del ramificado Spree los que atravesaban nuestro camino?— parpadeó un fuego a cierta distancia. Nos llegaban risas y retazos de palabras. Ante el resplandor del fuego se deslizaban figuras en silueta de un lado a otro.

No, los ruskis no cantaban, ni tampoco parecían ser un montón de borrachos perdidos. Tal vez la mitad dormía, mientras el resto...

Sólo cuando habíamos atravesado el agua nos llegaron los gritos: «*Stoi!*», y otra vez: «*Stoi!*».

Al tercer grito —ya teníamos el puente un trecho a nuestra espalda— mi cabo me dio la orden:

—¡Corre cuanto puedas!

Y así corrimos, como en mis sueños de después de la guerra he corrido aún, largo tiempo y lentamente rezagado, a través de un campo cuyo terreno abierto se pegaba a las suelas de nuestras botas, se desprendía, volvía a apelmazarse, de forma que, ahora bajo el fuego de los subfusiles y al resplandor de una bengala que desgarró el cielo, corríamos como a cámara lenta, es decir, durante una prolongada secuencia, hasta que una fosa que limitaba el campo nos ofreció cobertura.

Los rusos o, como nosotros decíamos, los ruskis, no hicieron intento alguno de rastrearnos. El estrépito disminuyó. No hubo más cohetes que iluminaran el campo.

Sólo la luna de vez en cuando. Una vez un conejo, que se fue saltando tan despacio como si no fuéramos de temer.

Así pues, seguimos dando zancadas a campo través, no tuvimos que cruzar más puentes y, al romper el día, nos encontramos en un pueblo que el enemigo, al parecer, no había ocupado aún, porque yacía silencioso y agazapado en la niebla matutina, reunido en torno a la iglesia, pacíficamente, como fuera del tiempo.

Es curioso que tenga todavía ante los ojos el rostro inexpresivo o sólo huraño del capitán de caballería de origen austríaco que nos recibió a la entrada del pueblo tras una barrera antitanque sólo escasamente vigilada, y por ello podría dibujarlo o describirlo con sus ojeras y su bigotito, aunque sólo nos enfrentamos con él y sus hombres de la Volkssturm durante un minuto. Parecía ser un hombre preocupado por naturaleza e interrumpió nuestro informe y prolijas explicaciones —«Bueno, pero ¿dónde tienen la hoja de ruta?»— de forma tan casual como si la pregunta fuera sólo una fórmula obligada.

Como, sin papel estampillado, se nos podía considerar fuera de la ley y —para ser exactos— como un caso de consejo de guerra, hizo que tres viejos, armados de escopetas y lanzagranadas, se nos llevaran y encerraran en el sótano de una casa campesina.

Otra vez resulta curioso que nadie nos desarmara. El capitán de caballería tenía un perrito con un collar bordado de perlas, que llevaba al brazo y al que hablaba con tanto cariño como si, salvo el perro, no hubiera nada en el mundo que mereciera su simpatía.

Y uno de los torpes hombres de la Volkssturm que se nos llevaron le metió en la mano a mi cabo, como manutención caritativa, una cajetilla de cigarrillos comenzada, yanosé de qué clase.

Tampoco sé cómo se llamaba el pueblo en el que salvos, aunque también hambrientos, llegamos a las líneas alemanas y enseguida o al poco tiempo tuvimos que contar con el proceso sumarísimo de un consejo de guerra. ¿Se llamaba Peterlein? ¿O había otro pueblo, por el que luego nos replegamos, con ese bonito nombre?

En el sótano se alineaban profundos estantes de tarros de conservas, sobre cuyo contenido daban información etiquetas escritas a mano. Con letra de abuela estaba escrito: espárragos, pepinillos, calabaza y guisantes, y también menudillos de ganso en salsa negra. Los tarros apenas tenían polvo. En botellas había zumo de manzana turbio y zumo de bayas de saúco. En uno de los rincones del sótano, patatas amontonadas que estaban echando ya brotes como el dedo meñique.

Hasta casi vomitar comimos carne con manteca espesada de uno de los tarros, mordisqueamos pepinillos en mostaza, bebimos zumo. Luego mi cabo fumó, lo que hacía raras veces, pero con recogimiento cuando lo hacía. Lo mismo que mi lejana madre, sabía hacer anillos de humo. Yo vacié la lata de la máscara de gas y la llené de mermelada de fresa o de cereza; eso me iba a sentar mal.

Después de haber esperado una o dos horas el consejo de guerra, sobre cuya temible sentencia, sin embargo, no dijimos palabra, sino que dormitamos, más bien saciados —en cualquier caso, no puedo recordar aquella hora como un compás de espera lleno de miedo—, el cabo examinó la puerta del sótano. No estaba cerrada. Por fuera tenía puesta la llave. Nadie nos vigilaba. ¿Espantamos a un gato o, en caso de que lo hubiera habido, habríamos podido perturbar su sueño?

Sobre el sótano vimos, por la ventana de la cocina, la barrera antitanque. No había ningún hombre de la Volkssturm que fumara allí su última pipa. El capitán de caballería se había ido con su perrito. Al parecer, entretanto habían evacuado el pueblo. O bien sus habitantes hacían como si no existieran, como si nunca hubieran existido.

A nosotros el capitán nos había olvidado o, en un arrebato melancólico, nos había abandonado al caprichoso destino. Sobre la barrera antitanque de troncos de pino recién cortados hacían ejercicio los gorriones. El sol calentaba. Se hubiera querido cantar.

A un lado de la barrera, por una grieta, se tenía vista libre sobre los campos, por los que, en formación escalonada, se acercaba el enemigo, la infantería rusa. Desde lejos, parecían inofensivos: figuritas de juguete. Me encontraba otra vez al alcance de los fusiles del Ejército Rojo. Imposible de reconocer todavía con detalle, la distancia disminuía paso a paso. Pero no hubo disparos. Bajo gorras, yelmos o gorros de campaña, algunas de aquellas figuras que avanzaban lentamente podían tener mi edad. Uniforme de color de tierra. Sus rostros de chiquillo. Se podían contar de izquierda a derecha. Cada uno un blanco.

Sin embargo, no levanté el subfusil de fabricación italiana, lo mismo que mi cabo tampoco quiso defender el pueblo de Peterlein con su fusil de asalto. Nos largamos sin hacer ruido. Aunque los ruskis hubieran disparado, obedeciendo una orden o por costumbre, no les hubiéramos respondido.

No fue por amor al prójimo, no tuvo mérito. Más bien fue la sensatez o la falta de necesidad lo que nos impidió apretar el gatillo. Por eso, mi bien conocida afirmación de que, durante la semana en que la guerra me tuvo sin cesar en sus garras, nunca busqué un blanco sobre el punto de mira, nunca llegué a apretar el gatillo, no disparé un solo tiro, sirve en retrospectiva, en el mejor de los casos, como apaciguamiento de la vergüenza que me quedó. En cualquier caso, una cosa es segura: no disparamos. Sin embargo, menos seguro es cuándo cambié mi guerrera por otra menos acusadora. ¿Ocurrió por mi propia decisión?

Más bien fue el cabo quien, echando una ojeada a las runas de mi cuello, me ordenó el cambio de guerrera, y lo hizo posible tomando cartas en el asunto. A él no le podían gustar mis distintivos. Por mi causa, sin necesidad de decir palabra, se ponía en compañía sospechosa.

En algún momento, probablemente ya en el sótano lleno de tarros de conservas o durante algún alto en la marcha, en el que se enjabonaba, se afeitaba y luego cogía un cigarrillo, tuve que oír:

—Si los ruskis nos echan el guante, te habrá llegado el turno, chico, con ese adorno que llevas al cuello. A alguien como tú se lo cargan sencillamente. Un tiro en la nuca y listo...

Sin duda, yanosédónde, se «agenció», como se decía en nuestra jerga de soldados, una guerrera normal de la Wehrmacht. Sin agujeros de disparos ni manchas de sangre. Incluso me sentaba bien. Ahora, sin la doble runa, le gustaba más. Y yo también encontré gusto a aquella vestimenta impuesta.

Tan solícito era mi ángel de la guarda. Lo mismo que Simplex, cuando corrían peligro su cuerpo o su alma, tenía un amigo del alma al lado, yo también pude, con la imagen de mí mismo retocada, confiar en mi cabo.

Después es siempre antes. Lo que llamamos presente, ese fugaz ahoraahoraahora, está vigilado siempre por un ahora pasado, de forma que también el camino de huida hacia delante, llamado futuro, sólo puede recorrerse con suelas de plomo.

Así lastrado, veo, desde sesenta años de distancia, cómo un chico de diecisiete años con una caja de máscara de gas usada para fines no previstos y una guerrera como recién confeccionada, se esfuerza, al lado de un cabo de siete vidas, ladino, porque anticipa cada peligro y al que no se nota su profesión de peluquero, por unirse a unas tropas que retroceden en oleadas. Al hacerlo, los dos consiguen repetidas veces escapar a los controles de los «perros encadenados». Siempre pueden ventearse escapatorias.

Sólo rara vez se puede reconocer la línea del frente. Entre miles de soldados dispersos, son dos aislados a los que falta el papelito salvador. ¿Qué grupo estará suficientemente extenuado para acogerlos?

Sólo en la carretera de Senftenberg a Spremberg, atascada por carruajes de caballos llenos de fugitivos, la pareja, uniformada sin duda, por igual, de gris pero sin embargo tan dispar, puede aprovechar el atasco y, en un lugar de concentración improvisado a un lado de la carretera, recibir el papelucho estampillado, la hoja de ruta que asegura la supervivencia. Al aire libre está la mesa con el taburete. Sobre la mesa, papel previamente impreso. Un sargento primero cansado de la guerra se sienta en el taburete, no hace preguntas, firma rápido y estampilla. Yo repito como un loro lo que mi cabo ha dicho antes.

Ahora estamos protegidos, porque hemos sido asignados a un grupo de combate de nueva creación, que de momento sólo existe en el papel estampillado: una vaga promesa. Con claros perfiles, sin embargo, vemos una cocina de campaña ambulante, que de pronto han montado en medio del lugar de concentración. La caldera del rancho humea. Huele a potaje.

Ahora hacemos cola. Todos los grados militares mezclados. Tampoco los oficiales pueden colarse. Hacia el final, reina, durante momentos que la casualidad determina, una anarquía que no conoce el rango jerárquico.

Hay sopa de patata con tropiezos de carne. El tío del rancho coge cada vez un cazo de abajo y luego medio de arriba. Como, además del zurrón del pan, tenemos el plato de campaña atado a él, con los cubiertos, cada uno puede recibir cazo y medio de la caldera. El estado de ánimo no es deprimido ni alegre. Típico tiempo de abril. De momento brilla el sol.

Ahora estamos frente a frente y comemos a compás.

—Oye —dice uno, que está unos pasos apartado y maneja la cuchara también—, ¡hoy es el cumpleaños de

Adolf! ¿Dónde está la ración extraordinaria? ¡Bueno, Scho-
Ka-Kola, cigarrillos, un vasito de coñac para brindar! *Heil,
mein* Führer.

Entonces alguien trata de contar un chiste, pero se
hace un lío. Risas contagiosas. Se intentan otros chistes.
Dentro del cuadro, un detalle pacífico. Sólo falta alguien
que toque la armónica.

—¿Cómo se llama esta región?

—¡Lusacia!

Ahora hay alguien más informado:

—Aquí hay un montón de lignito...

En la primavera del noventa, por múltiples razones, visité algunos pueblos y pequeñas ciudades, entre
Cottbus y Spremberg. Ávido de actualidad y dibujando
todo lo que era más reciente, mis pensamientos fueron sin
embargo hacia atrás.

En aquella época parecía como si una de las consecuencias de la guerra, la división de Alemania en dos Estados, que había durado más de cuarenta años, pudiera, si
no superarse mediante la unificación, sí al menos eliminarse poco a poco en un proceso de acercamiento. En
cualquier caso —casi como un milagro—, se ofrecía esa
posibilidad. Sin embargo, como se creía que no había
tiempo para procesos lentos, se debía igualar con dinero el
pobre Este al rico Oeste, y además deprisa, más deprisa de
lo que se había pensado.

Dos veces fui, me quedé unos días, primero en
Cottbus, donde un enjambre de representantes comerciales, mensajeros del capital, habían ocupado el hotel, y luego, a principios del verano, fue Altdöbern mi destino,
donde me alojó, en pensión con desayuno, una viuda, con
una hija ya entrada en años. Una pequeña ciudad con palacio, parque del palacio, fábrica cerrada, tienda de Kon-
sum, clínica ginecológica y cementerio de soldados soviéticos, ordenado y cuidado, en la plaza de la iglesia. En un

restaurante se podía comer *solianka* y beber cerveza suministrada por Baviera. Eso ocurría poco antes de la unión monetaria, pero ya había comenzado la liquidación del país tan pacíficamente apresado. Por todas partes mostraban sus banderas las empresas occidentales.

Para mí, sin embargo, sólo la región era importante. Adondequiera que mirase, podía ver la continua explotación desde hacía decenios del lignito de aquella tierra. Allí donde, como detrás del parque del palacio de Altdöbern, se había hundido profundamente, parecía extraterrestre, lunar. Colinas cónicas, formadas con desechos, entre charcas inmóviles de aguas subterráneas. Ningún ave sobre ellas.

Desde el borde de la quebradura, inmediatamente detrás de la clínica ginecológica, yo tenía vista desde lo alto y dibujé con lápiz y carbón hoja tras hoja. Al principio desde Altdöbern, luego desde los restos del pueblo de Pritzen, y después, tras cambiar de sitio, mirando sobre las chimeneas y torres de refrigeración alineadas del efímero *kombinat* «Bomba Negra».

Pronto estuvo lleno —veinte hojas— el bloc de papel Ingres. También dibujé cintas transportadoras que habían quedado inservibles, retorcidas como entrañas. Cerca y lejos, los reclamadores-rascadores de carbón, que se acuclillaban como insectos en los bordes de la fosa, me ofrecían un motivo tras otro.

La vista de los abismos creados por el hombre me dio a conocer más cosas que las que allí había y liberó palabras que luego, en la novela *Es cuento largo,* vaticinaron, más allá del abismo, la «Estificación» del Oeste y otras visiones catastrofistas.

Más tarde, sin embargo —entre dibujo y dibujo—, la película comenzó a ir hacia atrás, y yo estuve, estoy, solo sobre mis propias huellas.

A un lado de la carretera de Senftenberg a Spremberg hay que buscar a un artillero de tanque que está junto a un cabo de quejoso acento berlinés, y que contempla asombrado la región mientras hace muecas. No estoy seguro del lugar en donde el tío del rancho distribuye sopa de patata y nos miramos unos a otros con los platos de campaña semillenos.

Ahora me calienta el sol de junio, lo mismo que me calentaba el sol de abril. Ahora veo cómo se mueven las cucharas al unísono. Estamos junto a la carretera, en la que se estorban una columna acorazada que avanza para contraatacar y una caravana de fugitivos que viene en dirección contraria. En uno de los lados de la carretera es imposible hacer sitio. La corteza terrestre es abrupta.

Abajo, la zona de explotación del lignito se extiende hasta el borde de la quebradura de enfrente. Por todas partes, el «oro negro» aguarda alimentar las centrales energéticas y ser comprimido en briquetas. Tanto en tiempos de guerra como de paz, Lusacia es buena para la explotación a cielo abierto; y también hasta el año del cambio, en que fui allí y vi más de lo que se podía ver.

Silencio sobre los conos de escombros, los lagos de aguas subterráneas. Mientras, en la época de la actualidad más reciente, dibujaba el paisaje surgido de la explotación a cielo abierto, había en cualquier caso suficiente silencio para oír, con el oído orientado hacia atrás, el rugido de los comandantes de tanques, el ruido de los motores Maybach, el griterío de los fugitivos en los vehículos, el relincho de los caballos, el llanto de los niños, y también el sonido de la estampilla del sargento primero y el castañeteo de las cucharas de lata —rebañábamos los restos de los cacharros de cocina—, y luego los primeros impactos de obuses de tanque.

Entre cucharada y cucharada, mi cabo dijo:

—Ésos son T-34.

Yo, su eco:

—¡Son T-34!

Al otro lado, sobre la profunda superficie de la explotación, un número determinable de tanques había salido de un bosquecillo. Allí estaban, pequeños como juguetes, disparando. El tráfico en dirección opuesta que se había detenido en la carretera permitía al enemigo elegir con precisión sus blancos. Los impactos se acercaban. Nuestros tanques de asalto —Jagdpanther con el cañón orientado en el sentido de la marcha— tuvieron que ponerse a la capa para adoptar una posición de combate. Órdenes, gritos que trataban de sobrepujarse unos a otros, porque ahora los tanques empujaban a los carruajes de caballos, repletos, por el borde de la quebrada hacia la fosa hundida: los volcaban como si fueran simples trastos.

Ahora veo a un subteniente guapísimo gesticular desde la abierta trampilla de la torreta, como si quisiera, con las manos desnudas, cambiar la dirección de tiro, veo a campesinos silesios que no quieren abandonar su equipaje de fugitivos, veo a niños pequeños como muñecas, en carros que resbalan lateralmente, veo gritar a una mujer, pero no oigo sus gritos, veo, una vez lejos y otras cerca, impactos de obuses —encuentran su blanco en silencio—, ahora miro fijamente, para no tener que ver más aquello, el resto de sopa en el plato de lata, por un lado tengo todavía hambre y por otro soy un espectador asombrado, que es sólo testigo y está como ajeno a esos sucesos de película muda, aunque ahora, de un plumazo, me convierto en un Grimmelshausen en su más reciente tempotránsito, para quien se suceden en el curso de los asesinos años de la guerra historia tras historia, batalla tras batalla, tengo a noséquién que me susurra al oído, me veo viendo al mismo tiempo todo lo que sucede, creo soñar, pero sigo estando por completo despierto, hasta que ahora, precisamente ahora, me arrancan de la cabeza el casco de acero, cuya correa se ha aflojado, y pierdo el sentido.

Hay que suponer que por poco tiempo, hasta donde podía medirse. Lo que me ocurrió acto seguido y ocurrió a mi alrededor se ensambla y se borra en imágenes fantasmalmente imprecisas y luego otra vez de claros contornos: el plato de campaña casi vacío ha desaparecido, y también el reloj de pulsera marca Kienzle.

¿Dónde está mi cabo?

¿Dónde están el subfusil y los dos cargadores?

¿Por qué sigo o estoy otra vez de pie?

La herida violentamente sangrante, que me inunda los pantalones, en el muslo derecho. El dolor causado en la barbilla por la correa del casco. Un brazo que se bambolea sin fuerza desde el hombro izquierdo y que se niega en cuanto quiero levantar a alguien —¡ahí está, en el suelo!—, mi cabo.

Esquirlas de granada le han destrozado las piernas. Por arriba parece estar ileso. Mira asombrado, incrédulo...

Entonces un torbellino de arena me tapa la vista de la cocina de campaña, que humea indemne, hasta que, con otros heridos, nosotros —él llevado, yo sostenido— somos cargados en un camión ambulancia, que llaman para abreviar «ambula». Un sanitario se sube de un salto. Otros heridos tienen que quedarse atrás, maldicen, alguien quiere subirse sin falta, se aferra... Finalmente la puerta se cierra de golpe y echan el cerrojo.

Ahora traqueteamos, lo que sólo puede suponerse, en dirección a la enfermería principal.

Olor a Lysol. Me gusta imaginarme protegido en ese cacharro. La guerra se tomaba un descanso. En cualquier caso, de momento no ocurría casi nada, sobre todo porque sólo despacio encontrábamos el camino. El cabo iba echado. Su rostro, poco antes todavía suavemente rosa, porque siempre resplandecía como recién afeitado, se había vuelto verdoso, dejando vislumbrar los cañones de su barba. Me pareció encogido. La piernas con un torniquete, embaladas en gasa.

Yacía así en uno de los catres, estaba consciente y me miraba sin girar la cabeza, sólo por el rabillo del ojo. Trató de formar palabras, se volvió más preciso y finalmente me pidió en voz baja, pero siempre quejosa, un cigarrillo, que, hurgando, le saqué de la cajetilla arrugada del bolsillo del pecho, junto con el encendedor.

Yo, que no fumaba, se lo encendí y le pegué el pitillo entre los labios, que inmediatamente dejaron de temblar. Dio con ansia unas chupadas, cerró los ojos y volvió a abrirlos como asustado, como si sólo entonces comprendiera su situación. Lo que me asustó en él porque era nuevo: en su rostro se podía leer el miedo.

Y entonces, tras una pausa, en la que sólo oía gemir al otro herido y al enfermero maldecir por la gasa demasiado escasa, el cabo me pidió, no, me ordenó, que le abriera los pantalones y también los calzoncillos, y le tocara tentativamente entre las piernas.

Cuando pude confirmarle que todo estaba allí, palpable, sonrió, dio todavía un par de chupadas, perdiendo luego el conocimiento, respiró tranquilo y pareció frágil.

Ese echar mano a los pantalones se lo hice practicar doce años más tarde, cuando se trataba literariamente de la defensa del Correo Polaco, a Jan Bronski, que, de esa forma, con sus cinco dedos, pudo confirmar al vacilantemente agonizante Kobyella su virilidad indemne.

Nos separaron en la enfermería principal. A él lo llevaron a una tienda de campaña, yo me quedé al aire libre. Entonces, como había que vendarme el muslo, antes aún de que me bajaran los pantalones hasta las corvas, hubo risas por algo que saltaba a la vista: una esquirla de granada de un dedo de longitud había abierto a lo largo la lata de la máscara de gas, de forma que su contenido se había derramado y mis pantalones se habían ensuciado, manchándose de mermelada de fresa o de cereza. En adelante, el fondillo de los pantalones se me pegaba al sentarme, y luego atraía a las hormigas, lo que no tenía ninguna gracia.

La caja abierta de la máscara de gas se quedó en la enfermería. Sin embargo, la esquirla de granada soviética, que me perdonó y, de esa forma, hizo compasivamente un superviviente de quien luego fue padre de hijos e hijas, me hubiera gustado enseñarla, en toda su longitud, a mis hijos y después a los nietos: Mirad qué testimonio más expresivo de las lecciones que tuve que recibir yo, voluntario para la guerra, a fin de que probara el miedo y aprendiera a temer. Mirad, hijos, qué larga y dentellada es esa esquirla...

Sólo después me vendaron el hombro izquierdo, que apenas sangraba, pero en el que cabía sospechar un cuerpo extraño de metal, aunque pequeño. El agujero sólo podía encontrarse con dificultad en mi nueva guerrera. Me aseguraron el bamboleante brazo con un cabestrillo. Como cerca de la enfermería principal había convenientemente una estación de maniobras, no hay imágenes de otras estaciones intermedias. Por muy deprisa que se acabara para mí la guerra, era evidente que seguía a mi alrededor.

Nos cargaron hacia el anochecer. Debió de ser la noche del veinte al veintiuno de abril, porque los enfermeros, el médico militar que llevaba la lista y los heridos leves, entre los que me encontraba, siguieron quejándose de lo que se habían quejado ya en el entorno de la cocina de campaña: la ausencia de las raciones extraordinarias por el cumpleaños del Führer que habían sido usuales durante todos los años de guerra. No había cigarrillos, ni lata de sardinas en aceite, ni botella de aguardiente de treinta y ocho grados para cuatro hombres. Ningún algomás...

Esa ausencia nos pareció a todos los soldados e incluso a mí, que no fumaba, molesta y de mucha mayor importancia que el desmoronamiento, por todas partes visible, del Gran Reich Alemán. A nuestros refunfuños se agregaban maldiciones nunca escuchadas antes.

El tren de mercancías, en cuyo único vagón iba echado entre heridos leves y graves, se dirigía a un destino desconocido. A menudo se detenía un tiempo infinitamente largo, otras veces sólo un tiempo breve. Entretanto, fuera oscurecía. Varias veces se nos cambió de vía. Sólo una lámpara de carburo daba luz al vagón.

Yacíamos en una paja que olía a podrido y además a meado. Junto a mí, un cazador de montaña leía, con la cabeza vendada, a la luz de su linterna de bolsillo, un libro piadoso. Al hacerlo, movía los labios. A la derecha se revolcaba alguien con un tiro en el vientre, gritando, hasta que dejó de gritar.

No había agua disponible. No iba con nosotros ningún enfermero que hubiera podido atender las llamadas de los heridos. Voces y gemidos, tanto si el tren se movía como si no. Un silencio súbito después del último gemido.

Mi vecino izquierdo rezaba a media voz. Un enfermo demente se arrancó las vendas a la mortecina luz de la lámpara de carburo, se levantó de un salto, se cayó para volver a levantarse, y finalmente se quedó tendido. A la derecha, junto a mí, nada se agitaba ya.

La noche no quería acabar; para mí duró hasta los sueños de los primeros años de la posguerra. No, seguía sin tener dolores. Sólo brevemente concilié el sueño, para despertarme una y otra vez asustado. Y por fin me dormí, noséporcuántotiempo.

Cuando el tren de mercancías, con su carga, se detuvo por fin, descargaron a los supervivientes y a los muertos: el hombre del tiro en el vientre que había tenido al lado. Un médico militar que llevaba allí la lista clasificó a los primeros en heridos leves y graves. Una mirada bastaba. Qué rápido fue todo.

La antiquísima y milagrosamente ilesa catedral de Meißen a la luz de la mañana de un día de primavera. Como dice la canción, todos los pájaros estaban ya allí. Algunos de los heridos, entre ellos yo, agarraron ansiosos los vasos de zumo distribuidos por chicas de las Juventudes Hitlerianas, que por lo visto estaban acostumbradas a la descarga de transportes con aquel tipo de contenido.

Se trasladó en camiones a los heridos graves. Los heridos leves cojeamos y nos apoyamos mutuamente por el camino que subía hasta el castillo, preparado como hospital militar. Al borde del camino había habitantes de la ciudad, entre ellos muchas mujeres. Algunos ayudaron a los que no podían andar. Creo que a mí también me ayudó una joven a subir.

Cuando antes de acabar el año mi hijo mayor Franz, cuarentón tan dinámico como movido por cambiantes deseos, y mi hija menor Nele, que en esa época aprendía en Dresde el oficio de comadrona, esforzándose por ocultar las penas de su corazón, visitaron fraternalmente la recién restaurada ciudad de Meißen, me enviaron desde allí una postal, cuyo brillante anverso ofrecía una vista de la ciudad. Lo que había escrito en el reverso se podía leer como muestra de cariño infantil: pensando en mi casual supervivencia, Nele y Franz habían encendido velas en la catedral.

En el castillo me cuidaron de forma más bien insuficiente. El hospital militar estaba abarrotado. Camas improvisadas en todos los pasillos. Médicos agotados y enfermeras irritadas. Al parecer, faltaba de todo, especialmente medicamentos. Por ello sólo llegó para un nuevo vendaje en el muslo derecho y el hombro izquierdo, en el que había incrustada, como confirmaba ahora un papel estampillado y firmado, una esquirla de granada de tamaño mínimo. En mi caso, no parecía ser urgente operar, y también se ahorraron la inyección contra el tétanos.

Se repartieron provisiones de marcha, que llenaron el zurrón del pan que yo seguía llevando colgado. Sólo mi reloj de pulsera había desaparecido. Sin embargo, ahora llevaba un gorro de campaña, que incluso me estaba bien. Me hubiera gustado cambiar de pantalones, cuyo pegajoso trasero me resultaba penoso.

Con respecto a cuidados ulteriores —la inyección, los pantalones nuevos—, se me entregó una orden de marcha, la última, en la que podía leerse como destino la ciudad de Marienbad, convertida en hospital militar; ese balneario, frecuentemente mencionado en la literatura y visitado por gente famosa —el anciano Goethe se enamoró allí de una jovencita, le dieron calabazas y escribió como compensación la *Elegía de Marienbad*—, estaba situado en algún lado detrás de los Montes Metálicos, muy lejos en los Sudetes.

Mientras yo aguardaba aún mi papel estampillado —era el único papelucho que me identificaba por mi nombre—, sacaron al cabo en un carrito de ruedas del quirófano. Su nariz todavía más afilada. Nunca lo había visto antes sin afeitar. Como un tronco embalado sin piernas pasó por mi lado mi ángel de la guarda. Dormía y dejó en herencia la pregunta de si debía temerse o esperarse que despertara de su sueño profundo.

Se lo llevaron a lo largo de un pasillo, en cuyas paredes estaban los instrumentos de guerra de la Edad Media: alabardas, ballestas, hachas de doble filo, flechas, mazas y espadas agavilladas, también mosquetes, que podían proceder de la época de turbulencias bélicas de Grimmelshausen; qué cosas ha ideado el hombre para tratar con sus semejantes en diferentes tempotránsitos.

Seguí con la vista a mi cabo. Esa imagen —cómo se lo llevan silenciosamente en el carrito—, que se deja rebobinar a voluntad, no responde a la pregunta: ¿vive aún y, en caso afirmativo, dónde? También su nombre, que nunca fue pronunciado, debe permanecer desconocido.

Militarmente instruido, yo me dirigía a él, ya fuera en el bosque, en la noche cerrada de pinos, ya en el sótano, rico en tarros de conservas, como «mi cabo». Era mi superior y, en cuanto yo tropezaba en dirección equivocada, se dirigía a mí como «soldado», aunque me tuteara, y me llamaba al orden. Su tono no admitía confianzas.

Por eso vacilo en creer a mi memoria, según la cual, como el héroe de aquella canción infantil que canté en el bosque oscuro hasta que me llegó respuesta, se llamaba Hans y se refería a sí mismo a veces como «Hänschen», y en la ambulancia, cuando lo inquietaba la pérdida de partes del cuerpo insustituibles, me ordenó, diciendo: «Métele a Hänschen la mano en los pantalones», para que comprobara su estado actual como hombre.

No, allí no le faltaba nada. Pero mi ángel de la guarda no tuvo ningún amigo del alma. Sin él, yo hubiera «cascado». Eso decía él en cuanto olfateaba un peligro: «Cuidado, soldado, no vayas a cascar».

Durante los primeros años de la posguerra y más tarde aún, mientras los mutilados sin piernas en silla de ruedas formaban parte del escenario callejero o, como profesionales de capacidad disminuida, se sentaban en una oficina detrás de un escritorio, estampillando papeles, se mantuvo la pregunta: ¿Es él? ¿Podría ser el Hänschen berlinés ese oficinista inválido que hace preguntas con voz quejumbrosa, es además de apariencia enclenque y, sin levantar la vista, añade una observación a tu permiso de residencia en Berlín-Charlottenburg?

No sé cómo atravesé los Montes Metálicos. En parte en tren y, cuando casi no había trenes aún, en carruajes de caballos, de lugar en lugar cuyos nombres se me han borrado.

Una vez iba sentado en un camión abierto de gasógeno, que se esforzaba por subir una cuesta, cuando de pronto un cazabombardero americano atacó en picado, incendiando el camión, poco después de que yo, que lo había visto venir, saltara de él y rodara por la cuneta; filmado para una película de guerra titulada *Cuando todo se hizo añicos*, tendría que interpretar esa escena un especialista.

Luego, puntos ciegos. Nada con lo que se pudiera construir una trama. De algún modo salí adelante. Sin embargo, fuera el vehículo que fuera, siempre seguí las instrucciones de mi hoja de ruta, que no permitían dar rodeos.

Una vez, ya en las montañas, pasé la noche con una anciana pareja de maestros, que criaba conejos tras la casa. Como estaba febril, quisieron cuidarme, ponerme ropa de paisano y guardarme con ellos, escondido en el sótano, hasta que, como dijeron, «todo esto cese por fin».

Su hijo, cuya foto adornada con una cinta de luto estaba en una estantería de libros, había caído en la lucha por Sebastopol. Tenía unos veinte años. Su traje me habría estado bien. Sus libros estaban a mano. Parecido en eso a mí, me miraba desde la foto, peinado con raya a la izquierda.

No me quedé, quería seguir mi hoja de ruta y, con mis propios pantalones, que después de lavados a fondo no atraían ya a las hormigas, atravesar las montañas. Delante de su casita techada con ripias, la pareja de maestros, de pie en la escalera, me siguió con la vista.

Y —yanosécómo— conseguí llegar hasta Karlsbad, ese otro balneario de significado literario y —en lo que se refería a las decisiones de Metternich— político, en donde, en plena calle, se me doblaron las rodillas y me quedé allí.

Tenía fiebre. La esquirla de granada en el hombro o la ausente inyección antitetánica pudieron ser las causas. Mi brazo izquierdo se había vuelto rígido hasta las yemas de los dedos, pero no recuerdo dolores.

Qué suerte que mi papel estampillado me acreditara, porque, como supe luego, fue uno de los mal afamados «perros encadenados» quien vio al joven soldado tendido o acurrucado en el suelo e, inmediatamente, inspeccionó su único documento, la orden de marcha.

Los dos balnearios eran ciudades hospital. Sin embargo, el policía militar se atuvo al destino que figuraba en mi papel. Al parecer, como yo estaba sin conocimiento, me puso en el asiento trasero de su motocicleta, me ató y me llevó directamente a la vecina ciudad hospital, Marienbad, en donde para el artillero de tanque acabó de veras la guerra y el miedo lo abandonó; aunque más tarde se apoderó de mi sueño y se instaló en él como huésped permanente.

Con invitados a la mesa

Una vez que el policía militar me hubo entregado en Marienbad y, febril, me acostaron en una cama de sábanas limpias, el Führer no existió ya. Se decía que había caído luchando por la capital del Reich. Su desaparición se aceptó como algo previsible. Y tampoco a mí pareció faltarme, porque su grandeza, con frecuencia evocada y nunca puesta en duda, se disipaba bajo las manos de unas enfermeras cada vez más apresuradas, cuyos dedos, es verdad, sólo se apoderaban de mi brazo izquierdo, pero a los que yo sentía en cada miembro.

Ni siquiera más tarde, cuando mi herida estuvo completamente curada y, como uno de tantos miles, estuve en extensos campos de prisioneros de guerra, primero en el Alto Palatinado y luego bajo el cielo de Baviera, sufrí por esa privación. Se había ido, como si no hubiera existido nunca, como si nunca hubiera sido real y pudiese ser olvidado, como si se pudiera vivir muy bien sin el Führer.

También se perdió, en medio de la multitud de muertes individuales, su anunciada muerte de héroe, convirtiéndose en una nota a pie de página. Hasta se podían hacer ahora chistes sobre él, sobre él y su amante, de la que antes no se había tenido la menor idea y que ahora, sin embargo, alimentaba los rumores. Más tangibles que la figura del Führer, dondequiera que se hubiera esfumado, eran las lilas del jardín del hospital militar, a las que un mayo incipiente ordenaba florecer.

En adelante, todo lo que ocurrió en el hospital o, algo más tarde, en la prisión, pareció escapar al tictac del tiempo. Respirábamos en una burbuja de aire. Y lo que acababa de afirmarse como un hecho existía sólo aproximadamente. Una sola cosa era cierta: yo tenía hambre.

En cuanto mis hijos y nietos quieren saber de mí algo concreto sobre el fin de la guerra —«¿Cómo fue aquello?»— llega mi respuesta, segura de sí misma: «Desde que estuve detrás de las alambradas, pasé hambre».

Sin embargo, en realidad debería decir: ella, el hambre, me había ocupado como si yo fuera una casa abandonada, como si, tanto en los barracones como al aire libre, se hubiera convertido en «okupa».

Corroía. Eso se dice del hambre, que puede corroer. Y el chico que intento imaginarme como una edición tempranamente dañada de mí mismo era uno de los miles a los que el hambre atosigaba. Como parte de una masa parcial del ejército alemán, ahora desarmado pero desde hacía tiempo impresentable, y que había perdido el paso, yo ofrecía una imagen lastimosa y, aunque hubiera sido posible, no habría querido enviar a mi madre una foto de su chico.

Con ayuda de plantillas, nos habían pintado en la espalda de la guerrera, a pistola, letreros resistentes al lavado cuyas iniciales nos convertían en POW, *prisoners of war*, prisioneros de guerra. Y nuestra única actividad consistía de momento, se decía, en pasar de la mañana a la noche, y hasta en sueños, un hambre de mil demonios.

Es cierto que mi hambre no podía calmarse, pero sin embargo carece de importancia si se compara a posteriori con la escasez decretada en los campos de concentración y en los campos masivos para prisioneros de guerra rusos, que tuvo como consecuencia la muerte por inanición de cientos de miles. Con todo, sólo mi hambre puedo expresar con palabras. Sólo ella está como grabada en mí. Sólo a mí puedo preguntar: ¿cómo se hacía sentir? ¿Cuánto tiempo se manifestaba petulante?

Se resistía a irse, no dejaba que nada más importara y hacía un ruido que desde entonces tengo metido en los oídos y que, de modo insuficiente, se suele llamar «cantan las tripas».

A la memoria le gusta invocar lagunas. Lo que queda se le graba, aparece sin que lo llamen, con distintos nombres, le gusta disfrazarse. El recuerdo da con frecuencia información sólo vaga y discrecionalmente interpretable. Unas veces criba con malla gruesa y otras con malla fina. Los sentimientos, las migajas de pensamiento pasan literalmente a su través.

No obstante, ¿qué buscaba yo además de algo masticable que me llenara? ¿Qué era lo que, cuando no tenía ya ninguna fe en la victoria final, movía a aquel muchacho que llevaba mi nombre? ¿Sólo la escasez?

¿Y cómo puede recordarse el corroer que se atribuye al hambre sedentaria? ¿Es el estómago vacío un espacio que pueda llenarse a posteriori?

¿No sería más urgente hablar, ante un público saciado, de la miseria actual en los masivos campamentos africanos o, como en mi novela *El rodaballo,* informar sobre el hambre en general, sobre «cómo fue por escrito propagada» sin que quisiera acabar nunca; es decir, contar interminables historias de hambre?

Otra vez se abre paso mi yo, aunque sólo imprecisamente se pueda fechar desde cuándo me atosigó el hambre como nunca antes, como rara vez después: ¿quizá desde mediados de mayo hasta comienzos de agosto?

¿A quién se aplica sin embargo ese dato, que hace una muesca en el tiempo?

En cuanto yo, entretanto adiestrado, digo, por encima de cualquier duda, «yo», es decir, trato de describir mi estado hace unos sesenta años, mi «yo» de entonces no me resulta, desde luego, totalmente extraño, pero se me ha perdido y está tan desconectado como un pariente lejano.

Es seguro que el primer campo que me acogió se extendía por el Alto Palatinado cerca de la frontera checa. Alimentados a más no poder, sus vigilantes pertenecían al Tercer Ejército de los Estados Unidos: con su comportamiento *cool*, los yanquis nos parecían extraterrestres. Los prisioneros, más estimados que contados, debían de ser unos diez mil.

El campo correspondía más o menos al veterano terreno de maniobras militares de Grafenwöhr, rodeado, fuera del alambre espinoso, por una comarca de bosques. Seguro es también que yo era muy joven en la época de aquella hambre corroedora, y que, hasta hacía poco, con el rango inferior de artillero de tanque, pertenecía a una división que, con el nombre de «Jörg von Frundsberg», sólo había existido como leyenda.

Pesado en una operación de despiojamiento en todo el campo, en la que conocí por primera vez unos polvos llamados DDT, mi estructura ósea arrojó apenas cincuenta kilos, peso insuficiente que, sospechábamos, correspondía a la puesta en práctica del plan Morgenthau, pensado para nosotros.

Ese castigo, ideado por un político norteamericano y bautizado con su nombre, para todos los prisioneros de guerra alemanes, exigía a los afectados una economía cicatera: después de pasar lista, había que evitar cualquier movimiento superfluo, porque la ración diaria, limitada a ochocientas cincuenta calorías, se calculaba en tres cuartos de litro de sopa de centeno, en la que flotaban aisladas gotas de grasa, un cuarto de pan de munición, una diminuta ración de margarina o de queso para untar, y un pegote de mermelada. Agua había suficiente. Y nunca se ahorraba en DDT.

También la palabra «calorías» me había sido desconocida hasta mi experiencia con aquella hambre corroedora. Sólo la escasez me hizo aprender rápidamente. Y como sabía poco, pero había almacenado muchas cosas falsas y sólo cobré conciencia a trompicones de las dimensiones de mi estupidez, habré resultado absorbente como una esponja.

En cuanto a mí, a quien, como concepto genérico para una minoría que se extingue, se cuelga entretanto el título de «testigo de su época», se me hacen, por rutina periodística, preguntas sobre el fin del Tercer Reich, comienzo con precipitación a hablar de la vida en el campamento del Alto Palatinado y de las calorías demasiado escasamente calculadas, porque viví sin duda la capitulación sin condiciones del Gran Reich Alemán, o «el derrumbamiento», como pronto se diría, en calidad de herido leve en la ciudad hospital de Marienbad, pero sólo lo registré de pasada o, en mi incomprensión, como algo transitorio, como una pausa en el combate. A ello se añadía que las palabras «sin condiciones» añadidas a «capitulación» no me parecían comunicar de momento nada definitivo.

En Marienbad, el tiempo primaveral y la proximidad física de las enfermeras fueron predominantes. Concentrado en mi confusión poco adulta, me veía más vencido que liberado. La paz era un concepto vacío, la palabra «libertad», de momento, poco práctica. Todo lo más me aliviaba la desaparición del miedo a los policías militares y a los árboles que se prestaban al ahorcamiento. Sin embargo, nunca sonó para mí la «hora cero» que luego se vendió como momento decisivo o como carta blanca.

Tal vez el lugar de los hechos —antiguamente un balneario pasado de moda—, rodeado de verde mayo, tenía un efecto demasiado adormecedor para percibir aquel día histórico como una fecha que señalaba un fin y un principio. Además, desde hacía días, lo mismo que en la vecina Karlsbad estaban los rusos, había norteamericanos blancos y negros en la ciudad; presenciamos con curiosidad su aparición.

Llegaron silenciosamente, con zapatos de cordones sobre suelas de goma. Qué contraste con nuestras ruidosas botas militares. Nos asombramos. Y es posible que el constante mascar chicle de los vencedores me impresionara. Y también el hecho de que apenas dieran un paso, sino que siempre, incluso para trayectos cortos, se desplazaran indolentes en *jeep,* me parecía como una película que ocurriera en un futuro lejano.

Delante de nuestra villa, señalada como hospital, había de pie un soldado americano (un GI) de guardia, es decir, no estaba de pie, más bien se sentaba sobre los talones, acariciando el subfusil e intrigándonos: ¿había sido enviado para vigilarnos, o debía protegernos de la milicia checa, que ahora, después de haber sido tanto tiempo humillada, quería vengarse? A mí, el vencido, el vencedor me regaló, cuando ensayé con él mi inglés escolar, un paquete de chicle.

Sin embargo, ¿qué le andaba por la cabeza a aquel chico de diecisiete años que, físicamente, podía pasar por adulto y era atendido en una antigua villa para pensionistas por enfermeras finlandesas?

Al principio no cuenta nada, está allí sólo exteriormente, echado en una de las camas en hilera. Ya puede levantarse y dar los primeros pasos por el pasillo, delante de la casa. La profunda herida del muslo derecho está prácticamente curada. Su brazo izquierdo, que como consecuencia de una herida de esquirla de granada se ha quedado rígido desde el hombro hasta la mano, debe ser masajeado, movido y doblado dedo a dedo.

Eso se curó y se olvidó pronto. Quedó el olor de las *lottas* finlandesas, como se las llamaba: una mezcla de jabón duro y loción capilar de abedul.

La guerra había desplazado a aquellas jóvenes muy lejos de los bosques de Carelia. No hablaban mucho, sonreían con sensibilidad y me trataban con firmeza. Y, sin duda por ello, para el joven todavía con granos que era yo, sus manipulaciones, los dedos sanadores de las *lottas,* dejaron más impronta que la noticia de la capitulación sin condiciones de todas las unidades del ejército alemán.

Sin embargo, en cuanto, decenios más tarde, se preguntaba al testigo de su época, siempre que aparecía en el calendario la fecha significativa, cómo había vivido el «Día de la Liberación», la pregunta predeterminaba la respuesta. No obstante, en lugar de reaccionar a posteriori como un listillo —«Me liberé de todas las coacciones, aunque entonces apenas podía imaginarse lo que significaba la libertad para nosotros, los liberados...»—, hubiera debido decir sin contemplaciones: era y seguí siendo prisionero de mí mismo, porque de la mañana a la noche y hasta en sueños tenía hambre de chicas, y sin duda también el día de la liberación. Todos mis pensamientos iban hacia ellas, sólo hacia ellas. Manoseaba y quería ser manoseado.

Esa otra hambre, que al fin y al cabo se podía calmar por cierto tiempo con la mano derecha, duraba más que el hambre corroedora. Ésta sólo se apoderó de mí cuando, después de las satisfactorias comidas del hospital y, por ello, no agobiantes para la memoria —habrán sido potaje y *gulasch* con fideos, y los domingos asado de carne picada con salsa de cebolla y puré de patatas—, las raciones de hambre de Morgenthau determinaron nuestra vida en reclusión.

Con todo, puede ser también que la sucesión de imágenes de precisión fotográfica de enfermeras, sentida muy recientemente aún desde muy cerca, o el rostro añorado de una colegiala de trenzas me sirvieran igualmente en el campamento de tablas votivas y de esa forma, silenciosas pero de buena gana, me calmaran un tanto.

En cualquier caso, echaba en falta eso y también aquello. Mis necesidades eran dos. Una de ellas permanecía siempre despierta. Y, sin embargo, en retrospectiva no me veo totalmente expuesto a dobles tormentos. Lo mismo que podía atender a una, gracias a imágenes poco nítidas, con la mano derecha, y luego como zurdo ya curado, tenía en reserva, para remediar el otro apuro, una provisión de artículos intercambiables. Esta necesidad sólo entró en circulación cuando, del Alto Palatinado, nos trasladaron por tiempo breve a cerca de Bad Aibling, a un masivo campamento, aún más ampliamente delimitado, al aire libre, para sólo después, distribuidos en unidades manejables, ocupar barracones cercados.

Allí, como columnas de trabajo, entramos en contacto con nuestros guardianes. Siempre que daban sus órdenes yo me presentaba como intérprete, que además podía ofrecer su compartimentado tesoro de artículos intercambiables. De esa forma, mi mísero inglés escolar pudo ser puesto nuevamente a prueba, con lo que, tal como quería mi madre, de la que había copiado algunas prácticas comerciales, su hijo sabía, una y otra vez, llegar a un acuerdo.

¡Cuántas cosas caben en un zurrón del pan vacío! Conseguí los diversos objetos gracias a aquel período de anarquía de apenas dos días en Marienbad que nos favoreció cuando el orden alemán se había desvanecido, los americanos no habían entrado aún con sus suelas de caucho, y la milicia checa, todavía insuficientemente armada, dudaba si llenar esa laguna tomando posesión y poder.

Para todos los que ya no tenían que guardar cama se abrió un espacio libre. Vagabundeábamos por la vecindad, ansiosos de botín. Con nuestro chalé para jubilados y su jardín de lilas lindaba un terreno de fácil acceso, en el que había un edificio que, con torrecillas, mirador, balcón y terraza, parecía igualmente un chalé. En él había tenido hasta hacía unas horas su sede la dirección de distrito del Partido Nacional Socialista de los Trabajadores Alemanes. A lo mejor el edificio, de construcción muy compartimentada hasta el ático, había sido sólo una sucursal de la administración del Partido. En cualquier caso, quedó abierto para nosotros, una vez huido el jefe de distrito y otros capitostes. Es posible también que estuviera cerrado y alguien tuviera que ayudar con una palanqueta.

Sea como fuere: todos los heridos que podían andar, es decir también yo, que entretanto podía utilizar otra vez la mano izquierda, registraron las oficinas y habitaciones de servicio, la sala de reuniones, el cuarto de la torre donde anidaban las palomas, y finalmente el sótano, en el que había una habitación que los dirigentes habían amueblado, con sofá y muebles de mimbre, para pasar plácidas veladas entre compañeros: de las paredes colgaban fotos de grupo de compañeros del Partido uniformados.

Pretendo haber visto un cartel de Fe y Belleza, en el que hacían gimnasia chicas de pechos saltarines. Sin embargo, faltaba la obligatoria imagen del Führer. Ni banderas ni banderines. No había ningún objeto que pudiera uno llevarse, por poco valor que tuviera. Todos los armarios bostezaban vacíos. «Nada bebible», maldijo un sargento, cuya oreja ausente del lado izquierdo se ha encapsulado en el revoltijo de mis recuerdos.

Finalmente encontré algo en la planta superior. En el cajón inferior de un escritorio, en el que quizá tuvo algún hombre del Partido su asiento, lejos del frente, había, amontonados en una caja de cigarrillos, unos cincuenta alfileres plateados resplandecientes, cuyas cabezas de adorno representaban, en copia fiel, búnkeres de joroba redondeada. Lo que confirmaba una inscripción grabada debajo de los búnkeres en miniatura: me había hecho con recuerdos del Muro del Atlántico, apreciados objetos de coleccionista de la época anterior a la guerra. Yo sólo conocía los verdaderos búnkeres como espectador de cine.

Durante mi infancia, la fortificación de la frontera occidental del Reich con barreras para tanques escalonadas y búnkeres, de todos los tamaños, había sido siempre motivo del noticiario cinematográfico con imágenes ligeramente titilantes y comentarios decididos, con una música de ritmo arrebatador. Ahora mi botín tenía algo de heroicamente inútil.

En otro tiempo se honraba con esos alfileres de alpaca, como recuerdo, a los trabajadores del Muro del Atlántico especialmente eficientes; después del treinta y ocho había entre ellos también, sin duda, alemanes de los Sudetes, que se habían presentado voluntarios para construir búnkeres cerca de la frontera francesa. Todavía tengo ante los ojos imágenes del noticiario: hombres que manejan la pala, hormigón apisonado. Hasta poco antes de comenzar la guerra, alimentaban con cemento tambores de mezcla giratorios.

Los jóvenes contemplábamos entusiasmados aquellos baluartes frente al enemigo ancestral. Barreras antitanque de kilómetros, que se habían convertido en parte de un paisaje ligeramente accidentado, nos parecían insuperables. En el interior de los búnkeres buscábamos blancos por las troneras y nos veíamos en el futuro, si no como dotación de submarino, sí como heroica dotación de búnker.

Seis años más tarde, los alfileres debieron de recordarme mis sueños de infancia y mis juegos infantiles en los búnkeres, lo mismo que ahora recuerdo mi hallazgo, escondido en una caja de cigarrillos, como si pudiera contar los alfileres ante mí.

Por lo demás, en los cajones encontré entre poco y nada, pero al menos pude guardarme algunos lápices, dos cuadernillos, el ya elogiado tesoro de plata, y papel de escribir del más fino, aunque no —como busqué— una pluma estilográfica Pelikan. No es seguro si había al alcance de la mano una goma y un sacapuntas.

Otros encontraron cucharitas de té y tenedores de postre, y cogieron cosas inútiles, como servilleteros. Y algunos se llevaron sellos y tampones, como si quisieran autorizar todavía viajes de servicio o de vacaciones.

Ah, sí, tres dados de hueso y un cubilete de cuero formaron parte igualmente de mi botín. ¿Hubo tiempo para una buena jugada, dos seises, un tres o incluso un cinco?

Con esos dados, más tarde, cuando nos traslada-ron del campamento del Alto Palatinado al gran campa-mento de Bad Aibling, al aire libre, jugaba a porfía con un chico de mi misma edad, al que había encontrado ya en el oscuro bosque de pinos y que ahora se llamaba Jo-seph y hablaba un excelente alto alemán de Baviera. Llovía con frecuencia. Nos cavábamos un agujero en el suelo. Cuando llovía nos acurrucábamos bajo una lona, que era suya. Hablábamos de todo lo divino y humano. Como yo, había sido monaguillo: él con persistencia, yo sólo temporalmente. Él seguía creyendo, para mí no había nada sagrado. Ambos estábamos llenos de piojos. Eso nos preocupaba poco. También él escribía poemas, aunque quería apuntar más alto en otros ámbitos. Sin embargo, esto se convertirá luego y poco a poco en una historia. De momento son más importantes los alfileres del Muro del Atlántico.

Al principio sólo pude sospechar el valor de cam-bio de mi súbita riqueza, pero luego, trasladado del gran campo de Bad Aibling a un campo de trabajo, conseguí, como miembro regular de una columna cuya misión era derribar hayas de tamaño medio, vender con provecho, con ayuda de mi inglés escolar —«*This is a souvenir from the Siegfried Line*»—, tres de los brillantes alfileres del Muro del Atlántico.

Para nuestro guardián, un bonachón hijo de gran-jero de Virginia que echaba en falta botín de guerra que mostrar en casa, un solo alfiler valía una cajetilla de Lucky Strike, que, de vuelta al campamento, pude cambiar por un pan de munición. Eso se tradujo, para el no fumador, en amplias raciones para cuatro días.

Cuando recibí de otro guardián, nuestro chófer negro, con quien el hijo de granjero de piel rosada no cambiaba palabra, un pan de maíz muy poco cocido por dos alfileres de la Línea Sigfrido, un cabo veterano me aconsejó que lo tostara. Cortó el pan en rebanadas, las partió por la mitad y las fue poniendo una tras otra en la tapadera de la estufa de hierro colado, que también en verano se encendía porque, hacia el atardecer, la gente del pelotón del bosque cocía como espinacas todo lo que encontraba, por ejemplo ortigas y diente de león. Algunos hervían incluso raíces.

Un suboficial que, según decía, había podido vivir años estupendos en Francia como ocupante, sacaba del zurrón del pan su comida suplementaria, una docena de inquietas ranas que había cazado en una charca del bosque, las descuartizaba vivas y cocía los muslos con las espinacas.

Los barracones de nuestro campo, en los que, a lo largo, se extendían sin transición catres de madera que sustituían a las literas habituales, habían estado ocupados hasta el fin de la guerra por trabajadores forzados. En los postes de los catres y en las vigas de apoyo encontramos inscripciones grabadas en caracteres cirílicos. Algunos soldados, que habían sufrido Smolensko y Kiev de ida y vuelta, afirmaban:

—Seguro que eran ucranianos.

También la estufa de hierro era de la época de los trabajadores forzados. Sin pensarlo mucho, nos considerábamos sus sucesores, y esculpíamos igualmente inscripciones en los postes y las vigas de apoyo: los nombres de chicas que uno hubiera querido tener al lado, y las cochinadas habituales.

Escondí mi pan de maíz tostado en un papel de periódico de los últimos días de la guerra, que transmitía consignas de resistencia impresas en negrilla. Como reserva, entre el colchón de paja y el catre de madera, debía enriquecer mi ración diaria. Tan económicamente mantenía a raya mi hambre.

Cuando mi columna volvió a la tarde siguiente de talar árboles, del pan y su envoltorio no quedaba ya una migaja. El cabo que me había ayudado con el pan de maíz, al que correspondía por ello un cuarto, se lo notificó al más viejo del barracón, un sargento de estilo tradicionalmente mandón.

Entonces registraron los catres y colchones de paja, en los que sin duda habían ya dormido los ucranianos, y también la ropa de todos los que, por estar de baja como enfermos o haber sido destinados a los servicios del barracón, no habían estado en el destacamento de leñadores o en el de desescombro.

A un teniente de la Luftwaffe —en el campamento se mezclaban los grados inferiores con los oficiales de rango no superior a capitán—, que hasta entonces se había mostrado imperturbablemente aguerrido, se le encontraron bajo el colchón de paja los restos del pan tostado y el papel de periódico.

Su infracción se llamaba, según ley no escrita, robo entre compañeros. No había nada peor. Un delito que pedía a gritos un castigo y una rápida ejecución de la pena. Aunque interesado, como robado y testigo ocular, no puedo o no quiero recordar si mi mano, tras la condena del teniente por un tribunal del barracón debidamente elegido, participó cuando se anunció el castigo y se ejecutó luego con azotes de cinturones de la Wehrmacht en el culo desnudo.

Es cierto que sigo viendo los verdugones en la piel reventada, pero eso podría ser una imagen dibujada luego, porque experiencias de esa índole, en cuanto se convierten en historia, cobran vida independiente y les gusta jactarse con detalles.

En cualquier caso, el castigo del ladrón, intensificado por la rabia de los soldados hacia quien había sido oficial, fue desmesurado. El odio acumulado en la guerra se descargaba cuando llegaba la ocasión. Y para mí, que hasta poco antes sólo había conocido la obediencia y, desde los tiempos de las Juventudes Hitlerianas, había sido instruido en la obediencia incondicional, mi último respeto por los oficiales de la gran Wehrmacht alemana se fue al traste.

Poco después, aquel «idiota de la Luftwaffe», al que hacia el final de la guerra se había destinado a infantería, como «donativo de Hermann Göring», fue trasladado a otro barracón.

El pan de maíz tostado no sabía mal: ligeramente dulzón, un poco como los biscotes. Mis alfileres del Muro occidental me ayudaron repetidas veces a conseguir pan tostado, que mojaba en sopa de setas. En un bosque de fornidas coníferas había descubierto cantarelas y, como desde la infancia conocía las setas y los platos de setas cachubos, incluso llevé al barracón un plato de robellones y, más tarde, de pedos de lobo. Lo mismo que las cantarelas, los asé con una plasta de margarina del reparto diario, en la estufa de carbón. También me gustaban las ortigas preparadas como espinacas. Los primeros platos cocinados por mí. El cabo aportaba la sal y comía setas conmigo.

Desde entonces me gusta cocinar para invitados. Para aquellos que el presente me trae a casa, pero también para invitados imaginados o procedentes de la Historia: así, recientemente tuve como invitados a mi mesa a Michel de Montaigne, al joven Enrique de Navarra y, como biógrafo del posterior Henri Quatre de Francia, al mayor de los hermanos Mann... Una reunión de caballeros reducida, pero comunicativa, que se complacía en las citas. Hablamos de piedras de riñón y de vesícula, de la matanza de la Noche de San Bartolomé, del otro hermano de la hanseática familia, y otra vez de la permanente miseria de los hugonotes y, comparativamente, de Burdeos y Lübeck. De pasada, difamamos a los juristas como plaga, comparamos las deposiciones intestinales duras y blandas, conjuramos luego el pavo dominical en la cacerola de todos los franceses, y discutimos, mientras mis invitados, después de la sopa de pescado, se deleitaban con un plato de robellones con mollejas de ternera empanadas, sobre la miseria de la Ilustración después de tanto progreso. También nos pareció importante la pregunta, todavía no prescrita, de si París bien valía una misa. Y en cuanto yo, para completar la fuente de quesos, serví la cosecha más reciente de nuestro nogal de Behlendorf, se discutió vivamente del calvinismo como nodriza del capitalismo.

El que más tarde sería rey se rió. Montaigne citó a Tito Livio o Plutarco. El mayor de los hermanos Mann se burló de los recurrentes motivos de su hermano menor. Yo elogié el arte de citar.

Mi primer invitado, sin embargo, el veterano cabo, a quien serví cantarelas, me habló de ruinas de templos en islas griegas, de la belleza de los fiordos noruegos, las bodegas de los castillos franceses, las más altas montañas del Cáucaso, y de sus viajes oficiales a Bruselas, en donde, aseguraba entusiasmado, se podían comer las mejores *frites*. Conocía la mitad de Europa, tanto tiempo llevaba ya de uniforme, tan aguerridamente viajado se presentaba, tan transfronterizo. Cuando los platos estuvieron vacíos, cantó para su anfitrión «En una ciudad de Polonia...».

Lo mismo que los despachos de guerra del Alto Mando de la Wehrmacht me habían ayudado a adquirir amplios conocimientos geográficos, el desarrollo de la guerra había dado a mi invitado, el cabo, ese cosmopolitismo parlanchín que hoy, durante este tiempo de paz prolongada, ofrecen las veladas con diapositivas de turistas que fotografían maníacamente. Él dijo también:

—Allí quiero volver con mi Erna algún día, a todos esos sitios, más tarde, cuando se haya disipado el humo de la pólvora.

Es cierto que el plato de setas y la ensalada de ortigas me convirtieron en cocinero y anfitrión, pero las aptitudes para mi placer, que dura hasta hoy, por cocer esto con aquello en un puchero, rellenar una cosa con otra, realzar con ingredientes algún gusto especial e imaginarme al cocinar invitados vivos y muertos, se anunciaron ya en la primera etapa de hambre corroedora, cuando el herido, por completo curado, fue arrancado de las manos cuidadoras y enviado directamente, de tomar las aguas en el balneario de Marienbad, al campamento del hambre en el Alto Palatinado.

Entre diez mil y más de diez mil prisioneros de guerra aprendí, después de diecisiete años de saciarme de comida regularmente —sólo rara vez escaseó el alimento—, a sufrir el hambre, porque ella tenía la primera y la última palabra, como constante tormento corroedor y, al mismo tiempo, a utilizarla como fuente de una inspiración que salía siempre a borbotones; mientras se exacerbaba mi imaginación, yo adelgazaba visiblemente.

Es cierto que ni uno solo de los diez mil murió de hambre, pero la escasez nos ayudó a tener un aspecto ascético. Hasta quien no tenía tendencia a ello se veía espiritualizado. Ese aspecto espiritual debía de sentarme bien igualmente: con ojos agrandados, percibía más de lo que había y oía coros sobrenaturalmente jubilosos. Y como el hambre nos familiarizaba con la máxima «No sólo de pan vive el hombre», con esta o aquella entonación, unas veces como cínico eslogan del campamento, otras como lugar común consolador, en muchos aumentaba el deseo de alimento espiritual.

Algo ocurría en el campamento. Por todas partes, las actividades anulaban la apatía colectiva, hasta ayer mismo abrumadora. Nada de deslizarse de un lado a otro lastimeramente, nada de desánimo. Los vencidos se recuperaban. Más aún: nuestra derrota total liberaba fuerzas que en el transcurso de la guerra se habían refugiado en sótanos y ahora se ponían en movimiento, como si todavía —aunque fuera en otro campo— se tratara de vencer.

La potencia ocupante toleraba ese talento para la organización innato de los alemanes, como prueba incesante de un don especial.

Nos organizamos en grupos y grupitos, que cultivaban en todo el campamento alguna disciplina que debía ser útil para la educación general, la apreciación del arte, el entendimiento filosófico y el relanzamiento de la fe, así como los conocimientos prácticos. Todo ello se desarrollaba según un horario, a fondo y puntualmente a la vez.

En los cursos se podía aprender griego clásico y latín, pero también esperanto. Grupos de trabajo se dedicaban al álgebra y las matemáticas superiores. El ámbito para la especulación extravagante y el pensamiento profundo iba de Aristóteles a Heidegger, pasando por Spinoza.

En todo aquello, el perfeccionamiento profesional no llevaba la peor parte: futuros procuradores se familiarizaban con la doble contabilidad, constructores de puentes con problemas de estática, juristas con trucos legales, los economistas de mañana con las leyes orientadas a los beneficios de la economía de mercado y los consejos de especuladores de bolsa conocedores del porvenir. Todo ello ocurría con vistas a la paz y a sus imaginados márgenes de maniobra.

Por otra parte, se enseñaba la Biblia en grupos de trabajo. Hasta la introducción al budismo fue muy popular. Y como una multitud de instrumentos de música había sobrevivido a las retiradas ricas en pérdidas de los últimos años bélicos, se reunía a diario una orquesta de armónicas, ensayaba diligentemente al aire libre y se presentaba en público, incluso ante oficiales americanos y periodistas de ultramar. La Internacional de todos los soldados, «Lili Marleen», populares canciones de moda y también piezas de concierto, como «El paseo en trineo de San Petersburgo» y la «Rapsodia húngara», tenían éxito.

Además, había círculos de canto y, pronto, un coro *a cappella* que, los domingos, deleitaba a un puñado de amantes de la música con motetes y madrigales.

Todo eso y sin duda más se nos ofrecía el día entero. Al fin y al cabo, teníamos tiempo. En el campo de masas del Alto Palatinado no había ningún atractivo para las columnas que trabajaban fuera. Ni siquiera se nos permitía limpiar escombros en la cercana Núremberg. Sólo dentro del cercado vigilado se podía aprender valientemente, en tiendas de campaña, cuarteles y amplios establos de caballos —el campamento debió de ser en otro tiempo sede de la guarnición de un regimiento de caballería—, a luchar contra el hambre y su insistente corroer.

Había pocos que no participaran. Lamentándose, les gustaba ser vencidos y lloraban batallas perdidas. Algunos creían incluso poder conseguir victorias a posteriori —por ejemplo en la batalla de tanques de Kursk o en Stalingrado y alrededor de Stalingrado— trazando frentes en la arena. Muchos, sin embargo, se inscribían en cursos diversos, por ejemplo por la mañana de taquigrafía y por la tarde de poesía del alto alemán medio.

¿Y qué fue lo que me convirtió en colegial? Como desde los quince años, es decir, desde que me puse el elegante uniforme de ayudante de la Luftwaffe, me había sustraído al colegio y sus notas, hubiera debido decidirme sensatamente por las matemáticas y el latín, mis dos asignaturas deficitarias, y —para ampliar mis anteriores conocimientos de arte— por una serie de conferencias sobre el tema de «Las esculturas votivas altogóticas de la catedral de Naumburg». También hubiera podido serme de ayuda un grupo de terapia que se ocupaba de los, difundidos en el campo de prisioneros, «Trastornos de comportamiento

188

durante la pubertad». Sin embargo, el hambre me llevó a un curso de cocina.

Esa tentación se encontraba, entre otras ofertas, fijada en la pizarra que tenía su lugar delante del cuartel de la administración del campo. En la hoja había incluso un monigote con gorro de cocinero como publicidad. En la antigua unidad veterinaria del regimiento de caballería, el más absurdo de los cursos reclamaba a diario dos horas seguidas. Había que llevar papel para escribir.

Qué suerte que en Marienbad, cuando me vi favorecido con los alfileres plateados del Muro occidental como futuros objetos de cambio, no sólo me enriquecí además con el cubilete y los dados de hueso, sino también con un montón de hojas de papel de tamaño DIN-A4, dos cuadernos en octavo y lápices, con sacapuntas y goma de borrar.

Aunque, desde entonces, el recuerdo tiene agujeros en esta o aquella dirección y, por ejemplo, no sé si en la época del campamento tenía que afeitarme ya la pelusilla de melocotón, y en general no estoy seguro de cuándo dispuse de una brocha y de mi propia maquinilla de afeitar, no me hace falta sin embargo recurrir a ninguno de mis medios de ayuda para ver delante de mí la sala casi vacía de la antigua unidad veterinaria. Está alicatada de blanco hasta la altura de un hombre. Un estante vidriado azul limita el borde superior. Igualmente me confirmo la negra pizarra frente a la amplia fachada de vidrio, pero no puedo decir nada del origen del pedagógico mueble. Probablemente la pizarra ha demostrado ya su utilidad en la instrucción de futuros veterinarios militares, cuando se trató de la constitución del caballo, su tracto digestivo, sus tobillos, el corazón, el bocado y los cascos, y no en último lugar de las enfermedades de ese útil cuadrúpedo de montura y tiro. ¿Cómo se trata un cólico de caballo? ¿Cuándo duermen los caballos?

Tampoco estoy seguro de si el aula por mí incues-
tionablemente recordada, después de la hora doble «Curso de cocina para principiantes», quedaba sin utilizar, o si
entre sus paredes se enseñaban otros saberes con ayuda de
la pizarra lavable, por ejemplo griego clásico, o las leyes
de la estática. Posiblemente se calcularon allí los primeros márgenes de beneficio del posterior milagro económico, como la maximización de las ganancias, y se pro-
baron —adelantándose mucho a su tiempo— las fusiones
en el área del carbón y el acero o, lo que es hoy práctica
habitual, las OPAS hostiles. Sin embargo, posiblemente
aquella sala para fines múltiples servía también para los
servicios religiosos de este u otro culto. Las altas ventanas
ojivales daban a aquel rectángulo resonante, que olía menos a caballo que a Lysol, algo de religioso.

En cualquier caso, el lugar de los hechos invita una
y otra vez a escenificaciones, cuyos desarrollos se pierden
en ramificaciones; nunca me han faltado personajes a los
que convocar. Por eso, esta historia fue contada otra vez,
y concretamente hacia finales de los sesenta, en la novela
anestesia local, por un profesor de instituto llamado Starusch, de forma más insuficiente que concluyente, que co-
locó el *Libro de cocina para principiantes* en el gran campamento de Bad Aibling, es decir, bajo el cielo despejado
de la Alta Baviera, y renunció a la pizarra.

Sin embargo, mi versión, ese tratamiento excesivamente ficticio en el que, como maestro de cocina, aparece
sin rostro un tal señor Brühsam, se presta a ser rechazada
con hechos fidedignos; después de todo, fue a mí a quien
el hambre llevó a un abstracto curso de cocina.

Claramente e inconfundible con nadie, lo veo a él,
el Maestro, ante la pizarra, aunque su nombre se me haya
olvidado. Una figura de apóstol de edad intermedia, vestido con la ropa militar habitual, flaco, alto, que quería que
sus alumnos lo llamaran *Chef.* De forma muy poco militar,

aquel canoso de pelo crespo reclamaba respeto. Sus cejas eran tan largas que uno hubiera querido peinárselas.

Nada más empezar, nos dio a conocer su carrera profesional. Desde Bucarest, pasando por Sofía y Budapest, había llegado, como solicitado jefe de cocina, hasta Viena. Casualmente dejó caer los nombres de grandes hoteles de otras ciudades. Pretendía haber sido, en Zagreb o Szegedin, cocinero personal de un conde húngaro o croata. Hasta mencionaba el hotel Sacher de Viena como acreditativo de su carrera en el arte culinario. En cambio, no estoy seguro de si en el coche restaurante del legendario Orient Express cocinó para viajeros ilustres, siendo así testigo de intrigas finamente tejidas y complicados asesinatos, que incluso para detectives literarios certificados sólo podían resolverse con un olfato ingenioso.

En cualquier caso, nuestro maestro, como jefe de cocina, trabajó exclusivamente en el sudeste de Europa, y por consiguiente en esa región multinacional en la que no son sólo las cocinas las que se diferencian de forma tajante, aunque se mezclen.

Si se pudiera confiar en sus insinuaciones, venía de la distante Besarabia, y era por tanto, como se decía entonces, un *Beutedeutscher* («alemán de botín») que, como las personas de procedencia alemana de los Estados bálticos, fue traído «de vuelta a su hogar en el Reich», como consecuencia del pacto entre Hitler y Stalin. Sin embargo, ¿qué sabía entonces yo, desde la estupidez de mis verdes años, acerca de las consecuencias, hasta hoy, del pacto Hitler-Stalin? No, sólo conocía la despectiva clasificación de «alemanes de botín».

Poco después de comenzar la guerra, por lo que todo el mundo —es decir, yo también— sabía, en los alrededores de mi ciudad natal, hasta donde se extendía la Cachubia y en la landa de Tuchel, se había expulsado de sus granjas a familias polacas de campesinos, asentándose en su lugar *Beutedeutschen* bálticos. Su forma de hablar muy abierta se podía imitar fácilmente, por ser similar al bajo alemán casero, y además, en el Conradinum, aunque sólo por corto tiempo, yo había coincidido con un chico de Riga.

Sin embargo, el «alamán» especial de nuestro jefe de cocina, degradado, como él decía, a «artillero de fogones» y cuya carrera militar había encontrado su fin como cabo, resultaba extraño a mi oído. Él decía «pizca» en lugar de «poco». A la col la llamaba siempre «repollo» y mascullaba entre dientes como el apreciado actor de cine Hans Moser, en cuanto, para explicar algo, se ponía ante la pizarra, gesticulando además elocuentemente con las manos.

Se hubiera podido suponer que a nosotros, escolares muertos de hambre, él, como algún espíritu sádico atormentador, nos hubiera regalado con platos exquisitos, por ejemplo *Tafelspitz* con salsa de rábano picante, albóndigas de lucio, *Schaschlik,* arroz silvestre con trufas y pechuga de faisán glaseada con chucrut y vino, pero él nos venía con otras cosas, con una honesta cocina casera. Conjuraba grandes delicias al margen de sus digresiones fundamentales, que cada vez se centraban en algún objeto dispuesto para la matanza.

Nosotros, pobres hambrientos, tomábamos apuntes. Páginas totalmente garabateadas. Se cogen... Se añade... Se deja reposar dos horas y media...

Ay, si de mi herencia de Marienbad no se hubiera salvado al menos uno de los dos cuadernillos. Por ello, de todas las horas dobles elocuentemente impartidas en medio de los participantes en el curso, entre los que se contaban jóvenes granujas como yo, pero también padres de familia entrados en años, sólo se me han quedado dos o tres cosas, aunque tengan detalles enjundiosos y chorreen manteca.

Él era un maestro de la evocación. Sólo con una mano obligaba a sueños cebados a reposar en el tajo y caer bajo la cuchilla. Sacaba gusto de la nada. Revolvía el aire convirtiéndolo en sopas espesas. Con tres palabras gangosas ablandaba las piedras. Si hoy en día reuniera a mis críticos, que han envejecido conmigo, y lo invitara a él, como invitado de honor, les podría explicar el maravilloso efecto de una imaginación de manos libres, es decir, de la prestidigitación sobre papel blanco; sin embargo, incurables, ellos volverían a saberlo todo mejor que nadie, se comerían sin ganas mis garbanzos con costillitas de cordero y tendrían a mano apresuradamente su mísera herramienta: el nivel de colesterol literario.

—Hoy, por favooor, toca el cerdo —dijo el Maestro como introducción, y dibujó en la pizarra, con tiza chirriante y trazo seguro, los contornos de un cerdo bien desarrollado. Luego dividió el marrano que rampaba sobre la negra superficie en partes nombrables, numeradas con cifras romanas.

—El núúúmero uno ez colita enzortijada, y puede zaber muy bien, cocida en zopa corrieeente de lentejaz...

Luego numeró las patas del cerdo desde las pezuñas hasta las corvas, igualmente apropiadas para ser cocidas. Después pasó del lacón de las patas delanteras al jamón de las traseras. Y así continuó desde el cogote, pasando por el solomillo, hasta las costillitas y la panceta.

De vez en cuando, escuchábamos verdades incontrovertibles:

—Cogote ez máz jugozo que coztillaz...

Envuelto en masa de pan, había que meter el solomillo en el horno. Y otras instrucciones, que todavía hoy sigo.

A nosotros, a los que a diario nos correspondía sólo un cazo de aguada sopa de col o de cebada, nos aconsejaba cortar la capa de grasa a lo largo, a lo ancho, con un afilado cuchillo.

—Bueno, ¡ezo hace máz ricaz cortezaz!

Luego nos miraba inquisitivamente a los ojos, paseaba su mirada sin perdonar a nadie, tampoco a mí, y decía: «Ya zé, zeñorez, por favooor, que zólo tenemoz boca llena de agua», para, después de una pausa calculada, en la que cada uno se oía y oía a los otros tragar saliva, anunciar, con compasión y conocimiento, nuestra común miseria:

—No hablemoz máz de lo graziento, hablemoz ahora de cómo ze mata a cerdo.

Aunque se me perdieran los cuadernillos, la memoria de la cebolla me ayuda a citar fielmente las sentencias estampadas del Maestro. En retrospectiva, veo cómo se vuelve evidentemente pantomímico, porque al demostrar la matanza se trataba sobre todo de «recoger sangre» caliente del cerdo y revolverla sin cesar en una artesa, para que no formara grumos.

—¡Tenéiz que regolver, regolver zin parar!

En consecuencia, sentados en taburetes, cajas y en el suelo embaldosado, revolvíamos en artesas imaginarias hacia la izquierda, hacia la derecha y luego en cruz la sangre del cerdo que salía disparada de una cuchillada imaginaria, humeante, y luego goteante sólo. Creíamos oír a la cerda que chillaba cada vez más débilmente, sentir la calidez de su sangre, aspirar su olor.

Tan pronto como, en años posteriores, me invitaban a una fiesta de la matanza, me solía desilusionar la realidad, porque quedaba por detrás de las evocaciones del Maestro, era sólo una simple matanza, sólo el eco susurrado de sus palabras.

Entonces aprendimos a dejar hervir la sangre revuelta con sémola de avena condimentada con mejorana y meter aquel puré espeso en los intestinos limpios del cerdo, para atarlos luego como salchichas. Para terminar, el *Chef* nos aconsejó, con medida del Este de Europa, «por favooor» añadir al relleno de las salchichas, «por cada cinco litroz de zangre, treinta decaz de pazaz».

Tan fuertemente quedó engatusado mi gusto para el futuro que durante toda mi vida he comido con hambre canina rellenos de intestino de sémola con puré de patatas y chucrut. No sólo porque son baratos y, en los años cincuenta, yo andaba escaso de fondos, sino porque todavía hoy me gustan en los inevitables París-Bar de Berlín los *boudins* franceses. El plato de sangre del norte de Alemania *Schwarzsauer,* espesado con riñones de cerdo picados, es uno de mis favoritos. Y cuando tengo invitados —distintos compañeros de *skat* de distintas épocas—, en mi mesa aparecen platos fuertes.

Qué placer cuando, después de una mano de *skat* doblada, las salchichas asadas o rehogadas humean, y la piel del intestino tensamente atada revienta o, cortada, libera su interior: pasas y sémola, mezcladas con sangre cuajada, con grumos. Tan permanentemente educó mi paladar aquel jefe de cocina de la Besarabia, en el masivo campo de prisioneros del Alto Palatinado.

—Pero, por favooor, zeñorez —decía él—, todavía hay pozibilidadez, no hemoz acabado con cerdo.

Como en otro tiempo la Salomé bíblica con sus largos dedos la cabeza del Bautista, señalaba la cabeza de cerdo rodeada con tiza, que antes había numerado en la pizarra, lo mismo que los jamones, el cogote y la cola ensortijada:

—Ahora hacemoz rica gelatina de cabeza de cerdo; no, por favooor, zin cola de pezcado...

Luego seguía otro principio fundamental. La gelatina —él decía la «materia»—, sacada de los carrillos, el hocico en trompa y las flácidas orejas, debía gelatinizarse por sí sola. Después de lo cual celebraba el proceso de cocer la cabeza de cerdo partida en dos, que, en una amplia olla y cubierta con agua salada, debía hervir a fuego lento dos horas cumplidas, y a la que clavos y hojas de laurel, así como una cebolla entera, debían dar el primer gusto.

A finales de los sesenta, es decir, en una época cargada de protestas, en la que se podían conseguir baratas ira, cólera y rabia como titulares de periódico y especias, escribí un largo poema con el título de «Cabeza de jabalí», en el que hacía hervir desde luego las especias tradicionales, pero una y otra vez añadía una punta de cuchillo de rabia coagulada, espesa y residual, y no escatimaba ira y cólera, que brotaban de debajo de las piedras en aquellos tiempos de impotencia ante los poderes que ejercían la violencia, y que luego ayudaron a los llamados revolucionarios del «Sesenta y ocho» en sus pancartas rojas de ira y cólera.

Sin embargo, al deshuesar la mitad de la cabeza, el alumno seguía al Maestro. Con ambas manos en el aire inmóvil él nos mostraba cómo, después de cocer la carne, había que enfriarla, quitar la grasa, de los huesos y el hocico, de los cartílagos, y raspar la gelatina del lóbulo de la oreja y de la piel, especialmente gelatinizables, porque él nunca gesticulaba en vano. Trabajaba con la imaginaria mandíbula, sacaba del cráneo con una cuchara el cerebro cuajado, vaciaba las cuencas de los ojos, nos mostraba la lengua separada del gaznate, levantaba el carrillo liberado de la capa de grasa —un auténtico trozo— y comenzaba, mientras cortaba vivamente en cuadraditos lo obtenido, a enumerar todo lo que, junto a un magro pedazo de pecho o cogote antes añadido, debía ir a parar al caldo que seguía hirviendo: puerros finamente cortados, pepinillos en vinagre en rodajas, granos de mostaza, alcaparras, cáscaras de limón ralladas y pimienta negra gruesa machacada.

Y, después de haber picado pimiento verde y rojo —«pero no del picante»—, en cuanto había vuelto a hervir otra vez todo, la carne en taquitos y los ingredientes amontonados, echaba solemnemente para terminar vinagre, como si vertiera agua bendita del fantasma de una damajuana, en la olla llena hasta el borde; no demasiado poco, porque, como era sabido, el vinagre, frío, pierde sabor.

—Ahora, por favooor, metemoz todo en una fuente de barro, ponemoz en lugar frezco y ezperamoz y ezperamoz con pizca de paciencia, de éza tenemoz baztante.

Durante una larga pausa, en la cual nuestra imagen ideal de una cabeza de jabalí podía gelatinizarse por sí sola y sin ingredientes ajenos, y mientras al aire libre, fuera de la antigua unidad veterinaria, con tiempo primaveral constante, se estudiaban vocablos latinos y, en otros cursos, fórmulas matemáticas, el Maestro fue mirando uno por uno a sus espectadores, víctimas de su magia.

Para que no surgiera ninguna incredulidad, parpadeó un poco, como si también el Maestro despertara entonces del sueño calórico, y dijo, no, masculló con la entonación del ya citado actor de cine:

—Ahora eztá lizto. Ya no tiembla en fuente. Eztá, por favooor, firme para que zeñorez pazen a meza.

Tras otra pausa y repetidos parpadeos, pareció tener el futuro en la punta de la lengua:

—Luego eztará bueno también para dezayuno, cuando todo mejor y baztante cerdo haya.

De todo lo que se perdió, me duele especialmente la pérdida de los cuadernillos. Poder citarlos me haría más digno de crédito.

¿O es que acaso no tomaba notas mientras el Maestro hervía, deshuesaba, separaba y cortaba en taquitos la carne, amontonaba los ingredientes, y además echaba solemnemente el vinagre, como una ceremonia sagrada?

¿Era mi papel de escribir de la reserva de Marienbad, en cuyas hojas sólo había garabateado normalmente poemas que palpaban la carne de las chicas o dibujado los rostros arrugados de soldados veteranos, demasiado precioso para escribir profanas recetas de cocina?

A esas preguntas viene rápidamente una respuesta: fuera el papel el que fuera, con huellas o no de goma de borrar, al mirar hacia atrás me veo con un lápiz volador.

Y me oigo tragar, rico en saliva, lo mismo que también tragaban seguramente los otros alumnos del curso de cocina para dominar el ruido constante de su corroedora interior.

Por eso, las lecciones del Maestro están para mí como grabadas, de forma que más tarde, o, tal como dijo el jefe de cocina de la Besarabia como pronóstico seguro, cuando se pudo comprar «baztante cerdo», no sólo llevé al papel aquel poema que celebraba la gelatina de cabeza de cerdo, sino que supe también alegrar a mis huéspedes —vivos o de épocas anteriores— con ollas gelatinizadas hasta el borde. Al hacerlo, rara vez he dejado de hablar, en esta o aquella variante, a los comensales de que se tratara —una vez fueron invitados, además de los editores de la colección popular *El cuerno mágico del muchacho,* los hermanos Grimm y el pintor Runge—, de aquel curso de cocina abstracto pero que predominó sobre el hambre.

Me gustaba variar el lugar de origen del *Chef:* unas veces venía del Banat húngaro, otras era Czernowitz su ciudad natal, en donde pretendía haber conocido al joven poeta Paul Celan, que entonces se llamaba todavía Antschel. Y, después de la Bukovina, pudo ser otra vez la Besarabia la región de su cuna. Tan dispersos vivían los *Beutedeutschen,* hasta que, como consecuencia del pacto de Hitler y Stalin, fueron devueltos a casa.

Unas veces la carne en gelatina llevaba como guarnición patatas salteadas. Otras sabía bien acompañada simplemente de pan negro. Mis cambiantes invitados, entre los que había llegados de ultramar y europeos como el trío de estrellas socialdemócrata Brandt, Palme y Kreisky, o amigos del tempotránsito barroco —Andreas Gryphius, para quien todo era vanidad, y Martin Opitz, antes de que se lo llevara la peste, pero también la madre Courasche con Grimmelshausen, cuando éste todavía se llamaba Gelnhausen—, rara vez dejaban que sobrara nada de la gelatina de cabeza de cerdo. Unas veces, se servía como entremés, otras como plato principal. Sin embargo, la receta seguía siendo la misma.

Mi Maestro pudo hablar mucho aún de cerdos, verracos y lechones, y de su aprovechamiento, durante la hora doble, que rápidamente pasaba. De que en su casa se cebaba a ese animal de bellota con mazorcas de maíz, «choclo», de que en su país había robledos especiales para alimentar a los cerdos, de que la bellota daba carne firme y no demasiado grasa, de que, sin embargo, la capa de grasa del cerdo no debía despreciarse, por lo que la pella de los riñones y del vientre se derretía para hacer chicharrones, y de que con el hígado, corazón y pulmones del cerdo, pasados por la máquina de picar, se podían —como en la matanza con la sangre del cerdo— hacer salchichas —«Pero, por favooor, con mejorana»—, y de que el ahumado de tocino y jamón era un arte suprema.

Cuando todos, yo también, creíamos estar ya suficientemente iniciados y saciados de palabras, dijo para terminar:

—Bueno, zeñorez, hemoz terminado con cerdo. Pero pazado mañana noz divertiremoz una pizca, no hablaré máz de cerdo. Noz ocuparemoz de todaz avez de corral. Dezde ahora puedo decir: «¡Ningún ganzo zin artemiza!».

¿Fue realmente dos días después cuando su frase se convirtió en símbolo de todo lo que iba bien con una oca rellena? Probablemente pasaron días antes de que me absorbiera de nuevo el espacio embaldosado, hasta hoy resonante, de la antigua unidad veterinaria. Días en los que no ocurría nada más que la historia interminable de aquella hambre rumiante, si se prescinde de los rumores que recorrían rápidamente el campamento y retoñaban.

Se temía la transferencia de todos los reclusos de la Alemania oriental a la Potencia de ocupación soviética. Regimientos enteros de cosacos que habían luchado a nuestro lado habían sido entregados, se decía, por los ingleses a los rusos, por lo que, para evitar la venganza soviética, grupos de familias enteras se habían dado la muerte.

Luego se murmuró otra vez sobre liberaciones en masa inminentes. Y entremedias se hablaba del transporte de los reclusos más jóvenes del campo para reeducarlos: «¡A los Estados Unidos!». Allí, se burlaban los soldados de más edad, nos exorcizarían el joven nazismo que nos quedaba.

El que más duró, como bulo de letrina, fue el rumor de un rearme ya proyectado, ahora decidido y próximamente real de todos los prisioneros de guerra desarmados. Y en concreto con material norteamericano:

—Tanques Sherman y cosas así...

Oí fanfarronear a un sargento:

—Está claro, a partir de ahora estaremos con los yanquis —decíamos ya yanqui y yanquis— contra los ruskis. Nos necesitan. No lo conseguirán sin nosotros...

Se le daba la razón. Que en algún momento empezaríamos contra los rusos era claro como el agua. Habrían tenido que preverlo ya antes, cuando los ruskis estaban todavía detrás del Vístula. Sólo ahora, desde que Adolf había desaparecido y también los restantes capitostes, Goebbels y Himmler, qué sé yo, o los habían trincado como a Göring, nos querían de nuevo.

—Bueno, nuestra experiencia en el frente como baluarte contra la marea roja. Sabemos lo que es luchar contra los ruskis, sobre todo en invierno. De eso los yanquis no tienen ni idea.

—Que no cuenten conmigo. Antes me largo. Dos años ante Leningrado, luego los pantanos de Pripyat, y para acabar junto al Oder, ¡ya está bien!

Sin embargo, también ese rumor que apuntaba al futuro —porque pocos años después, cuando Adenauer aquí, Ulbricht allá se habían vendido a los vencedores, hubo este y aquel ejército alemán— se fue disipando con el tiempo, sin dejar de estar por completo fuera de la circulación.

No obstante, ni siquiera cuando los más febriles rumores de letrina seguían encontrando oyentes y correveidiles —y algunos oficiales empezaban a limpiar ya sus condecoraciones— pudo detenerse la necesidad en todo el campamento de una instrucción general y específica, de una edificación a prueba de Biblia y de un disfrute intelectual. Por lo que a mí y a mis compañeros se refiere, ninguno quería salvar, con uniforme americano, a Occidente ni a quien fuera. Seguíamos entregándonos pacíficamente a la anestesia culinaria del hambre corroedora.

Sin duda por ello tengo la impresión de que las dos horas sobre el tema de la oca, al mismo tiempo o poco después del aprovechamiento del cerdo, han sido convenientes para mi arte culinario luego plenamente disfrutado, y además decisivas para su desarrollo ulterior. Porque en retrospectiva me veo por una parte como un chico cohibido, que acariciaba con insistencia sus difusas ansias, y por otra como un cínico prematuramente envejecido que había visto muertos despedazados y soldados ahorcados columpiándose. Como gato escaldado, cuya fe en lo que fuera —Dios o el Führer— había quedado reducida a nada, para mí, prescindiendo de mi cabo, que cantó conmigo en el bosque oscuro «Hans pequeñito», había una sola autoridad: la de aquel hombre flaco y ya canoso cuyas cejas estaban pidiendo ser peinadas. Él sabía, con palabras y gestos, quitar a mi hambre su aguijón, aunque sólo fuera por unas horas.

Por eso nuestro jefe de cocina, que, para enseñarnos sin duda, puso aún otros animales de matadero bajo nuestro cuchillo, preparando carne de venado adobada y esto o aquello para salchichas, así como pescado y animales de paso de cangrejo para su degustación, se me ha quedado presente de tal modo como fuerza evocadora, que todavía hoy, en cuanto mecho una pierna de cordero con ajo y salvia o quito la áspera piel a una lengua de ternera, me mira por encima del hombro.

Y así fue también segura su magistral dirección cuando, con respecto a una vaciada oca de San Martín, a la que estaba invitado una noche como huésped el filósofo Ernst Bloch, en la Niedstraße de Friedenau, tuve que elegir entre un relleno de manzanas o el relleno de castañas recomendado por el Maestro. Como quiera que me decidiese, el alumno estaba ya vacunado con la exhortación «¡Ninguna oca zin artemiza!».

En aquella época, hacia finales de los sesenta, cuando la revolución, gracias a muchos signos admirativos, se afirmaba al menos sobre el papel, di preferencia a las castañas. A Bloch le tocó en el plato, además de media pechuga y un ala, el hueso de la suerte, lo que lo animó enseguida a extenderse. Elogió el relleno de castañas y durante la comida nos contó a Anna y a mí, y a cuatro asombrados niños, unas veces a cámara acelerada y otras a cámara lenta, su cuento inacabable del hombre inacabado, en cuyo transcurso pasó de Thomas Müntzer a Karl Marx y, como derivación de su mensaje mesiánico, a Old Shatterhand y por lo tanto a Karl May, y luego fue Moisés quien tronó desde la montaña; de pronto tarareó un motivo de Wagner, luego recordó el origen oral de la literatura, quitó murmurando a la marcha erguida algunos obstáculos del camino y finalmente, después de diseccionar otro cuento —¿fue *Hänsel y Gretel*?—, levantó el roído hueso de la suerte, ordenó resplandecer a su cabeza de profeta y evocó su principio, frecuentemente citado, para entonar enseguida un panegírico de las historias embusteras, en general y en particular.

Los niños que había en la mesa —Franz, Raoul, Laura y el pequeño Bruno— tenían la boca abierta y escuchaban a nuestro especialísimo invitado tan crédulamente como yo, en otro tiempo, escuchaba a mi Maestro, el jefe de cocina de la Besarabia que recomendaba la artemisa para todo relleno de oca.

De pronto desapareció. No había ya jefe de cocina que, con sus gestos de invitación —«por favooor, zeñorez»—, pudiera calmar nuestra hambre. Se dijo que, por orden de muy alto, lo habían trasladado. Se le había visto por última vez en un *jeep,* sentado entre dos policías militares de casco pintado de blanco.

Al mismo tiempo surgieron rumores. El general Patton, que mandaba el Tercer Ejército de los Estados Unidos y cuyo odio a los rusos expresado en toda clase de discursos había alimentado aquel bulo de las letrinas según el cual se nos necesitaba, rearmados, para un renovado frente del Este, aquel, ay, tan previsor general había hecho llamar al jefe de cocina de fama internacional como cocinero particular, a fin de que cocinara para él y para sus invitados de alto rango.

Cuando, más tarde, el general Patton murió, presuntamente en un accidente, se reavivaron los rumores: habría sido asesinado, quizá envenenado. Como mezclado en aquel asesinato, habían detenido a su cocinero personal, nuestro Maestro de la cocina virtual. Con él pusieron también a buen recaudo a otros agentes y personajes sospechosos. No obstante, por consejo de un especialista alemán en asuntos del servicio secreto, el proceso contra los conjurados y el correspondiente sumario se habían mantenido bajo llave. Es decir, un material para una novela o película con el que se hubiera podido cocinar algo.

Sin embargo, por lo que a mí respecta, el hambre, apenas hubo desaparecido el Maestro y presunto cocinero personal, comenzó a corroerme con dientes más afilados. Sólo entonces me atrajo esbozar el guión de una película policíaca, en cuyo transcurso el arte culinario sudoriental europeo pone al general Patton de humor fanfarrón y evocador de una nueva guerra, pero sin embargo también en peligro a mi Maestro, porque el vocinglero amante de la guerra no sólo es para la NKVD rusa una molestia que hay que eliminar, sino que los servicios secretos occidentales piensan igualmente que hay que poner remedio: Patton habla demasiado, demasiado alto y demasiado pronto. Patton no tiene paciencia. Patton tiene que desaparecer, aunque sea con ayuda de una oca rellena, en la que, en lugar de artemisa, otra hierba aromática...

Según el guión, así se podrían poner a prueba las reglas de juego de la guerra fría, y describir minuciosamente el momento en que nació la «Organización Gehlen», como semillero del Servicio de Información alemán, que pronto comenzaría a funcionar, y favorecer además la industria del cine.

Sólo después de haberse disuelto en parte el campamento de los terrenos del campo de maniobras de Grafenwöhr y haber sido trasladados nosotros a finales de mayo, en camiones, al campo al aire libre de Bad Aibling, en la Alta Baviera, en donde vivimos en agujeros en el suelo bajo lonas de tienda, hasta que pocas semanas después nos repartieron, llevándonos a campos de trabajo, disminuyó el hambre, porque, con ayuda de mis mercancías de intercambio, los alfileres del Muro del Oeste, que resplandecían como plata, conseguí mejorar las raciones matutinas, pobres en calorías, de Morgenthau.

La contrapartida, cigarrillos americanos, resultaba para mí, a quien el tabaco no podía tentarme aún, especialmente lucrativa. A cambio se conseguía pan y manteca de cacahuete. Una lata de *corned beef* de un kilo aparece arrastrada por mi recuerdo. Además, gruesas barras de chocolate. También pretendo haber recibido a cambio una gran provisión de cuchillas de afeitar Gillette, indudablemente no para mi propio uso.

Una vez —todavía en el gran campo de Bad Ai-bling—, tres cigarrillos Camel me reportaron una bolsita de comino que mastiqué recordando la carne de cerdo con col y comino: una receta del desaparecido Maestro.

Y di del comino obtenido a mi compañero, con el que, con lluvia persistente, me acurrucaba bajo una lona y, con tres dados, me jugaba quizá nuestro futuro. Ahí está, se llama Joseph, me habla con insistencia —de forma imperturbablemente baja, incluso suave— y no puedo olvidarlo.

Yo quería ser esto, él quería ser aquello.

Yo dije que había varias verdades.

Él dijo que sólo había una.

Yo dije que no creía ya en nada.

Él acumulaba un dogma sobre otro.

Yo exclamé: Joseph, no querrás llegar a Gran In-quisidor o más alto aún.

Él conseguía siempre más puntos a los dados y ci-taba, al lanzarlos, a San Agustín, como si lo conociera en versión latina.

Así hablábamos y jugábamos día tras día, hasta que, un día, como estaba en su casa en terreno bávaro, fue puesto en libertad, mientras que yo, como no tenía una dirección postal segura y, por consiguiente, un lugar, fui primero al despioje y luego a un campo de trabajo.

Y allí se divulgaron dos acontecimientos que a no-sotros, los POW, nos afectaron de distinta forma: por una parte, se habló del lanzamiento de dos bombas atómicas sobre ciudades japonesas cuyo nombre no había oído an-tes. Aguantamos el doble golpe, porque más palpable y, para nosotros, más real fue el otro suceso: la cura de adel-gazamiento dispuesta por Morgenthau, el político ameri-cano, se suprimió a finales del verano. Pasamos a más de mil calorías. De nuestra ración formaba parte incluso un octavo de libra de embutido.

En adelante pudimos considerarnos más satisfechos que todos los que, fuera de las alambradas, exhibían su hambre en el mercado negro. Por las brigadas de trabajadores que limpiaban montañas de escombros en Augsburgo y Múnich supimos que los paisanos hacían allí cola para conseguir lo poco que podía conseguirse aún en panaderías y carnicerías. A ellos se les daba la libertad, con raciones cada vez más escasas; a nosotros, tras la cerca del campo, cada vez nos iba mejor y mejor. Se adaptaba uno; con la falta de libertad uno se sentía protegido.

Muchos prisioneros de guerra, sobre todo aquellos cuyo lugar de nacimiento estaba en zonas ocupadas por rusos o polacos, temían incluso ser puestos en libertad. Posiblemente yo era uno de ellos. Sin noticias de padre o madre —¿habrían huido a tiempo con la hermana de Danzig, o se habrían ahogado a bordo del *Gustloff*?—, me veía tentativamente sin padres, apátrida, como desarraigado. Me complacía en la autocompasión, ensayaba papeles, me trataba a mí mismo como huérfano. En especial de noche, sobre el colchón de paja.

Por suerte había compañeros de la misma edad en situación parecida. Sin embargo, más que mamá y papá echábamos en falta lo que de forma insatisfactoria podía soñarse con contornos femeninos: como alternativa hubiéramos podido hacernos maricas. Y a veces, no, con frecuencia nos tocábamos mutuamente, nos toqueteábamos.

Luego mejoró otra vez la situación. Con mi inglés escolar, que utilizaba sin inhibiciones en toda ocasión para que se americanizara, fui destinado a un destacamento de trabajo que, en la zona de cuarteles del aeropuerto de Fürstenfeldbruck, tenía que ocuparse de lavar los platos de la cocina de una compañía de la US Air Force. También nos incumbía pelar patatas y limpiar zanahorias. Todas las mañanas nos llevaba el camión a un lugar que sólo hubiera podido encontrarse en los cuentos, concretamente en el país de Jauja.

Un grupo de DP, como se llamaba a las *displaced persons* por las letras que, como abreviatura, llevaban en la espalda, había encontrado allí también trabajo como brigada de lavado y planchado. Media docena de jóvenes judíos, que, ayudados únicamente por el azar, habían sobrevivido a diversos campos de concentración y querían todos irse a Palestina, aunque no se lo permitían.

Como nosotros, se asombraban de la cantidad de restos de comida, montañas de puré de patata, grasa de tocino frito y esqueletos de pollo a los que sólo faltaban pechuga y patas, que iban a parar día tras día a los cubos de basura. Como contemplábamos mudos aquel desperdicio, cabe suponer sentimientos encontrados. ¿Podría ser que el espejo en el que, hasta entonces, había visto yo, idealizado, el retrato del vencedor tuviera de pronto una fisura?

Es cierto que a los judíos y a nosotros, de la misma edad, nos correspondían restos suficientes, pero con eso terminaba lo que teníamos en común. Vigilados sólo de forma relajada, nos peleábamos verbalmente en cuanto las pausas del trabajo nos daban oportunidad. Los DP hablaban casi siempre entre ellos en yiddish o polaco. Cuando sabían palabras alemanas, eran *«Raus! Schnellschnell! Stillgestanden! Fresse halten! Ab ins Gas!»* («¡Fuera! ¡Deprisadeprisa! ¡Alto! ¡Cállate la boca! ¡A la cámara de gas!»). Recuerdos verbales de una experiencia que nosotros no queríamos admitir.

Nuestro vocabulario se componía de un alemán de soldado que repetíamos como loros: «¡Sinvergüenzas! ¡Meones! ¡Habría que meteros en cintura!».

Al principio, los yanquis se reían de nuestras peleas verbales. Eran GI blancos para quienes lavábamos los platos. Insultaban a los GI de la compañía vecina llamándolos *niggers*. Los jóvenes judíos y nosotros lo oíamos todo en silencio, porque nuestra pelea se desarrollaba en un campo cultivado de otra forma.

Luego nos abordaron pedagógicamente. Sin embargo, el *education officer* americano, alguien con gafas y voz suave que llevaba siempre camisas recién planchadas, se esforzaba en vano, sobre todo porque nosotros, es decir, también yo, no queríamos creer lo que nos mostraba: fotos en blanco y negro, imágenes de los campos de concentración de Bergen-Belsen, Ravensbrück... Veía montañas de cadáveres, los hornos. Veía hambrientos, muertos de inanición, supervivientes reducidos a esqueletos de otro mundo, increíble.

Nuestras frases se repetían:

—¿Y dicen que eso lo han hecho los alemanes?

—Eso no lo han hecho nunca los alemanes.

—Algo así no lo hacen los alemanes.

Y entre nosotros decíamos:

—Propaganda. Todo es sólo propaganda.

Un albañil cualificado que, para su reeducación, fue enviado con nosotros, que pasábamos por ser jóvenes nazis, a una breve visita a Dachau, dijo, después de que nos llevaron de un departamento a otro por el campo de concentración:

—¿Habéis visto las salas de duchas, supuestamente para el gas? Estaban recién enlucidas, seguro que las han construido los yanquis después...

Pasó tiempo hasta que comprendí a empujones y admití vacilante que, sin saber o, mejor, sin querer saber, había participado en un crimen que con los años no disminuye, que no quiere prescribir y que todavía padezco.

Como del hambre, puede decirse de la culpa y de la vergüenza que la sigue que es algo que corroe, corroe incesantemente; sin embargo, sólo he pasado hambre a veces, en cambio la vergüenza...

No fueron los argumentos del *education officer* ni las fotos extremadamente claras que nos presentaba los que hicieron flaquear mi obstinación, sino que mi blo-

queo cayó sólo un año más tarde cuando oí en la radio
—nosédónde— la voz de mi antiguo dirigente juvenil del
Reich, Baldur von Schirach. Poco antes de leerse la sentencia, los acusados en Núremberg como criminales de
guerra pudieron hacer uso de la palabra por última vez.
Para disculpar a las Juventudes Hitlerianas, Von Schirach
aseguró que ellas no habían sabido nada, y que él, sólo él,
había tenido conocimiento del exterminio planificado y
realizado como solución final de la cuestión judía.

A él tuve que creerlo. A él le creo todavía hoy. Sin
embargo, mientras estuve en el destacamento de cocina
como lavaplatos e intérprete, seguí obstinado. De acuerdo,
habíamos perdido la guerra. Los vencedores nos habían
superado en número, tanques y aviones, y además en calorías. Pero ¿y las fotos?

Nos peleábamos con los judíos de nuestra edad.

—¡Nazis, so nazis! —gritaban.

Nosotros les respondíamos:

—¡Largaos a Palestina!

Luego volvíamos a reírnos, unánimes, de aquellos
norteamericanos raros, incluso cómicos, sobre todo del
education officer que inútilmente se esforzaba y al que po-
níamos en apuros preguntándole por el audible trato des-
pectivo de los *niggers*.

En cuanto nos hartábamos de pelear, hablábamos
obscenamente de mujeres, imágenes intangibles. Porque
no sólo los POW sino también los hijos supervivientes de
padres judíos asesinados estaban hambrientos de sus res-
pectivas chicas ideales. Los yanquis, que exhibían por todas partes sus *pin-ups,* nos parecían ridículos.

Una o dos veces, uno de los DP, al que los otros
llamaban Ben, me pasó una lata, llena hasta el borde de espesa grasa de asado, sin decir palabra, poco después del
control y antes de que subiéramos a la parte de atrás del camión, porque en realidad estaba prohibido llevar al campamento restos de comida.

En retrospectiva, Ben está ante mí con pelo rojo y rizado. De Ben y Dieter trataba un discurso que, en marzo del sesenta y siete, pronuncié en Tel Aviv. Me había invitado la universidad. En aquella época yo tenía treinta y nueve años y pasaba por aguafiestas debido a mi tendencia a llamar por su nombre a todo lo mucho tiempo silenciado.

Mi discurso llevaba el título de «Discurso sobre la habituación». Lo pronuncié en alemán, porque los oyentes eran en su mayoría judíos de ese origen. A lo largo del discurso hablé de Ben y Dieter, de los enfrentados destacamentos de lavado de platos y cocina, y del *education officer*, que trataba de mediar entre los grupos en discordia.

En mi manuscrito se llamaba Hermann Mautler, había tenido que huir en el treinta y ocho de Austria, había emigrado a los Estados Unidos, pasaba por historiador de carrera y creía en la Razón. Mi relato, cosido en el discurso que pronuncié ante un público sobreviviente, hablaba detalladamente de su fracaso. Y cuando hoy, después de casi cuatro decenios de distancia, lo leo, me parece como si su fracaso fuera similar a mi inutilidad.

El nombre de Hermann Mautler es desde luego inventado, pero aquella frágil persona, que no sé ya cómo se llamaba realmente, me resulta más clara que aquel muchacho obstinado que trato de reconocer en una imagen temprana de mí mismo; porque también el Dieter de mi relato es sólo una parte de mí.

Así se mantienen frescas las historias. Al ser incompletas, tienen que ser inventadas con más detalle. Nunca están acabadas. Siempre aguardan la oportunidad de ser continuadas o contadas a contracorriente. Como la historia de Joseph, el chico bávaro que ya muy pronto fue puesto en libertad en el gran campo de Bad Aibling y con el que, durante largos días, aplasté piojos, comí cominos con lluvia bajo una lona y aposté por nuestro futuro. Una persona suave que creía tener siempre razón. De él hay que hablar una y otra vez, porque ese Joseph, desde que era monaguillo, escribía poemas igual que yo, aunque sus planes para el futuro eran muy distintos...

Sólo la historia de Ben y Dieter puede terminar, porque el destacamento de cocina, en el otoño, poco antes de que cumpliera yo los dieciocho, fue relevado por un grupo de soldados de más edad. Los DP permanecieron aún cierto tiempo, probablemente hasta que consiguieron encontrar la salida hacia Palestina, en donde los aguardaban, en calidad de promesa, Israel como Estado y una guerra tras otra.

Es posible que el *education officer* escribiera luego un libro sobre los problemas especiales de los reclusos púberes de campos de prisioneros de diferente procedencia y sobre su propio y valeroso fracaso. A mí, sin embargo, el cambio de campo me ayudó a conseguir algo que no conocía, llamado libertad.

Sólo unos pocos alfileres del Muro del Oeste aún y, como reserva, el paquete de cuchillas de afeitar formaban parte de mi equipaje cuando, a principios de invierno, fui transportado con otros a las landas de Lüneburg. Fuimos en camiones del ejército por autopistas vacías a través de un paisaje ondulado y luego llano, que se extendía abarcable y pacífico. Nos trasladaban para soltarnos, se decía. De vez en cuando, puentes volados sobre la autopista o los restos de un tanque recordaban espantos que habían quedado atrás. Apenas llegados, ocupamos barracones en el campo de Munster.

Los guardianes ingleses se interesaron por una parte de mis restantes mercancías de intercambio: los bonitos búnkeres de la Línea Sigfrido. Y cuando luego, con un papel estampillado, desinfectado yo y provisto de mi última ración diaria, me soltaron en la zona de ocupación británica, entré en un extenso cercado, bordeado de ruinas: en él debía ponerse a prueba la desconocida libertad.

Lo que a primera vista engaña: al pelar la cebolla comienzan los ojos a inundarse. Por eso se enturbia lo que con la vista clara sería legible. Más claramente encierra mi ámbar con firmeza lo que se puede reconocer como inclusión: de momento como mosquito o diminuta araña. Luego, sin embargo, otra inclusión podría recordar la astilla de granada que tengo encapsulada en el hombro, como *souvenir,* por decirlo así.

¿Qué me ha quedado aún de la guerra y de la época de la vida en los campamentos, salvo episodios que se han reducido a anécdotas o que, como historias verdaderas, quieren permanecer variables?

Al principio incredulidad cuando las imágenes, en blanco y negro, me espantaron, luego enmudecimiento. Además, lecciones que me enseñaron el miedo y el hambre. Y, gracias al curso de cocina sin accesorios —si se prescinde de la pizarra y sus rastros de tiza—, puedo imaginarme lo que deseo con insistencia, incluso lo inalcanzable, con su olor y su ruido ambiental. Más aún: aprendí a tener invitados a la mesa que vienen en largo viaje de un tiempo lejano, a los que echo de menos como tempranamente fallecidos —por ejemplo los amigos de mis años jóvenes— o que siguen hablando sólo desde libros, declarados muertos aunque están vivos.

Me traen noticias de otro planeta, se pelean todavía en la mesa o quieren, con ayuda de historias embusteras que se fingen piadosas, ser salvados, porque se solidificaron en imágenes de piedra medievales.

Más tarde extendí mi tempotránsito y escribí la novela *El rodaballo,* en cuyo desarrollo invito a huéspedes de cualquier siglo a sentarse a mi mesa para que puedan ser servidos: arenques de Escania en la época gótica de Dorotea, callos como comida de condenado a muerte, que la abadesa Margarete Rusch supo cocinar para su padre, bacalao con salsa de eneldo como el que rehogaba la doncella Agnes para el enfermizo poeta Opitz, la sopa de patata de Amanda para el «Tío Fritz», y también el relleno de setas de la cabeza de ternero de Sophie, al que el general Rapp, gobernador de Napoleón, sólo con suerte escapó, y los riñones con salsa de mostaza de Lena Stubbe, cuando August Bebel fue su invitado y ella le presentó su *Libro de cocina proletaria...*

En aquella época, cuando interiormente el hambre corroía, escuché atentamente a mi Maestro. En cuanto hubo ingredientes en oferta, las sopas de aire, las albóndigas de nubes y las gallinas de viento aparecieron en el menú. El «yo» que perdí en mis años jóvenes debió de ser un recipiente vacío. Sean quienes fueren quienes lo llenaron, un cocinero de la Besarabia fue uno de ellos. Con él, que decía «por favooor, zeñorez», me volvería a sentar con gusto a la mesa.

A cielo abierto y bajo tierra

Ya no hay alambradas que impongan al campo visual líneas horizontales y verticales. Él o yo, con equipaje ligero en el que había dos libras escasas de té cambalacheado, fuimos transferidos a algo que se llamaba libertad y que, como espacio para moverse, se limitaba a la zona de ocupación británica.

Sin embargo, ¿quién había dado libertad a quién? ¿Cómo se podía utilizar ese regalo? ¿Qué prometía esa palabra de tres sílabas que, con ayuda de los epítetos que se quisiera, se podía interpretar, ampliar, estrechar, incluso convertir en lo contrario?

Trocitos de recuerdo, clasificados de una forma u otra, encajan dejando huecos. Yo dibujo la silueta de una persona que sobrevivió casualmente, no, veo una hoja manchada, por lo demás en blanco, que soy, podría ser o quisiera ser yo, el esbozo impreciso de una existencia posterior.

Alguien que sigue peinándose con raya a la izquierda y tiene unmetrosetentaydós de altura. Alguien con ropa militar de color, que entretanto se afeita una vez por semana la pelusilla y ante quien se abre ahora la libertad ofrecida: un terreno intransitable. De todas formas, arriesga en él los primeros pasos.

Además, se congracian imágenes ideales —el joven serio, meditabundo, que busca entre las ruinas un sentido—, que son desechadas con vacilación.

De momento no consigo fijar en la pared un retrato de mi estado de entonces. Hay demasiado pocos datos seguros. Tengo dieciocho años. Sin falta de peso en el momento de mi puesta en libertad. Estoy libre de piojos y me muevo sobre suelas de goma de zapatos norteamericanos de cordones y, mirándome en el espejo retrovisor, no tengo mal aspecto.

Sin embargo, no se sabe si mis muecas juveniles han desaparecido en el curso de la vida cotidiana del campo. Mis posesiones se componen sólo del acaparado té inglés, con su exótico embalaje, que quien sigue sin fumar ha obtenido a cambio de cigarrillos y de plateados alfileres de adorno, y de una enorme reserva de cuchillas de afeitar cambalacheadas. Éstas, con algunos chismes y papeles garabateados, llenan el zurrón del pan. ¿Y qué ilustra mi vida interior?

Parece como si a los impíos católicos todas las virulentas cuestiones de fe de la época les resultaran familiares y, al mismo tiempo, indiferentes. Sospechar en él un ateo escondido significaría atribuirle otra religión.

Él cavila. Lo que piensa no ofrece nada citable. Sólo exteriormente hay algo que no ha perdido color: por ejemplo los pantalones militares, así como un chubasquero norteamericano forrado, teñido de marrón rojizo. Su gorro de lana —igualmente de existencias del ejército de los Estados Unidos— calienta, verde oliva. Parece más o menos paisano. Sólo el zurrón del pan sigue siendo gris.

Para ser puesto en libertad, había tenido que dar una dirección, que me pasó Philipp, un compañero de mi misma edad, con saludos para su madre. Un granujilla guapo con hoyuelos en su rostro de ángel y cuya risa era contagiosa. Como yo, estaba dotado de aquella imprudencia que nos había convertido en voluntarios.

Él tuvo que quedarse en el campo de Munster y fue embarcado luego, con una columna de trabajo, hacia Inglaterra; yo pude salir porque, entretanto, en mi hombro izquierdo, la esquirla de granada, demostrablemente —gracias a los Rayos X— del tamaño de una judía, se había encapsulado. Hasta el día de hoy está allí encerrada:

mi recuerdo, comparable al escarabajo que, preso en el ámbar, sobrevive al tiempo. Siempre que, en calidad de zurdo, para demostrar, antes a Anna, ahora a Ute, lo que puedo hacer, tomo impulso para lanzar una piedra o una pelota, la esquirla envía señales perceptibles: ¡Deja eso! Estoy dormida. Me despiertas...

A diferencia de Philipp, fui considerado no apto para el trabajo subterráneo en las minas galesas de carbón. Había que asegurar a su madre que él llegaría más adelante, sin falta. Así, mi primer lugar de residencia en libertad, según certificación de la policía, fue Köln-Mülheim, un montón de ruinas en el que, de forma curiosa, habían sobrevivido aquí o allá los letreros de las calles. Estaban fijos a restos de fachadas o colgaban, como ángulos que indicaran el camino, de barras que sobresalían de la grava. En las montañas de escombros crecía diente de león que prometía florecer.

Más tarde, cuando vagabundeaba ilegalmente por la zona de ocupación norteamericana y francesa, como un perro, buscando algo de comer, un sitio donde dormir y —empujado por otra hambre— el contacto de piel con piel, fue ante los bastidores de ruinas de otras ciudades donde los letreros de las calles me indujeron a error o me llevaron por una grava bajo la que cabía suponer gente sepultada.

Despierto o soñando: todavía voy por senderos entre muros que quedan, me detengo, como si quisiera tener una vista panorámica, sobre escombros como montañas, y todavía me rechinan los dientes, porque el aire con polvo de piedra y mortero...

La madre de mi compañero, persona de aspecto de comadreja, con un peinado negro azulado teñido o auténtico, que fumaba incesantemente cigarrillos de larga boquilla, me introdujo sin contemplaciones en la práctica del mercado negro. Mermelada de cuatro frutas, miel artificial, manteca de cacahuete norteamericana, agujas de gramófono y piedras de mechero, y también pilas para linternas de bolsillo, todas pesadas y contadas por mí, se vendían sobre la mesa de la cocina. De paso, pude aportar como capital una parte de mis cuchillas de afeitar, y pronto dispuse de dinero. De la mañana a la noche venían clientes con mercancías intercambiables más o menos de igual valor: hasta las pieles, entre ellas un zorro plateado, podían cambiarse por mantequilla.

Entre el tráfico diario de personas, la hermana de Philipp bailoteaba, delicada como una muñequita, ante un público imaginado. Nacida de la espuma, era el reflejo de su hermano. Llevaba medias de seda con distintos sombreritos y olía a verde de mayo, pero sólo se la podía tocar con un deseo de dedos largos. ¿Puede ser que, al pasar flotando, me acariciara angelicalmente el pelo?

Como alternativa me metía en el cine y todavía lo veo, el Palacio del Cine que había quedado en pie entre las ruinas y que —lo mismo en tiempo de paz que de guerra— proyectaba como largometraje *Romanza en tono menor*. En los papeles principales, nombres en otro tiempo celebrados y por mí conocidos: Marianne Hoppe, Paul Dahlke, Ferdinand Marian, que había caído en descrédito por otra película: *El judío Süß*.

Romanza en tono menor, que durante semanas llenó el Palacio Tobis de Danzig, había ayudado ya al ayudante de la Luftwaffe a desear. Siempre, cuando, con la música de la pegadiza melodía «Una hora entre el día y los sueños», ella, la Hoppe, aparecía en cuadro... Ella ante el escaparate... Ella ante la tentación... Ella sola en su miseria... Su rostro impecablemente ordenado... La joya de su cuello... Su sonrisa rápidamente borrada... Una belleza, tan imperecedera...

Hace tres o cuatro años murió, con más de noventa años, el ídolo adorado de mi juventud.

Lo mismo que entonces los hambrientos ante las casetas de la Hohe Straße, hay ahora preguntas que hacen cola: bajo mi nombre, como estraperlista sin rumbo fijo, ¿traté durante ese tiempo, que me hizo inquieto, de prolongar mi época escolar interrumpida, con vistas al bachillerato?

¿Anhelaba una plaza de aprendiz y, si era así, de qué oficio?

¿Echaba en falta tan dolorosamente a padre, madre y hermana que los buscaba con regularidad en las listas que colgaban en las oficinas de empleo?

¿Sufría sólo por mí o por la situación del mundo y, en especial, por lo que, con mayúsculas o minúsculas, se llamaba la «culpa colectiva alemana»?

¿Es posible que mi sufrimiento se hubiera disfrazado sólo con la falta de padres y de patria, que me afectaba claramente?

¿Qué otras pérdidas había que lamentar?

La cebolla responde con capas en blanco: ni me veo probando suerte en un instituto en Colonia ni me atraía un puesto de aprendiz. No presenté ninguna solicitud de búsqueda en la oficina de registro de refugiados del Este y bombardeados. Es cierto que mi madre seguía siendo concebible como imagen inalterada, pero no la echaba en falta dolorosamente. Ninguna nostalgia del hogar me inspiraba versos. Ningún sentimiento de culpa me hormigueaba.

Preocupado sólo de sí mismo parecía aquel paseante sin rumbo entre las ruinas y las montañas de escombros, porque no podían encontrarse otros pesares; o bien ¿me refugié con mi dolor innombrable en el interior de la catedral de Colonia? Exteriormente estropeado, el coloso de dos torres quedó en pie cuando la ciudad, agrupada en torno a su majestuosidad, se convirtió en una llanura de escombros.

Lo único seguro es que, en la primavera, por mediación de la hermana de Philipp, a la que posiblemente comenzaba a resultar molesto, encontré trabajo en una granja, región del Bajo Rin, circunscripción de Bergheim/Erft. Debió de ser en la primavera. Insuficientemente adiestrado, me veo tropezando detrás del arado o llevando el caballo del ronzal, mientras el campesino traza los surcos. Arando de la mañana a la noche. Había suficiente de comer. Quedaba la otra hambre, que no podían calmar papilla ni puré, pero a la que alimentaba mi necesidad, haciéndola así más grande y más ofensiva.

Yo dormía en una habitación estrecha con un mozo retrasado mental. Es cierto que en la granja trabajaba como ordeñadora una chica, con un padre anciano que apenas servía para cebar los cerdos y cuyo alojamiento había sido impuesto por la autoridad, pero el campesino, al que pertenecían, además de los cerdos, doce vacas y cuatro caballos, había tomado ya posesión de la chica. Con su mujer iba sólo a la iglesia, domingo tras domingo, tan católico era él.

En mi cosmorama, que funciona sin pausa, está Elsabe, así se llamaba, alta y de huesos fuertes, ante la valla de la huerta, o en sombra a la puerta de la granja, o claramente iluminada entre bidones de leche. Ella, dondequiera que estuviera, fuera, se inclinara, era un cuadro. Su atractivo era tan grande que, sin duda, siguiendo su olor a establo, solté una docena de poemas que, rimados con traqueteo, me salieron fácilmente de la mano: garabateados con rapidez entre el entresacar nabos y el cortar leña.

La comarca ofrecía poco lirismo: unas veces, con luz del sol, un paisaje repartido en propiedades; otras desdibujado bajo la lluvia, que, salvo los campanarios de los pueblos, no permitía otras elevaciones.

De noche, el mozo que roncaba; durante el día, la voz estentórea del campesino, que retumbaba en la cuadrada granja, y además la docena de vacas, ordeñadas por una diosa de pestañas rubio platino. No se podía aguantar. De manera que seguí mi camino, insatisfecho por mucho que hubiera comido en la granja hasta hartarme: mi hambre restante —en la piel de cebolla está escrito en apretados renglones— era de otra índole.

Llegué hasta el Sarre, en donde la dirección de un compañero, que, como yo, había sido puesto en libertad en el campo de Munster, me garantizó transitoriamente un auténtico edredón de plumas en la buhardilla de una casita en la que vivía con su madre, la cual me acogió como si fuera otro hijo.

Eso suena hogareño, huele a seguridad, pero en el Sarre se pasaba hambre más lamentablemente que en otras partes. La Potencia de ocupación francesa quería castigar sin duda a posteriori a todos los sarrenses, no sólo a aquellos que, en el año treinta y cinco, habían votado por un «volver al Reich». La casita estaba, adosada, cerca de Merzig.

Con mi compañero, cuyo verdadero nombre de pila nunca me fue familiar —lo llamaban Kongo— y que quería irse pronto a la Legión Francesa —él se veía ya, bajo el cielo del desierto, luchando contra bereberes rebeldes—, viajé al interior en trenes repletos, hasta entrar en el Hunsrück, donde, decíamos, se acababa el mundo, tan melancólicamente se ondulaba aquella región.

Los viajes en tren de este tipo eran corrientes, se los llamaba viajes «de hámster». Con las cuchillas de afeitar y las piedras de mechero codiciadas en todas partes, que me habían dado en el mercado negro de Colonia por los restos de mi té inglés, conseguíamos patatas y repollos. Íbamos de granja en granja, y muchas veces salíamos con las manos vacías. Sin embargo, además de artículos de intercambio pesables o contables, yo tenía más cosas que ofrecer.

Cuando, frívolamente empático, leí el porvenir en la palma de la mano a una mujer de campesino evidentemente embarazada, que con su trabajador extranjero francés compartía satisfecha mesa y lecho, nos cayó como honorario, además del trozo de queso de oveja, un pedazo de tocino ahumado, tan contenta estaba la campesina, sentada a la mesa, porque yo había conseguido predecir, por las líneas de su mano, la ausencia, si no permanente sí larga, del campesino. Desde el cuarenta y tres pasaba por desaparecido en el frente del Este, pero seguía presente, como foto, en un marco de pie.

¿Dónde había aprendido yo aquella arte dudosa? ¿Era innata? ¿Había observado a los gitanos que pasaban la frontera del Estado Libre y, durante mi infancia, no sólo eran solicitados en las calles de Langfuhr como afiladores de tijeras y caldereros?

Habrá sido en el Alto Palatinado, donde, en el campo de prisioneros de guerra, como pasatiempo y para remediar el hambre real, me había inscrito en el curso de cocina abstracta y donde habré hecho también otro curso en el que la asignatura de quiromancia atraía a alumnos como yo.

Fuera innato, imitado o aprendido, en cualquier caso no debo de haber tenido escrúpulos cuando conseguí, en lo más profundo de Hunsrück, convocar el favorable desarrollo del futuro; tan claramente hablaban las líneas de la mano a favor de la campesina y de su compañero de mesa y lecho, siempre tímido en segundo plano; tan lucrativas y ricas en calorías resultaron mi artes quirománticas.

Y, sin embargo, no fue tocino el beneficio especial de aquel viaje «hámster» al Hunsrück. La cuñada de la campesina, que, por haber sido bombardeada en la Cuenca del Ruhr, había encontrado en la granja refugio y trabajo, me concedió un favor que no podía ponerse en un platillo de balanza ni contarse por unidades.

En realidad, era mi compañero Kongo quien la seguía adondequiera que fuese, pero no tuvo suerte. Bastante arañado y maldiciendo como un lansquenete, salió tambaleándose del corral de ovejas, pero sonriendo ya, porque era de carácter bonachón. Un tipo de anchos hombros, que tomaba las cosas como venían.

Para él la guerra había sido demasiado corta. Incorregible, buscaba aventuras. Y sin duda por eso le seguí la pista: cuando, a mediados de los cincuenta, el teatro estudiantil de Fráncfort representó mi primera obra de teatro, la pieza en dos actos *Crecida,* en ella aparecía un tipo de parecida constitución, como legionario que volvía a casa. Su compañero Leo lo llama Kongo. Han dejado atrás Laos e Indochina e interpretan ahora el papel de hijo pródigo...

Sólo en el camino hacia la siguiente estación de tren me di cuenta de mi suerte. La cuñada de la campesina nos ayudó a transportar a la estación, con una carretilla, el saco de patatas, los repollos, el trozo de queso de oveja, el pedazo de tocino que era nuestro botín y todo lo demás que habíamos acopiado como hámsters... ¿Una bolsa de judías pintas secas?

A la luz de la luna, anduvimos por un camino que, como sendero vecinal, ascendía ligeramente al principio y luego bajaba durante tres o tres kilómetros y medio; las distancias son como los lapsos de tiempo y sólo se recuerdan con moderada exactitud.

Kongo tiraba de la carretilla y no se dejaba relevar. Nosotros detrás, al principio mudos, pronto hablando como cotorras. Nos preguntábamos mutuamente las películas que habíamos visto, pero de ningún modo cogidos de la manita. A ambos, que eran de la misma edad, les había gustado una joven actriz a la que llamaban «la Knef», anticipándose a su fama posterior como estrella del firmamento cinematográfico. La película, que recientemente he vuelto a ver en algún canal de televisión regional, se llamaba *Bajo los puentes.*

Como el trenecito a Bad Kreuznach prometía llegar en un plazo de más de dos horas, Kongo se echó en uno de los bancos de la sala de espera, durmiéndose enseguida. Nosotros estábamos delante del cobertizo, al que unas letras descascarilladas identificaban como estación. La luna o las nubes tenían prisa. ¿Qué otra cosa se podía ver, decir, hacer o incluso sólo desear?

Entonces la joven mujer, que para mí era una chica, me pidió que la acompañara con la carretilla un trecho, no porque tuviera miedo, sino porque sí.

Debía de ser a principios del verano, cuando se acercaba la luna llena. A ambos lados del camino vecinal vimos, apenas terminada la siega, montones de heno apilado que, en el camino de ida, no me habían dicho nada. Con intervalos regulares, llegaban en fila hasta la linde del bosque, que limitaba el cielo como un ribete oscuro. Unas veces ensombrecían su orden las nubes, otras se volvían atractivos, resplandeciendo plateados. Tal vez, sin embargo, el heno amontonado nos había hecho ya su ofrecimiento al ir hacia la estación de ferrocarril. Ahora me parecía como si el aroma del prado segado se hubiera intensificado.

Apenas estuvimos a un tiro de piedra de la estación con el compañero dormido y las provisiones acopiadas —¿o necesitamos más distancia?—, yo dejé la vacía carretilla y ella me cogió de la mano. Ambos nos sentimos atraídos, desde el camino, por el montón de heno más cercano.

Y debí de ser yo quien se dejó llevar obedientemente al heno, porque Inge —y no sólo porque fuera la primera— ha seguido siendo para mí reconocible en no pocos detalles. Su rostro ancho, que parecía casi la luna llena, estaba poblado de pecas. Pero en el montón de heno no importaban. Bastante seguro es que sus ojos, que no cerró, eran más bien verdes que de color gris. Sus manos me parecieron grandes, ásperas de trabajar en el campo. Sabían cómo se me podía ayudar.

Naturalmente, el heno olía de un modo incomparable. Como yo era ansioso, porque estaba muerto de hambre, ella tuvo que enseñarme a ser más lento, menos violento, delicado como ella con todos los dedos.

Cuántas cosas había que descubrir. Lo que era húmedo y profundo. Todo estaba cerca, se podía tocar. Lo que blando o redondo encontraban mis dedos. Lo que cedía. Los ruidos y sonidos animales de que éramos capaces. Entonces el olor del heno se cerró sobre nosotros. Presos en él, intentamos repeticiones. ¿O fue suficiente una única vez? Sólo cabe esperar que el principiante se mostrara buen alumno.

¿Y entonces, después? Es de suponer que susurramos en el heno, alternativamente o sólo yo. Yanoséqué palabras susurradas podían encontrarse en un montón de heno. Sólo el hecho de que Inge hablase de pronto de forma realista, como si hubiera tenido que explicarse, quedó en el aire. Circunstancias familiares en la guerra. La casa adosada bombardeada al borde de la ciudad de Bochum. Su prometido había caído, allá abajo en los Balcanes, hacía dos años ya, porque allí había partisanos por todas partes. Como minero, hubiera debido ser irremplazable —declarado «imprescindible»—, pero lo mandaron enseguida a Stalingrado y, concretamente, a los pioneros. Sólo para adiestrarse a Groß-Boschpol, pero luego al frente y más tarde, como había escrito, nada más que a construir puentes en las montañas...

Ella dijo más cosas aún. Sin embargo eso ha desaparecido, también el nombre de su novio, que pronunciaba una y otra vez, familiarmente, por costumbre, como si estuviera a su lado.

¿Y fui yo de veras quien susurró en el montón de heno esto o aquello? ¿Quizá cosas profundas sobre el cielo estrellado? ¿Sobre la luna, en cuanto salía o se ocultaba? Tal vez algo poético recién cortado, porque siempre, cuando algo me desequilibraba, yo producía versos, rimados o sin rimar.

¿O tartamudeé cuando ella, algo preocupada o por simple curiosidad, me preguntó qué quería ser, profesionalmente y demás? ¿Dije ya en el heno: «¡Artista, seguro!»?

Por muy carnosa que reluzca la piel bajo la piel, de eso no sabe nada la cebolla. Sólo espacios vacíos en medio de un texto mutilado. A no ser que interprete lo que se sustrae como ilegible y me invente algo...

En mi recuerdo cubierto de residuos, cada vez diferentemente clasificados, hice o pretendo haber hecho reír a Inge con yanoséqué, pero ella a mí no; porque cuando el principiante que estaba a su lado, bajo la luna casi llena, se entristeció como un animal y no supo de qué ni por qué, de nada sirvieron las caricias y buenas palabras. Además, el olor del prado segado no parecía ya soportable.

Nuestro montón de heno estaba aplanado cuando nos levantamos, ella buscó sus bragas, yo me enredé con los botones del pantalón. Luego nos quitamos las briznas de paja, cada uno las suyas, supongo. Sin embargo, cuando ella comenzó a amontonar de nuevo el heno debidamente, la habré ayudado. Vista de lejos: una pareja que trabajaba de noche en el campo.

Luego, la sensación de desesperado aislamiento desapareció. No, no cantamos, ni tarareamos siquiera cuando ayudé a Inge a volver a alinear nuestra cama con los otros montones de heno: cuatro manos diligentes.

No es seguro si ella dijo: «Escríbeme una postal cuando quieras», al decir su apellido, que terminaba de un modo polaco, con *kowiak* o *ski*, como un nombre de futbolista de la Cuenca del Ruhr.

No hubo más. ¿O sí? Tal vez un titubeo, un pestañear. Luego nos fuimos en direcciones opuestas, ella con la carretilla vacía.

Sin duda fui yo quien, después de la primera vez, no se volvió ya, como si fuera un experto. Lo que había sido quedaba atrás. «No os volváis», aconseja una canción infantil y se llama un poema que más tarde, mucho más tarde, escribí.

Sin embargo, en el camino de vuelta largo o corto, alguien se olía los dedos de la mano izquierda, como si hubiera que tomar posesión enseguida en la memoria de lo que hacía unos minutos había sido todavía palpable.

Cuando me acurruqué en la sala de espera junto a mi durmiente compañero, cuyo rostro había arañado Inge, todavía tenía yo pegado el olor de ella y el del montón de heno. Y cuando luego, con nuestro botín acaparado, fuimos en dirección a Bad Kreuznach, Kongo sonreía largo tiempo de buen humor, pero sin decir nada guarro...

Hasta hoy. Aquella rápida partida me persigue. ¿Por qué aquella prisa? Como si, empujado por el miedo, hubiera tenido que largarme. Pasó tiempo hasta que por fin vino el tren. Pasó en vano.

Tardíamente trato de convencerme: ¿no hubieras podido con ella, se llamaba Inge, tumbarte en el siguiente montón de heno y —pronto hambriento otra vez— en otro más?

Sí, ¿por qué volver siquiera a aquel Sarre pobre en calorías? Hunsrück, aquella comarca, por católicamente olvidada de Dios que se ondulase, te hubiera podido resultar familiar poco a poco, convirtiéndose en material cinematográfico apropiado para una serie de varios capítulos.

Tu compañero Kongo habría puesto pies en polvorosa también sin ti, aunque con las patatas, los repollos, el trozo de queso y el contravalor de tu arte quiromántico; como la guerra no le había bastado, quería ir de todas formas a Argelia o Marruecos, para diñarla allí en honor de la Grande Nation.

Y a la mujer del campesino la habrías podido ayudar de vez en cuando, mediante una favorable interpretación de las líneas de la mano, a descansar en su cama sin preocuparse y previendo un parto sin complicaciones. Y si un día, sin embargo, el campesino perdido en Rusia hubiera aparecido ante la puerta de la granja... El retornado tardío... Fuera ante la puerta.

Muchas veces después he dado la vuelta a los montones de heno, a izquierda y derecha del campo, no tanto por aquella joven de ancho rostro, sobre el que reposaba la luz de la luna y que estaba poblado de innumerables pecas, como para buscarme a mí, el «yo» desaparecido de años anteriores: sin embargo, sólo quedó el ruido y el olor del forro de mi primer intento, demasiado apresurado, de ser, con otra, una sola carne; a ese empeño se llama también amor.

Más tarde agujeros, imágenes perturbadas. Nada que pudiera saber luego a conquista, ni condensarse para convertirlo en aventura. No obstante, la estación del año está como clavada: sigue siendo principios del verano del cuarenta y seis.

Sin transición estoy en camino, unas veces en la región del Weserberg, luego en la parte de Hesse, de la zona de ocupación norteamericana, y finalmente, otra vez de modo legal, con los británicos en Gotinga, después de haberme dejado alimentar unos días en la región de Nörten-Hardenberg en casa de otro compañero, que era hijo de campesino y tenía un ligero defecto del habla.

Con todo, no más montones de heno. Nadie quería que le leyeran la mano por un precio. Nada más que una inquietud sin rumbo, para la que ningún domicilio fijo resultaba atractivo. Y, sin embargo, debí de registrarme en la policía aquí o allá, para recibir lo más necesario, las cartillas de racionamiento.

¿Qué buscaba en Gotinga? Desde luego, no la universidad. Además, ¿con qué títulos? Desde los quince años no había visto por dentro ningún colegio. Los profesores me espantaban, por lo que luego los maestros, como la señorita Spollenhauer, en el capítulo del horario de *El tambor de hojalata*, o el profesor de gimnasia Mallenbrandt de *El gato y el ratón*, después el martirizado Starusch, profesor de instituto en *anestesia local*, y por último la pareja de profesores sin hijos, Harm y Dörte, en *Partos mentales o los alemanes se extinguen,* llenaron páginas de manuscritos: tan productivos me resultaron los pedagogos. Incluso una obra de teatro, llamada *Treinta y dos dientes,* trata, no sólo de higiene, sino de la demencia pedagógica.

Es verdad, fuera del colegio me habían enseñado a desmontar el fusil 98 en sus distintas partes y volver a montarlo en pocos minutos como arma dispuesta a disparar; es verdad que en el cañón antiaéreo 8.8 sabía manejar la enderezadora del detonador, y —como artillero de formación— el cañón de un tanque; también me habían enseñado en la instrucción a buscar cobertura con la rapidez del rayo, a decir «A la orden» cuando me mandaban y a desfilar en formación; más tarde aprendí a agenciarme algo comestible, oler el peligro y, por consiguiente, a evitar a los «perros encadenados» de la policía militar, y también a soportar la vista de cadáveres despedazados y una doble fila de ahorcados; de miedo, me meé en los pantalones, aprendí rápidamente a temer, comencé a cantar en el bosque, podía dormir de pie, salvarme con historias embusteras, inventar sabrosos asados y sopas sin tener grasa, carne, pescado ni ninguna verdura, y además invitar a comer a huéspedes de los espacios temporales más lejanos; incluso había aprendido a leer en la mano el porvenir, pero de un examen final en el colegio que me habría acreditado como maduro para entrar en la universidad estaba infranqueablemente lejos.

Entonces encontré ante la estación de Gotinga —con frecuencia vagabundeaba por los alrededores de estaciones concurridas— a un antiguo compañero de colegio de tiempos remotamente vividos.

No estoy seguro de si me sentaba al lado, delante o detrás de él en un banco del Conradinum, el colegio Petri o el instituto Sankt Johann.

Me habló insistentemente, al parecer con sensatez, porque lo acompañé por la ciudad, en gran parte perdonada por la guerra aérea, hasta donde vivía con su madre pero sin su hermana mayor, en un alojamiento de emergencia para refugiados del Este.

Las llamadas cabañas Nissen estaban en fila, y eran barracas de chapa ondulada que formaba una bóveda redonda, entre las que colgaba ropa puesta a secar. Sólo había sopa de cebada con tronchos de col, y una cama de campaña para mí. El hijo mayor de ella había caído en los combates por el monasterio de Montecassino; su marido, a quien los rusos habían hecho prisionero y luego deportado a Dirschau o donde fuera, pasaba por desaparecido. El hijo que le quedaba debía sustituir lo que echaba en falta.

Ya al cabo de unos días me dejé seducir para ir con él, que pretendía haber sido mi vecino de banco, a un instituto especial, en el que se podía recuperar lo perdido y reanimar los años vividos aprendiendo aplicadamente vocablos. Él trataba de persuadirme: allí podías convertirte a posteriori en alumno, y al final aspirar incluso al bachillerato. Porque eso le faltaba a él, decía, que volvía a llevar una verdadera cartera escolar, aunque fuera de cuero artificial, lo mismo que a mí, que sólo llevaba colgado el zurrón del pan. Sin bachillerato, decía, sólo se valía la mitad. Eso les ocurría a muchos.

—¡Compréndelo de una vez! Un hombre sin bachillerato no cuenta.

Apenas se podía aguantar aquello más de una hora de clase. En la primera se rumiaron cosas en latín. Eso podía pasar aún. El latín es el latín. Pero la segunda hora estaba dedicada a la Historia, en otro tiempo mi asignatura favorita. Su terreno, ampliamente fechado, había ofrecido suficientes espacios vacíos en los que podía refugiarse mi fantasía y asentar unos personajes imaginados, que por lo general iban vestidos medievalmente y estaban implicados en guerras interminables. ¿Qué es el hombre? Nada más que una partícula, partícipe, simpatizante, una pieza en la obra inacabada de la Historia. Algo así como una pelota, cada vez de un color distinto, que otros jugaban a campo través, así debí de sentirme cuando volví a fatigar los bancos del colegio.

Aunque se me hayan olvidado también muchas cosas de la época de mis años de peregrinaje, por ejemplo el número de mis compañeros de colegio, que inmediatamente después de la clase de latín se reunían para la clase siguiente —todos eran años de guerra mayores que yo—, veo al profesor de Historia al alcance de la mano: bajo, vigoroso, con pelo al cepillo y sin gafas, pero con pajarita bajo la barbilla, iba entre los bancos arriba y abajo, giraba sobre los talones, echaba raíces de pronto como obedeciendo una orden irrevocable del Espíritu del Siglo y abría la clase de Historia con la pregunta clásica: «¿Dónde nos habíamos quedado?», para responderse a sí mismo inmediatamente: «En el Despacho de Ems».

Quizá correspondiera al plan de estudios. Yo, sin embargo, no quería quedarme con Bismarck y sus marrullerías. ¿Qué me importaban el setenta-setenta y uno?

Mi curso acelerado en lo que se llama experiencia bélica era de fecha más reciente. Ese curso sólo había acabado anteayer.

Cuyas lecciones seguía experimentando en sueños de día y de noche. En ninguna parte me había detenido.

¿Qué podía ofrecerme una guerra en la que la unidad de Alemania se había forjado con sangre y hierro?

¿Qué me importaba el Despacho de Ems?

¿Qué otras cosas habría que rumiar y con qué fechas clavetear la memoria?

¿Y qué período —¿el mío?— quería dejar de lado aquel profe, saltárselo, hacer que no hubiera sucedido y callarlo como algo penoso?

Como si el pequeño profesor me hubiera dado la salida con el ominoso Despacho, me puse de pie, alargué la mano hacia el zurrón del pan, que tenía siempre al alcance, me fui sin decir nada y —sin dejarme detener por terminantes palabras pedagógicas— abandoné no sólo la clase para participantes en la guerra atrasados en el programa de estudios, sino también, para siempre, el colegio y su aire viciado, conservado por principio. Es posible que incluso disfrutara.

Nunca volví a encontrar a mi compañero de colegio, que seguramente habrá terminado su bachillerato y luego, durante toda su vida, se habrá considerado un hombre hecho y derecho. Sin embargo, como mi editorial, con su imprenta, tiene su sede en la Düsterer Straße de Gotinga, esta ciudad, por más de un motivo, me parece siempre digna de visita.

Aunque las tramas secundarias de los últimos episodios esbozados han quedado pendientes, un encuentro de tipo especial aparece a mi vista con suma claridad: inmediatamente después de mi definitiva salida del colegio, me encuentro en la sala de espera de la estación.

¿Adónde quería ir? ¿Tenía planes de viaje?

¿Me atraía espontáneamente el sur? ¿Largarme, aunque fuera de modo ilegal, a la zona de ocupación norteamericana, donde, tras algunas búsquedas en un pueblucho bávaro entre Altötting y Freilassing, confiaba en encontrar a mi compañero Joseph para, otra vez, jugando a los dados, buscar beneficio en el futuro?

Me veo desamparado en la sala de espera de la estación de Gotinga, buscando sitio entre bancos ocupados. Pasando por encima de hatos y maletas. El aire pegajoso de la sala repleta. Por fin, un hueco. A mi lado —como si me hubiera elegido—, el ejemplar desde mi punto de vista preferido, con ropa teñida de la Wehrmacht: el eterno cabo, reconocible también sin los dos ángulos en la manga izquierda.

Yo parecía estar suscrito a alguien como él. Lo mismo que en aquel cabo que, cuando yo era el Hans pequeño, me sacó del bosque oscuro, se podía confiar en este tipo que, sin embargo, era más alto, más nudoso y más apabullante. Me dije: en alguien que nunca quiso ser suboficial se puede confiar. Listo, astuto, pícaro, siempre ha sabido tomar las curvas. Avance, guerra de posiciones, lucha cuerpo a cuerpo, contraataque, retirada, familiarizado con todos los movimientos que la guerra exige. Sabe encontrar las salidas, ha escapado vivo; aunque haya sufrido daños, en él se puede confiar.

Estaba a mi lado, con la pata de palo estirada, y fumaba en pipa. Algo indefinido, lejanamente emparentado con el tabaco. Parecía como si no sólo hubiera sobrevivido a la última guerra sino también, después de la de los Treinta Años, a la de los Siete: un tipo intemporal. La gorra de visera se la había echado sobre la nuca. Y más o menos así empezamos a hablar:

—Bueno, chico, ¿no sabes adónde ir, eh?

La pata de palo no se veía, sólo se podía adivinar bajo la ropa de color, hasta después no fue importante.

—Bueno, vámonos un poco a Hanóver, ahí hay también una estación. Quizá se nos ocurra algo...

De manera que nos subimos al primer trenecito y fuimos pasando por una docena o más de estaciones. Después de mucho gentío, estuvimos sentados en un compartimento para no fumadores totalmente lleno, lo que no preocupaba a la pipa de mi cabo. Su hierba producía un humo poderoso.

Mientras seguía fumando, sacó del zurrón del pan una corteza y un trozo de salchichón, del que dijo que venía de Eichsfeld, en donde, como era sabido, había los mejores salchichones.

Con un cuchillo de tipo paracaidista, cortó rodajas del grueso del meñique, más para mí que para él, que no quería dejar su pipa. Así alimentó a su compinche, como me llamaba.

Por lo que recuerdo, mastiqué morcilla secada al aire, aunque subliminalmente se podía apreciar también el gusto a salchichón o embutido. En cualquier caso, él fumaba, mientras yo masticaba y miraba por la ventana la comarca ondulada a izquierdaderecha y no pensaba en nada o sólo en cosas confusas.

Cuando una anciana, que llevaba un sombrero cloche y se sentaba frente a nosotros, se quejó del humo, señalando con dedo afilado el letrero de no fumadores, tosió de forma ostensiva y no dejó de lamentarse, llamando incluso chillonamente al revisor e incitando al mismo tiempo a los ocupantes del compartimento contra aquella «indecente molestia del humo», acentuando al hacerlo la «s» como hace la gente de Hanóver que presume de educación, mi compañero, que me llamaba compinche, levantó con la mano derecha el cuchillo reluciente de grasa, tomó impulso amenazadoramente, puso a un lado la pipa con la mano libre y se quedó inmóvil en esa postura un segundo prolongado. Luego, con golpe súbito, se clavó el cuchillo, a través de los pantalones, en el muslo derecho, en el que el cuchillo quedó encajado y temblando largo rato. Además, se rió horriblemente.

Espantada, la anciana del sombrero huyó del vagón. Enseguida ocupó su sitio alguien que había estado de pie, entre otros, en el pasillo. El antiguo cabo aflojó el cuchillo, cerró la hoja hasta el tope, se lo guardó y sacudió la pipa. Nos aproximamos lentamente a Hanóver.

Lo que queda son las instantáneas casuales que archiva la memoria. El mudo masticador de salchichas de entonces sigue viendo temblar el cuchillo clavado en la pata de palo, pero no está seguro de si esa historia se desarrolló en el trayecto de ferrocarril de Gotinga a Hanóver o en un viaje en dirección contraria a Kassel y más allá, que se alargó hasta Múnich; con lo cual yo, en la zona de Baviera, quise visitar en Marktl am Inn o en otro pueblucho a mi compañero Joseph, con el que hacía un año cumplido había masticado cominos, jugado a los dados el porvenir y disputado sobre la Inmaculada Concepción. No lo encontré en casa de sus padres. Probablemente estaba ya metido en algún seminario, entrenándose en las coacciones escolásticas. Él pasaba todos sus exámenes con las mejores notas, mientras que yo...

Además, esa historia habría podido desarrollarse también con otro compañero cualquiera de pata de palo: había muchos. Da igual que fuera morcilla o salchichón, una navaja o un cuchillo de hoja fija, de camino hacia aquí o hacia allá. Lo que la memoria almacena y conserva espesado en reserva encaja como un puzle para contar historias unas veces así y otras de otro modo, y no se preocupa del origen ni de otras cosas dudosas.

El hecho es que el cabo con, al menos, una posible pata de palo, que se había sentado a mi lado en la sala de espera de Gotinga, al ver que yo no tenía un lugar donde ir —y apenas llegado a Hanóver—, me aconsejó que hablara con la administración de la Burbach-Kali AG y pidiera trabajo:

—Buscan chicos para la explotación bajo tierra. Te dan cupones de alimentación por trabajo penoso, te hinchas de mantequilla y tienes un techo sobre la cabeza. ¡Hazlo, chico!

Dos compañeros ante la estación central de Hanóver y junto a algún monumento ecuestre a Ernesto Augusto, con el bronce acribillado de metralla.

Lo que el compañero de más edad aconsejó al joven se hizo, porque, fuera como fuese el joven compinche en aquella época o como pudo haber llegado a ser con el tiempo, una experiencia lo había marcado especialmente: desconfiaba, ciertamente, de todas las personas que se las daban de adultas, pero no de las del tipo inconfundible de cabo. A ese tipo lo conocía desde que alguien, de profesión peluquero, lo sacó de un bosque a través de la línea fronteriza rusa. Cuando pocos días más tarde tanques

T-34 dispararon contra la carretera de retirada, las piernas del cabo quedaron destrozadas, de forma que difícilmente pudo sobrevivir; sin embargo, mi compañero de la sala de espera se había librado con una pata de palo. Sabía dónde y qué había que hacer o no hacer. Había que seguir su consejo.

Además, me gustó la expresión «bajo tierra». Tuve verdaderas ganas de perderme en las entrañas de la tierra, no tener que ver ya ninguna comarca en rápido cambiante, desaparecer, ser tragado, estar ausente, como dado de baja y al mismo tiempo, si era absolutamente necesario, incluso trabajar muy hondo bajo la corteza terrestre, realizar un trabajo reconocido como el más duro. Quizá confiaba en encontrar bajo tierra algo que a la luz del día no se dejaba ver.

Como agradecimiento por su sugerencia, regalé al compañero de la pata de palo, antes de irme y hacer lo que me había aconsejado, los restantes cupones de mi cartilla de fumador, porque yo seguía sin depender de unos pitillos que, en aquellos tiempos, tenían la fuerza adquisitiva de una divisa estable; eran mi riqueza, y se podía cuantificar.

De manera que me presenté, no me hicieron esperar, pedí trabajo y fui inscrito sin ceremonias en la plantilla de la Burbach-Kali AG como chico de acoplamiento. Mi lugar de trabajo, la mina Siegfried I, se encontraba cerca del pueblo de Groß Giesen en la circunscripción de Sarstedt. Allí me dieron la lámpara de carburo y zuecos de la empresa. Un sitio para dormir lo encontré, como inquilino superior de una doble litera, en uno de esos barracones que conocía desde hacía años.

El pueblo estaba en algún lugar entre Hildesheim y Hanóver, en una comarca llana, apropiada para el cultivo de la remolacha azucarera. Sólo en el horizonte suroccidental se ondulaba en tonos azules la región del

Weserberg. Y de aquellas superficies planas y verdes de principios del verano se alzaban la torre de extracción del pozo de la mina, el molino de piedra, la sala de calderas con un lavadero anexo lateral, y además el edificio de aspecto de villa de la dirección y la colina de desechos, que superaba a todo en altura, en parte un amontonamiento blanco en forma de cono, y en parte plana y allanada, en la que un día tras otro se vertía el mineral ya agotado, el desecho. Las vagonetas circulaban enganchadas en un teleférico sobre rodillos. Ascendían llenas hasta el borde y, vaciadas, volvían a bajar sobre los mismos rodillos. Su chirrido, que crecía y disminuía, se me ha quedado en los oídos, de forma que todavía hoy, en cuanto el tren me lleva de la estación de Ratzeburg, pasando por Lüneburg y Hanóver, a la imprenta de mi editor Steidl en Gotinga, busco con la vista las blanquecinas colinas de desechos que sobresalen de los espacios cultivados, han sobrevivido al tiempo y, entretanto, se han convertido en parte del paisaje. Las instalaciones subterráneas, y por tanto también la mina Siegfried I, fueron cerradas y desalojadas hace ya años.

El barracón ofrecía habitaciones para seis, en las que había las por mí conocidas literas dobles. La comida de la cantina no era sabrosa pero llenaba. Además, los cupones por trabajo penoso permitían a los mineros muchos suplementos alimenticios: salchichón, queso, mucha mantequilla y huevos para desayunar o para el último turno. Contra la silicosis había a diario ración extraordinaria de leche. Los zuecos se llevaban bajo tierra. En el lavadero nos cambiábamos, atábamos el saco de la ropa, lo izábamos hasta el techo y nos duchábamos después del cambio de turno.

Mi puesto como acoplador estaba en una planta de extracción a novecientos cincuenta metros de profundidad. Trenes electrificados recorrían kilómetros allí, vacíos o llenos del mineral de extracción, la friable roca potásica, lejos de los sumideros de las plantas más altas y hacia el ascensor del pozo principal, por el que, cuando sonaba un timbre, entraban y salían también los mineros al cambiar el turno.

Mi tarea consistía en acoplar esas vagonetas vacías y llenas, desacoplarlas ante el pozo de extracción y, durante el trayecto a las cumbreras, en donde se dinamitaba y rompía la roca que contenía la sal, abrir y cerrar las puertas de ventilación. Muchas carreras en corrientes de aire. Tropezones en los carriles. Me hice muchas veces sangre en las rodillas.

Otros chicos de acoplamiento me habían enseñado. Mientras el tren iba despacio, tenía que saltar de la última vagoneta, correr junto al tren, echar a un lado los trozos de cuero artificial de la puerta de ventilación, dejar pasar al tren, cerrar la puerta de ventilación, correr detrás de la última vagoneta y saltar a ella a la carrera.

La mayoría de las veces, el conductor de la locomotora eléctrica de mi turno me dejaba tiempo suficiente, de forma que sólo una o dos veces perdí el tren y tuve que correr detrás, solo, durante un largo trecho.

Esa ajetreada secuencia huele a reventadero sudoroso y cupones por trabajo penoso amargamente ganados, pero la cosa no era tan dura, porque casi en cada turno se cortaba la corriente eléctrica durante una o dos horas, lo que no era insólito: por todas partes, los cortes de corriente eran cotidianos y se aceptaban como si fueran algo querido por el destino.

Nos sentábamos ociosos cerca del inmovilizado ascensor de carga del pozo de extracción o —si el corte de corriente nos había sorprendido a lo largo del recorrido— en una de las cumbreras del tamaño de naves, que eran suficientemente amplias para poder eliminar hoy y en el futuro toda nuestra basura atómica, a fin de que irradie, irradie...

Más tarde, situé el último capítulo de la novela *Años de perro* en una mina, de la que, sin embargo, no se extraía ya mineral potásico. En cambio, en todos los niveles y en las cámaras de parhileras se habían desplegado los espantajos allí fabricados como artículos de exportación. Paralizados en poses movibles mediante mecanismos incorporados, allí estaban, disfrazados; como reproducción de la sociedad humana, expresaban el placer y el pesar de la humanidad y, como mercancía, tenían su precio. Suministrados por encargo, encontraban aceptación en todo el mundo. Y como al fin y al cabo el ser humano pasa por ser el fiel retrato de Dios, se podía considerar a Dios como el espantajo original.

Cuando la corriente se interrumpía, sólo las lámparas de acetileno daban luz, ayudando a crear sombras gigantescas que deambulaban por las elevadas paredes de las cámaras de parhileras. Venían de galerías recién abiertas, de enmudecidos toboganes, de la profundidad de las cumbreras: mineros, picadores, el dinamitero jefe, el capataz de sector, nosotros los acopladores y los conductores de locomotora. Un montón heterogéneo compuesto de auxiliares rápidamente formados, en su mayoría jóvenes, y trabajadores experimentados —algunos próximos a la edad de jubilación— que se sentaban juntos durante un corte de corriente.

Aquel farfulleo se enzarzaba al poco tiempo en lo político, se hacía pronto ruidoso, aumentaba hasta la disputa y sólo terminaba antes de la reyerta que amenazaba porque la corriente volvía, se encendía la iluminación de los tramos, y los toboganes comenzaban a traquetear y a zumbar las locomotoras eléctricas. En el pozo de extracción resonaba el ascensor de carga. Inmediatamente se iba extinguiendo la pelea teñida por diversos dialectos, y todos en silencio o mascullando sus últimas palabras reanudaban su trabajo: al resplandor de sus vacilantes lámparas de carburo, se volvían cada vez más pequeños.

Para mí, que sólo escuchaba, cazando al vuelo palabras y contrapalabras sin orden ni concierto, pero por lo demás permanecía pasivo y como acometido de trismo, los ratos sin corriente eran horas de enseñanza tardías. En medio de un estancado calor subterráneo —sudábamos aunque no hiciéramos nada—, trataba de seguir la beligerante conversación, no entendía mucho, y me encontraba tonto y lo era, pero no me atrevía a preguntar a mis compañeros mayores. Me sentía llevado de un lado a otro, porque en el curso de la disputa se formaban bandos: a grandes rasgos, había tres grupos enfrentados.

El menos numeroso se presentaba como comunista consciente de clase, predecía el inminente fin del capitalismo y la victoria del proletariado, tenía para todo una respuesta preparada y era aficionado a mostrar el puño. A él pertenecía el capataz de sector, hombre afable a cielo abierto, que vivía en una casa unifamiliar en las proximidades de la mina y con cuya hija mayor iba yo de vez en cuando al cine.

El segundo y más numeroso grupo se atrincheraba en consignas nazis, buscaba culpables para el derrumbamiento del antiguo orden, tarareaba provocadoramente «Alta la bandera...» y se atrevía a formular suposiciones y lanzar maldiciones groseras: «Si el Führer viviera, él, a todos vosotros...».

El tercer grupo trataba moderadoramente de calmar la disputa con propuestas de mejora cada vez menos atractivas; por una parte estaba en contra de la expropiación, por ejemplo, de la Burbach-Kali AG; por otra a favor de la nacionalización de la gran industria bajo control sindical. A ese grupo, que unas veces se desmoronaba y otras era reforzado por la afluencia de otros, se lo despreciaba como socialdemócrata, y era injuriado por los comunistas como «socialfascista».

Aunque seguía sin comprender mucho de lo que se discutía hasta el rojo vivo, me di cuenta, yo, el chico acoplador y zoquete al margen, de que siempre, en el punto álgido de la permanente disputa, el grupo comunista se aliaba con los obstinados nazis para acallar a gritos, por la fuerza de sus voces reunidas, al resto socialdemócrata. Un momento antes enemigos a muerte, rojos y pardos hacían frente común contra los sociatas.

Eso se desarrollaba según un esquema y como bajo un hechizo. En cada corte de corriente se formaban los mismos grupos. A mí me resultaba difícil tomar partido duraderamente. Como alguien que no tenía una posición firme y se veía agitado por todas partes, hubiera podido ser incluido unas veces en este grupo y otras en aquél.

El conductor de mi locomotora eléctrica, hombre con una invalidez menor que, como picador de mineral, había sufrido un accidente al dinamitar la roca, y pertenecía a los sociatas, me explicó a cielo abierto, cuando después del cambio de turno salíamos del lavadero, aquella alianza contradictoria:

—Aquí pasa como poco antes del treinta y tres, cuando los rojos y los pardos se unieron contra nosotros, hasta que luego los pardos liquidaron primero a los rojos e inmediatamente después nos llegó el turno a nosotros. Y así desapareció la solidaridad. Bueno, ésos no aprenden nunca de la Historia. Quieren siempre todo o nada. A los sociatas nos odian porque, si hace falta, nos conformamos también con la mitad...

No voy a decir ahora que aquella lección de experiencia personal al resplandor titilante de una lámpara de acetileno me ayudara a adquirir primeros conocimientos políticos de la posguerra y me encendiera una lucecita esclarecedora, pero el chico acoplador empezó a darse cuenta de que las malas compañías habían destrozado un Estado al que los comunistas y los nazis injuriaban despectivamente como «sistema», y de lo que acabó por liquidarlo.

Aunque no me convertí bajo tierra en sociata cualificado, a cielo abierto me metieron a la fuerza algunas ideas, cuando mi conductor de locomotora, una mañana de domingo, me llevó al montón de ruinas ordenado que era Hanóver, porque allí el presidente de los sociatas, Kurt Schumacher, hablaba al aire libre ante diez mil personas.

No, no hablaba; gritaba, como habían gritado en otro tiempo todos los políticos, no sólo el Gauleiter nazi Forster en el Prado de Mayo de Danzig; y, sin embargo, a mí, el luego socialdemócrata e infatigable adepto del eterno porunaparteporotraparte, se me quedaron algunas palabras atronadoras que aquella figura de aspecto frágil, bajo un sol abrasador y con mangas vacías y aleteantes, había gritado por encima de diez mil cabezas.

Después de años de prisión en la época nazi, se había convertido en asceta. Un santo estilita hablaba. Hacía un llamamiento a la renovación de la nación. Según su severa voluntad, de las ruinas debía surgir una Alemania social y democrática. Cada palabra un martillazo sobre el hierro.

En contra de mi voluntad —porque en realidad me repelía el griterío—, el compañero Schumacher me convenció.

¿De qué? ¿Con qué consecuencias? Tendrían que pasar años para que aquel chico acoplador de otro tiempo, después de algunos intentos desacertados de saltar, obedeciendo la disciplina utópica, comenzara a preconizar el medido paso socialdemócrata, por ejemplo la «política de pasos pequeños» de Willy Brandt. Y pasaron más años hasta que en *Del diario de un caracol* recetara al progreso un pie reptante duradero. La huella de baba. El camino largo, empedrado con los adoquines de la duda.

Sin embargo, ya bajo tierra mi encapsulamiento político —la cáscara vacía— fue agujereado y rasgado. Tomaba partido tentativamente. De esa forma, la mina de potasio Siegfried I me dio gratis clases particulares, que se plasmaron de distintas formas: vacilante como el juego de luces y sombras de las cumbreras altas como catedrales, unas veces me decidía a favor de algo y otras en contra, estaba unas veces de este lado y otras de aquél, pero seguí siendo sordo cuando los todavíanazis trataban de convencerme.

Por una parte, hablé bajo tierra cuando otra vez se discutió la fundación del Partido Unitario de comunistas y sociatas en la zona de ocupación soviética, con las palabras de mi conductor de locomotora, que advertía contra la unidad forzosa y conducía siempre cuidadosamente despacio cuando su chico de acoplamiento abría las puertas de ventilación, las cerraba y tenía que saltar a la vagoneta; por otra parte, a cielo abierto, el capataz de sector y amigable padre de tres hijas consiguió traducirme frases del *Manifiesto comunista* a la realidad infracalórica de la posguerra.

Los dos trataban de convencerme haciendo propaganda política, con éxito cambiante. Como buen oyente, habré estimulado su empeño. Sin embargo, cuando hoy en día, es decir, en tiempos de absoluto predominio del capital y en plena posesión de mi impotencia concentrada, convoco al chico de acoplamiento de entonces, atrayéndolo al lado de mi pupitre, y lo interrogo al principio suave y luego severamente y, aunque le gusta escurrirse, lo desconcierto con mis preguntas capciosas, de las oraciones subordinadas del joven de dril puede deducirse que sin duda fue más bien la hija mayor del capataz de sector la que me engatusó entre los turnos de trabajo, en aquella vivienda unifamiliar con jardín delantero y veranda; ella convencía sin hacer propaganda.

No era una belleza, pero no carecía de encanto. Desde la infancia, arrastraba la pierna izquierda. ¿Un accidente? Nunca hablaba de él. ¿O no la escuchaba yo cuando se quejaba de la causa de su apreciable desgracia?

Hablaba como si respirase, rápida, barbullante, como si no le quedara tiempo. Me imagino un rostro alargado y oval, ojos pardos juntos, un cabello oscuro que caía liso. La frente siempre pensativa, y por ello fruncida. Era inteligente y podía construir frases lógicamente pensadas. Unas manos aleteantes hacían la segunda voz a su discurso. Una de sus palabras preferidas era «mejor»: mejor visto, mejor dicho, pensándolo mejor...

Como aprendiz de secretaria en la oficina de la dirección de la mina, escribió a máquina algunos de mis poemas rápidamente rimados. Luego parecían importantes, línea tras línea, se leían bien y, en lo que se refiere al aspecto visual, estaban listos para la imprenta. Además, en silencio, ella había eliminado mis faltas de ortografía al pasarlos a máquina.

Estábamos juntos tanto tiempo como podíamos. Su pierna renqueante no me molestaba. Rostro y manos revoloteantes hablaban de un modo suficientemente atractivo. Sin mucho pecho, delgada, aguardaba de pie a la puerta de la mina, esperando a su padre y, sin duda, esperándome también. Era tan grácil y ligera que yo podía levantar su cuerpo plano hasta una altura apropiada y penetrar en ella estando de pie, en cuanto, después de ir al cine, de vuelta de Sarstedt, intentábamos, en la veranda o en el zaguán, ser durante unos minutos una sola carne.

No me dejaba subir la escalera de su alcoba de doncella. En el barracón de dobles literas, no lo quería yo. Siempre preocupada por mí, dejaba ocurrir lo que formaba parte del cine, como programa final, tanto si también ella lo deseaba como si lo deseaba sólo yo. Y aprendí a obedecer su ruego de tener cuidado al hacerlo.

Sin embargo, más claramente que en los minutos concedidos en la veranda o en el cancel de la casa, nos conocíamos en los senderos que había entre los campos de remolacha. Su discurso explicativo. Todo tenía su nombre. Frente a la montaña de desechos que, reluciendo blanquecina, se alzaba ante el cielo más o menos nublado, gastábamos mucha saliva en películas que habíamos visto

recientemente. Una se llamaba *Luz de gas* y se desarrollaba, escalofriante, en la nebulosa Inglaterra; otra, en la que
«la Knef» interpretaba un papel, se llamaba *Los asesinos están entre nosotros.*

También hablábamos de Dios, que no existía. Nos
superábamos en devaluar los artículos de la fe. Dos pupi-
los del existencialismo que no conocían, o sólo de oídas,
ese concepto que entonces se estaba poniendo de moda.
Los dos habían leído su *Zarathustra* y cogido al vuelo, en
alguna parte, elevadas monstruosidades verbales como «lo
siendo intrínseco» y «el ser arrojado al mundo». En ese
campo, «amontonar heno» no existía.

Cuando, después de la primera helada, las remolachas de azúcar estuvieron maduras para su cosecha, nos
apresuramos a ir a los campos, después de caer la noche,
con bolsas y cestos, y azadas de mango corto. No éramos
los únicos que cosechaban de noche. Nuestros enemigos
eran los campesinos con perros.

En el lavadero del capataz de sector, cuya mujer
había muerto el último año de la guerra y, como viudo
y padre de sus tres hijas, a menudo parecía desamparado, hervimos luego en la caldera de la colada, bajo su dirección, las remolachas peladas y troceadas en común,
para convertirlas en jarabe. El continuo revolver con
grandes cucharones de madera en la caldera burbujeante,
y el olor y sabor del empalagoso líquido se me quedaron,
como también la risa a tres voces de las chicas al cortar las
remolachas. El jarabe se trasegaba a botellas barrigudas,
que eran de la mina. De lo que quedaba en la caldera hicimos caramelos de malta, añadiéndole granos de anís.

Mientras hervía el jarabe, se cantaba. El padre
había transmitido a las hijas algunas canciones obreras. Ni
la reclusión en un campo de concentración ni el servicio
en el frente en un batallón de castigo habían podido lograr, como le gustaba decir, que perdiera «su conciencia
de clase».

¿Cuáles eran los nombres de las hijas? A una de las chicas —pero ¿a cuál?— la llamaban Elke. A veces se decían cosas mordaces. Sin embargo, mientras hervía el jarabe no se llegó casi nunca a la pelea política.

Después de mi decimonoveno cumpleaños, durante el cual, en el lejano Núremberg, se ejecutó la condena de muerte en la horca de los criminales de guerra y que, con algunos compañeros del nivel de los novecientoscincuenta metros, celebré poco antes de comenzar la cosecha de remolacha, encontré en la alcaldía de Groß Giesen el nombre y la dirección de un pariente lejano que, con mujer e hijas, en calidad de expulsado, había hallado refugio en Lübeck. ¿Le escribí enseguida o después de vacilar un tanto?

Como en todas partes, en las ciudades y pueblos de las zonas de ocupación, en los pasillos de las oficinas colgaban listas de búsqueda, en las que se alineaban los nombres y datos de los desaparecidos y, con bastante frecuencia, fallecidos. La Cruz Roja y otras organizaciones se encargaban de enviar y completar esas listas. Por separado se exponían fotos de pasaporte de niños. Refugiados y expulsados de la Prusia oriental, Silesia, Pomerania, los Sudetes y mi ciudad natal de Danzig, y además soldados de todas las armas y grados, bombardeados y evacuados, millones de personas que se buscaban mutuamente. Bebés sin nombre reclamaban a sus padres. Madres querían encontrar hijos e hijas de los que habían sido separadas en la huida. A menudo, bajo las fotos de los niños de corta edad sólo figuraba el lugar donde habían sido hallados.

Buscar y encontrar. Así, las mujeres esperaban el regreso del novio, del marido. Amigos y amigas se echaban en falta. A todo el mundo le faltaba alguien. Y también yo buscaba, en las listas colgadas que se renovaban todas las semanas, a mis padres y la hermana tres años menor.

Como yo seguía viéndolos, contra toda sensatez, en casa —la madre, como inamovible, tras el mostrador de la tienda; el padre revolviendo la masa para el pastel en la cocina; la hermana, con sus trenzas, jugando en el cuarto de estar—, no podía ni quería imaginarme a mi familia en tierra extraña: expulsados por la fuerza, sin hogar, sin muebles familiares ni oleografías enmarcadas en las paredes, lejos de la estufa de azulejos que calentaba a la vez el cuarto de estar y la alcoba.

¿Seguía estando la radio encima del aparador, y quién escuchaba qué emisoras? ¿Qué había sido del armario de libros acristalado de la madre, que en realidad había sido mío? ¿Quién hojeaba ahora los álbumes artísticos llenos de cromos de cigarrillos, coleccionados y pegados en su sitio?

Síseñor. Inmediatamente o tras sólo una breve vacilación, escribí a los parientes lejanos. Sin embargo, antes de que llegara respuesta de ellos, que en otro tiempo habían vivido en Danzig-Schidlitz, uno de mis compañeros de barracón, originario de la Alta Silesia, se casó. La novia había nacido en el pueblo y había enviudado.

La risueña rubia, estridente, está delante de mí con la cabeza llena de rulos. Luego la veo con un vestido de novia hecho de seda de paracaídas, que podía conseguirse a cambio de sacos de quintal de sal potásica.

Con otro compañero —acoplador como yo— tuve que hacer de testigo de la novia, porque en el pueblo no había nadie que quisiera serlo. El novio, como nacido en Kattowitz, hablaba el alemán de polacos allí habitual, tocaba alegremente la armónica y nos enseñó una canción de varias estrofas, de la que sólo han quedado versos como éste: «Si Antek se encuentra una pulga inquieta, enseguida echa mano a la escopeta».

Los cuatro armamos mucho jaleo en la cocina comedor de la viuda de guerra. De Groß Giesen, los pueblos cercanos y Sarstedt no habían venido vecinos ni parientes.

No sólo la hermana; incluso los padres de la novia se habían negado a sentarse a la misma mesa que aquel yerno, muerto de hambre y extranjero para los de la Baja Sajonia. Quien venía de lejos seguía siendo extraño.

Bebimos desmesuradamente, como si hubiera habido que aplacar también la sed de los invitados ausentes. El novio, los padrinos y —con especial empeño— la novia se esforzaban por ponerse en ambiente y divertirse. Con el cogote de cerdo estofado hubo alguna bebida alcohólica en vasos de agua. Ya no sé quién bebió mucho, quién menos. En la mesa había abundante aguardiente de patata y otras cosas que se podían conseguir en el mercado negro, incluso licor de huevo. Trasegamos tanto de aquellos líquidos sospechosos, que posiblemente hubiéramos podido quedarnos todos ciegos, porque los periódicos informaban a diario de envenenamientos colectivos después de fiestas familiares: la causa era el alcohol metílico del aguardiente adulterado. Nosotros, sin embargo, brindamos una y otra vez a la salud de los novios y nuestra, maldiciendo a grito pelado a los invitados ausentes.

En algún momento, caímos los cuatro en el lecho conyugal de la antigua viuda de guerra. No cegados, pero sí ciegos. Lo que ocurrió luego entre tanta carne no quiso ni quiere saberlo ninguna piel de cebolla. En el mejor de los casos, la novia habrá sabido, sentido o sospechado lo que ocurrió o no ocurrió durante el resto de la noche: con quién, con quién apenas o nada, con quién repetidas veces.

A la cabecera de la cama del primer matrimonio colgaba un cuadro al óleo, en el que cisnes en toda su belleza formaban pareja o, solitario, bramaba un ciervo.

Cuando a la mañana siguiente, no, más bien al mediodía nos despertamos, la rubita recién casada había puesto ya en la cocina comedor la mesa del desayuno. Olía a huevos fritos y tocino crujiente. Ella sonreía rubia, con sonrisas pensadas para su marido y los dos chicos acopladores, que miraban sin verse al vacío, hablando apenas y, cuando decían algo, se referían al próximo turno, el último.

Así terminó, desencajada y, en sus detalles, incierta, una noche de bodas que, a cielo abierto, a sotavento de la torre de extracción y mirando desde la alcoba a la escombrera que lo dominaba todo, había resultado, más que ocurrido. Bajo tierra, los mineros prolongaron durante los cortes de corriente su pelea, en la que yo, harto de repeticiones, no quise mezclarme. Mi antiguo nazismo juvenil parecía haber sido completamente eliminado con el sudor. Con aquel pasado que se arrastraba peleón no quería tener nada que ver. Ninguna de aquellas ideas rancias podía atraerme, aunque allí donde, en otro tiempo, la única idea válida lo había unido todo, quedaba abierta una hendidura.

Ahora bien, ¿con qué otra cosa podía llenarse la grieta que, si no visible, se abría interiormente?

Es de suponer que fue a lo largo de esa incesante y difusa búsqueda de sentido en la que el chico acoplador se refugiaba durante las largas pausas forzosas, cuando, apartado de sus pendencieros compañeros e iluminado sólo por su lámpara de carburo, comenzó a empollar los vocablos y leyes de bronce de una lengua muerta, convirtiéndose, a pesar de todo, otra vez en alumno.

Aquella situación absurda se mantuvo con tanta claridad que, todavía hoy, me oigo conjugar verbos. No hay duda: aquel chico acoplador que, novecientos cincuenta metros por debajo de la corteza terrestre, trata con empeño y obstinación de mejorar su miserable latín soy yo. Como en su época escolar; hace muecas mientras recita la máxima aprendida: *qui quae quod cuius cuius cuius...*

Me burlo de él, lo llamo «personaje cómico», pero no se deja distraer, quiere llenar con algo el vacío, aunque sea con los desechos de una lengua que su compañero del campamento de Bad Aibling dominaba y había calificado de «dominadora del mundo para siempre». Más aún: Joseph afirmaba incluso que soñaba según las inquebrantables reglas de esa lengua.

Gramática y diccionario me los prestó con buena intención una profesora de instituto jubilada que me alojó en la episcopal ciudad de Hildesheim, la cual, poco antes de terminar la guerra, fue miserablemente destruida, y que a cambio de una retribución —los cigarrillos del no fumador— se ofreció a darme clases particulares en su buhardilla.

La conocí casualmente, yanosédónde. Llevaba unas gafas de gruesos cristales y se sentaba, con el gato en el regazo, en un sillón tapizado de rojo burdeos.

—Un poco de latín no puede hacer daño a nadie —fue su consejo.

En cuanto yo tenía un turno libre, iba con el autobús. Después de la clase, sólo me invitaba a una taza de té de menta.

Luego, sin embargo, postales de parientes próximos y lejanos pusieron fin a mi recaída en un comportamiento colegial. Leí lo mismo en todas: los padres y la hermana habían sobrevivido a la guerra y la expulsión, sin daños exteriores. Recientemente habían conseguido pasar de la zona de ocupación soviética a la británica. Desde Mecklenburgo. Pasaron la frontera con sólo dos maletas. Tras una breve estancia intermedia en Lüneburg, en donde los abuelos habían encontrado refugio, se habían alojado, porque hacía tiempo que el norte estaba abarrotado, en Renania, cerca de Colonia, más exactamente en la circunscripción de Bergheim/Erft, en casa de un terrateniente.

Las postales de parientes vivos dispersos decían más cosas: sobre la ciudad natal destrozada —«Nuestro Danzig no existe ya»— y sobre lo mal que lo habían pasado.

También sobre «supuestos crímenes» de los que no se había podido saber nada, podía leerse: «No obstante, sobre todas las injusticias que nos han hecho los polacos se guarda silencio...».

Además, los parientes daban noticia de violencias sufridas, de los desaparecidos, de los muertos y del abuelo, que no podía sobreponerse a la pérdida de la carpintería: «La sierra circular, la cepilladora, los muchos herrajes de puertas y ventanas que había en el sótano...».

Se quejaban al unísono de la miseria general, cada vez mayor: «Nos afecta especialmente a los expulsados, que no somos bien acogidos en ninguna parte. Y sin embargo somos tan alemanes como los de aquí...».

La dirección del alojamiento de los padres en Renania me la dio sin duda la alcaldía de Groß Giesen. En cualquier caso me fui, sin darme de baja en el trabajo, e, inmediatamente después del turno de la mañana, cogí el autobús. Debía de ser poco antes de Navidades o más bien al comienzo del nuevo año. Algo me retenía. ¿Era la hija del capataz, apegada a mí?

A lo largo del trayecto había nieve, sobre la que caía más nieve cada vez. Yo llevaba en el equipaje un kilo de mantequilla ahorrada y dos botellas de bromo barrigudas, agenciadas en el laboratorio de la fábrica, llenas de jarabe de remolacha, mi participación en la última cosecha.

No, no recuerdo lágrimas de despedida de la hija mayor del capataz de sector ni que su padre deseara un buen viaje al apresurado desertor, pero, con mi partida, debieron de ir a parar al petate que, en lugar de maleta, había llenado de mis cosas, algunas propiedad de la mina, porque cuando, más de veinte años más tarde, volví a esa región de la Baja Sajonia, para ayudar a crear grupos de iniciativa electoral ante las inminentes elecciones al Parlamento —se trataba de la «Nueva política del Este y Alemania» de Brandt—, hablé al candidato del SPD en Hildesheim, después de un acto electoral, de mi actividad bajo tierra como acoplador y de los cortes de corriente saturados de discusiones.

De esa forma supo desde cuándo la vacilación socialdemócrata comenzó a determinar mi rumbo político. Sin embargo, como mi fina descripción debió de parecerle al compañero demasiado fantástica, o como una adición a mi novela *Años de perro,* después de mi partida echó una ojeada, en la todavía rentable Burbach-Kali AG, a las plantillas de los primeros años de la posguerra. Allí constaba fehacientemente que alguien que llevaba mi nombre había dejado la mina Siegfried I, «llevándose unos zuecos propiedad de la empresa».

Ya no se explota allí el potasio, y se cultiva más colza que remolacha azucarera. Sin embargo, la blanquecina montaña de desechos sigue alzándose del campo llano y no se deja imaginar como inexistente. Recuerda unos tiempos en que el robo de remolacha y los cortes de corriente eran cotidianos; los cupones por trabajos penosos, de lo más codiciado; una chica inteligente corregía mis faltas de ortografía; se ensayaba la libertad como carnicería de palabras, y, en el nivel de extracción de los pozos de la Siegfried I, un chico acoplador que había seguido siendo tonto recibía lecciones.

Desde Hanóver, tomé el tren, desde Colonia otra vez el autobús hacia la región para mí conocida del Bajo Rin. Me acompañaba un frío persistente. Para todos los que lo vivieron, aquel invierno que comenzó tan pronto, a finales de noviembre, fue inolvidable. Duraba, traía consigo masas de nieve y heladas permanentes. Los ríos se habían helado, las conducciones de agua explotado. En las ciudades escaseaban lugares donde la gente pudiera calentarse. El transporte de carbón y coque se paralizó. Los que tenían frío se morían de hambre, los que tenían hambre se morían de frío.

Especialmente para niños y ancianos solos, el invierno del cuarenta y seis-cuarenta y siete fue mortal, porque a las carencias habituales se unió la de combustible. Se saqueaban los transportes de carbón, se cortaban árboles, se talaban raíces. En los canales se helaban las gabarras cargadas de coque, que debían ser vigiladas noche y día. Como sustitutivo especial del calor se usaba el humor. Quizá por eso en Hanóver y Colonia figuraba en las carteleras de los teatros municipales *El sueño de una noche de verano* de Shakespeare, cuyos actores retozaban por escenarios de urgencia en escenas sensuales, y cuyos espectadores tal vez habrán entrado en calor aplaudiendo.

A pesar de estar tan congelada y pobre en calorías, la vida proseguía sin embargo. Y yo, que acababa de escapar al calor bajo tierra del nivel de novecientoscincuenta, me helaba a cielo abierto en trenes sin calefacción y autobuses húmedos y fríos.

Todos los que viajaban conmigo se congelaban, pero yo creía sufrir en especial con aquella helada ubicua, por muy preventivamente que el acoplador se hubiera calentado, por muy ricamente en calorías que le hubieran saciado los cupones de comestibles al pesado trabajador, y por cariñosamente que la hija mayor del capataz de sector le hubiera tejido manoplas para el viaje.

Tal vez, sin embargo, ocurría también que, a pesar de toda la alegría anticipada por el reencuentro familiar, tuviera miedo interiormente de que la reunión con padre y madre resultara decepcionante, porque, como los padres y la hermana se me habían vuelto extraños, la frialdad resultaría todavía más palpable, y el hijo y hermano se presentaría ante ellos como un extraño.

Me aferré a mi petate y su contenido, el kilo de mantequilla ahorrada, las barrigudas botellas de jarabe de remolacha.

El regreso del hijo pródigo, no anunciado, debía ser una sorpresa. Sin embargo, cuando bajé del autobús, madre, padre y hermana estaban en la parada de Fließstetten, como si hubieran querido sorprenderme. Con todo, sólo querían ir a Bergheim, para hacerse estampillar allí el permiso de asentamiento. ¿Casualidad?

Más adelante, la madre estaba segura de que nuestro encuentro había sido providencial. Ésa era su firme creencia: todo, felicidad y desgracia, y también mi supervivencia —porque en realidad yo hubiera debido estar muerto—, se sometía a una voluntad más alta, era determinado por la Providencia. Además, al parecer una gitana le pronosticó el pronto regreso del hijo: el «favorito de mamá» vendría cargado de regalos, lo que sólo podía referirse al jarabe y la mantequilla.

El hijo se asustó. Allí estaban, pobremente vestidos con unos abrigos que se habían vuelto demasiado amplios. La madre, encogida. El padre había salvado su sombrero de terciopelo hasta el fin de la guerra. La hermana, sin trenzas, ya no era una niña.

Al parecer, la saludé diciendo: «Pero, Daddau, te has convertido en una señorita». Y ella, que en caso de duda se acuerda siempre de forma distinta que el hermano —dice que «más fiel a la verdad»—, insiste todavía hoy en que la adivina existió.

—De veras, ella lo sabía...

Hace poco, cuando visitamos con algunos nietos nuestro hogar que se había vuelto extraño y recorrimos la playa entre Glettkau y Zoppot, nos perdimos en una conversación fraternal, en la que hablamos de esto y de aquello, y también del nuevo papa. Y mientras los niños buscaban ámbar en el ribete de las olas, ella dijo:

—Sin que mamá tuviera que darle nada de comer —la verdad es que no teníamos nada—, la gitana, antes de que llegaras, leyó su mano y le prometió: dentro de tres días su hijito estaría allí.

Sólo poco más de dos años antes —y sin embargo como en un tiempo remoto ya muerto—, cuando Danzig estaba todavía ileso, con sus torres y gabletes, en septiembre del cuarenta y cuatro, me había acompañado el padre a la estación central. Llevaba mi maleta de cartón sin decir palabra y la redonda insignia del Partido prendida en la tela de su traje. Yo, todavía de dieciséis años, con pantalones hasta la rodilla y la orden de incorporación en el bolsillo del pecho de una chaqueta que se me había quedado pequeña, estaba a su lado en el andén. La madre se había negado a tener que ver partir al hijo en el tren que lo llevaría en dirección a Berlín y —según creía ella— hacia la muerte. Ahora la Providencia nos había reunido otra vez.

Nos abrazamos, repitiéndonos compulsivamente. Ninguna palabra o sólo palabras torpes. Demasiado y más de lo que podía decirse había ocurrido en el transcurso de un tiempo que no tenía principio y no sabía encontrar su punto final. Muchas cosas no se dijeron hasta mucho más tarde, porque eran demasiado horribles, o no se dijeron nunca.

Una violencia sufrida repetidas veces había hecho enmudecer a la madre. Había envejecido, estaba ya achacosa. Quedaba poco de su alegría y sus ganas de bromear.

¿Y podía ser mi padre aquel hombrecito escuálido? ¿Él, que siempre, seguro de sí mismo e imponente, se había esforzado por mantener la compostura?

Sólo la hermana parecía haber soportado indemne todo lo ocurrido. Me pareció casi demasiado adulta. Curiosos los ojos claros, dirigidos al «hermano mayor».

Únicamente entonces comencé a comprender lo que, durante los últimos meses de la guerra, en el hospital militar, en prisión, y luego sin rumbo fijo en libertad, nunca me había resultado bastante claro, porque sólo me había ocupado de mí y de mi doble hambre. Todo había cambiado con la pérdida. Nadie estaba ileso. No sólo las casas se habían transformado en ruinas. Con el reverso de la guerra, la paz, salían crímenes a la luz, que ahora se invertían y, con violencia a posteriori, hacían de los culpables víctimas.

Ante mí había expulsados, personas individuales sin duda, aunque, entre millones, sólo de valor estadístico. Yo abrazaba a supervivientes que, como se decía, habían escapado sólo con el susto. Se seguía existiendo de algún modo, pero...

No sabíamos nada unos de otros. «¡Nuestro chico está otra vez aquí!», gritaba mi padre a todos los que se apeaban del autobús, a los que querían ir en autobús a Bergheim. Sin embargo, yo no era ya el chico al que había acompañado a la estación central de Danzig, mientras algunas iglesias de una ciudad que parecía construida para la eternidad tañían todas las campanas para despedirme.

Las autoridades competentes habían enviado a los padres y a la hermana a casa de un campesino. Esa coacción era habitual, porque, voluntariamente, rara vez se acogía a refugiados y expulsados. Sobre todo allí donde no había daños visibles, casa, establo y granero se asentaban como despreocupados en el derecho hereditario, y además no se había tocado ni un pelo a los duros cráneos campesinos, se rehusaba comprender que habían perdido la guerra, celebrada como victoriosa, juntamente con los damnificados.

Sólo obligado por las autoridades, el propietario de la granja había dejado a mis padres la habitación partida en dos, con suelo de hormigón: una antigua dependencia para cebar cerdos.

Las protestas no sirvieron de nada. «¡Volved por donde habéis venido!», fue la respuesta de aquel campesino seguro de sus hectáreas, que era tan católico como aquel otro del que, en la primavera del año anterior, había huido yo. Por todas partes se habían comportado siempre entre desconfiada y hostilmente hacia los extraños y —como se decía— los que ni se sabía de dónde eran; y así seguiría siendo.

En general reinaba el frío, pero el determinado por el tiempo atmosférico subía del suelo de hormigón sin sótano. La pequeña reserva de patatas de invierno se había helado. Descongeladas, las patatas cedían blandamente a la presión del dedo. Tanto si se cocían con piel como si se pelaban, seguían siendo acuosas, vidriosas y sabían de una forma repugnante y dulce. De al lado nos llegaba el olor de la pocilga e interiormente relucía helada la pared exterior del comedero de cerdos.

Dormíamos en la misma habitación. La hermana con la madre, el hijo con el padre en la misma cama. Estábamos más apretados que durante mi infancia, cuando en el piso de dos habitaciones de Langfuhr dormíamos cuatro en una habitación, pero siempre estaba la estufa de cerámica. Aquí sólo había en la antecámara una estufa de hierro colado, en torno a la cual nos acurrucábamos por las noches, juntos. Hablábamos con reserva y nos refugiábamos con frecuencia en un silencio elocuente.

El fogón se alimentaba con briquetas rotas, que el padre traía de su lugar de trabajo en la mochila. En la cercana explotación a cielo abierto de lignito había encontrado un puesto de auxiliar fijo en la portería. Su letra bonita y legible había sido un mérito. Ahora llevaba los libros y, en los cambios de turno, controlaba las entradas y salidas.

Las briquetas rotas eran su pago en especie. Cuando los padres encontraron por fin una vivienda en el pueblo, cercano al trabajo, de Oberaußem, recibían incluso cantidades mayores de «oro negro», entero y en forma alargada o como briquetas ovoides.

La empresa en la que el padre había encontrado trabajo era una instalación industrial que, con sus chimeneas en hilera, producía un montón de vapor y se llamaba Fortuna Nord, lo mismo que, luego, uno de los capítulos de *El tambor de hojalata,* en cuyo transcurso, en el cementerio del pueblo minero de Oberaußem, se cambia a un cadáver de cama y Oskar Matzerath, mientras el cadáver va saliendo a la luz trozo a trozo, pronuncia un monólogo en el que se hace la modificada pregunta hamletiana: «¿Casarme o no casarme?».

Podía haber pasado una semana desde mi, si no regreso al hogar, al menos sorpresiva llegada, cuando mi padre vino del trabajo, cargado de briquetas rotas y —como dijo— con «un buen mensaje».

—Muchacho —dijo—, me han ofrecido para ti un puesto de primera como aprendiz. En la administración. Incluso muy arriba, en la oficina de la dirección. Se está calentito allí...

Dijo más cosas aún, y no sin orgullo, y además por cariñosa bondad, pero también sin conocer los extravagantes deseos de su hijo. Sus ojos azul claro no parpadeaban.

Tal vez, para animarme, pude oír la sentencia citada luego con frecuencia en las páginas de economía de periódicos de gran tirada: «¡El futuro está en el lignito!». Y, desde luego, la observación imposible de refutar:

—Alégrate de que, sin tener unos estudios terminados como es debido, te den un puesto de aprendiz...

Qué decepcionado debió de estar mi bienintencionado padre cuando el hijo sólo le dio las gracias con una carcajada. Sí, me temo que me reí de él, tan lejanas eran mis aspiraciones, tan cómica me pareció su oferta.

—¿Yo de chupatintas? ¡Ridículo! Al cabo de tres semanas me habría largado, quizá llevándome todos los sellos de correos de la empresa. ¿Quieres convertirme en delincuente?

Y entonces el hijo ingrato manifestó adónde y a qué apuntaba su propia voluntad.

Sin embargo, ¿qué era exactamente lo que yo quería? ¿Es posible que sólo el aprendizaje oficinista con que me amenazó, amoroso, el padre diera a mis deseos una dirección precisa?

Con un montón de medios versos rimados y sin rimar —algunos de los poemas los había copiado a máquina con pulcritud la hija del capataz—, la amplia docena de dibujos, debidamente parecidos, que tenían por motivo a compañeros de prisión y la vida posterior en los barracones, y, más aún, con mis ideas plásticas de figuras de toda clase, unas veces diminutas como miniaturas, otras monumentalmente aumentadas, desnudas o vestidas, de pie con largas piernas, caídas, o inclinadas con aflicción, y también de otras figuras de aspecto semihumano, semianimal, con una acumulación figurativa en la cabeza —y porque desde siempre había sido interiormente rico en figuras—, quería ser escultor, alguien que, con simple arcilla, crea personajes que, por su presencia muy tangible, dominan el espacio.

Algo así, sin reírme ya, habré dicho a mi padre, que enseguida empezó a hablar de «arte famélico» y de «ideas fijas», en alta voz y excitado, como rara vez lo había visto.

En realidad hubiera debido estar de acuerdo con él cuando me advirtió de mi futuro inmediato tan previsoramente:

—Una profesión de muertos de hambre en unos tiempos malos, en los que nadie sabe qué pasará mañana. ¡Quítatelo de la cabeza!

La madre, que, al ver nuestra morada entre paredes sin enlucir, repetidas veces lamentó no haber cogido la oleografía de Böcklin de *La isla de los muertos* de la pared de nuestro piso de Langfuhr, haberle quitado el marco, haberla enrollado y haberla metido en el equipaje de refugiado, ella, la prosaica mujer de negocios, para la que sin embargo todo arte era divino, ella, que veía seguir viviendo a sus hermanos, que la diñaron prematuramente, en su hijo salvado gracias a la Providencia, compartía por un lado la preocupación de su marido, pero podía a pesar de todo encontrar aquella pequeña esperanza que la hacía sonreír y alimentaba muy en secreto, en cuanto se trataba de mí y de mis planes fanfarrones y promesas de nubes rosadas, de que su hijito crease algún día algo hermoso y también tristemente hermoso y en cualquier caso agradable en su triste hermosura.

Pronto desapareció su sonrisa ante la pusilanimidad ordenada por los espantos a que había sobrevivido. Mientras se sentaba junto al hogar de briquetas y tejía medias con lana de oveja sin teñir, que le reportaban harina de centeno y avena descascarillada, dudó vacilante de lo que hacía poco había sido motivo para sonreírse como si fuera «música celestial»:

—Pero, chico, ¿crees realmente que de eso, del arte, se podrá vivir luego?

En un periódico —¿o era ya algo parecido a una revista?— encontré un artículo ilustrado, según el cual en la Academia de Bellas Artes de Düsseldorf, no demasiado lejana, había comenzado de nuevo la enseñanza en algunos talleres. La noticia era del verano anterior. En una foto se veía a un profesor de escultura con flequillo, llamado Ewald Mataré, rodeado de alumnos.

En otra foto, una escultura del maestro representaba, de forma muy sencilla, una vaca echada, que podía gustar a mi madre.

—Pero ¿cómo quieres que, sin bachillerato, te acepten como estudiante en una verdadera academia? ¡Se reirán de ti! Nunca te darán una plaza.

Eso no me preocupaba. Nada me preocupaba. Decenios más tarde, cuando los hijos, la hija, tomaron su camino y sus muchos rodeos —Laura, por ejemplo, aunque dotada, no siguió el consejo de su padre, no quería ser artista sino sólo ser y seguir siendo ceramista—, recordé lo desconsideradamente que me liberé de la estrechez de nuestro alojamiento familiar de urgencia, que ahora, además, hubiera tenido que albergar la permanente disputa entre padre e hijo, sin considerar ese paso como una audacia.

Así terminó una breve actuación de actor invitado, con la que todos sufrieron, especialmente la «preferida de papá», mi hermana Waltraut, a la que, en retrospectiva, veo como agraciada, entre alegre y boba, y en apariencia libre de preocupaciones interiores. Sus hoyuelos, en cuanto sonreía. Ahora sin trenzas, el pelo le caía ondulado hasta los hombros. ¿Qué sería, podría ser de ella? Parecía ser sólo inocentemente joven. En realidad, no se podía advertir en ella lo que había vivido posiblemente en Danzig «cuando llegaron los rusos», lo que posiblemente había sufrido. De eso no se hablaba.

Después de una quincena más o menos de vida familiar, me fui al amanecer pisando fuerte, con poco equipaje, el petate, por nieve profunda, sobre la que caía sin cesar más nieve, unas veces en remolino y otras flotando. Mi meta era la estación de ferrocarril de Stommeln, distante unos cuatro kilómetros. Sólo con ayuda de los postes de telégrafos pude encontrar la dirección. Avancé con esfuerzo al ponerme en camino para —ansioso de arte— aplacar mi tercera hambre.

La tercera hambre

Desde joven: era imposible dominarla, ni con medidas ascéticas —limitación al blanco y negro— ni con una adicción que quería manchar todo papel. Ni siquiera la saturación hasta sentir asco de las palabras podía calmarla. Nunca había suficiente. Siempre estaba ansioso de más.

El hambre ordinaria, que todo el mundo conoce, podía mitigarse por unas horas con una sopa de nabos que cicateaba las gotas de grasa, incluso con patatas congeladas; el ansia de amor carnal, ese ímpetu de un deseo inoportuno, jadeante, siempre renovado, que no se alejaba silbando, se podía matar en alguna oportunidad al acecho o, temporalmente, con mano rápida; sin embargo, mi hambre de arte, la necesidad de hacerme una imagen de todo lo que estaba inmóvil o en movimiento, y por lo tanto de todo objeto que arrojara sombra, también de lo invisible, por ejemplo del Espíritu Santo y su enemigo íntimo, el capital siempre fugitivo —aunque fuera adornando con estatuas la institución bancaria del Banco di Santo Spirito, como templo de lo obsceno—, esa ansia de tomar posesión gráficamente no podía saciarse, estaba despierta el día entero y hasta en sueños, y sólo se alimentaba con promesas, cuando yo quería aprender el arte o lo que, en mi estrechez de miras, consideraba arte; de momento, las circunstancias del invierno del cuarenta y seis-cuarenta y siete se opusieron a mis deseos.

Tras haber hecho a pie el trayecto hasta la estación de Stommeln, hundido en la nieve hasta la rodilla, helado y al mismo tiempo sudando, haber sacado un billete sin retorno y haber creído escapar de mi familia, apenas reencontrados padre, madre y hermana, nadie me recibió con los brazos abiertos, después de un viaje remolón y de mi llegada a Düsseldorf.

Y cuando, a través de la ciudad, que estaba bastante destruida por las bombas, aunque no tan totalmente como Colonia, Hanóver o Hildesheim, encontré, preguntando, mi camino hasta el compacto edificio de la Academia de Bellas Artes —a causa de las masas de nieve o por falta de corriente eléctrica, no había tranvías—, me encontré desde luego abierto aquel caserón sombrío fuera de la ciudad vieja, pero en la portería no había nadie que exclamara alegremente: «¡Bienvenido!» o «¡Te estábamos esperando!».

Al principio llamé a puertas, apreté picaportes, vagué luego por pasillos, pasando por delante de talleres, subí y bajé escaleras.

Todavía oigo mis pasos, veo cómo, en aquel edificio convertido en frigorífico de varios pisos, se disipaba mi aliento. No quiero cansar, pero sin duda habré mantenido conmigo un diálogo para darme ánimo: ¡No cedas, aguanta! Piensa en tu compañero Joseph que dijo: «La gracia no nos cae en los brazos...», cuando de pronto, ya de vuelta, me encontré con el Arte en figura de un anciano, que parecía la imagen del artista transmitida desde los tiempos del cine mudo. Como a mí, el aliento le salía blanco por la boca.

Sólo apenas dos años más tarde supe algo más concreto: el anciano que tenía enfrente, que se envolvía en una capa negra, se embozaba en una bufanda negra y se cubría con un sombrero de artista de fieltro negro, podía tener cincuenta y tantos años, se llamaba Enseling y se consideraba profesor de arte, nombrado con derecho a pensión vitalicia. Probablemente había visitado su estudio, en el que se congelaban figuras de yeso de ambos sexos, desnudas, de tamaño natural y espantosamente blancas. Pero quizá sólo había querido cambiar el frío de su vivienda por el de la academia.

Enseguida me pidió cuentas:

—¿Qué se le ha perdido, joven?

Mi respuesta fue franca:

—Quiero ser escultor —o ¿quizá dije algo así como: «Quiero ser artista sin falta»?

Un momento sólo de recuerdo, de echar mano a la cebolla. Al fin y al cabo se trataba, en ese momento trascendental, de hacer o dejar de hacer; más decisivo aún: de ser o no ser. ¿Qué dice a eso la sudorosa piel de la cebolla?

Quizá molesté a aquella figura totalmente vestida de negro con los conocimientos que había adquirido en los cromos de cigarrillos de mis años juveniles. Sin embargo, por mucho que me imagino aquel encuentro en la escalera, no se me permite ninguna cita, porque se almacenó con una helada persistente. Todavía hoy oigo sólo, íntegra, la decepcionante noticia del profesor de arte:

—Hemos cerrado por falta de carbón.

En aquella época, aquello sonaba definitivo. No obstante, alguien, que claramente era yo, no se dejaba desanimar, a él no se le podía disuadir. Debí de repetir mi deseo de querer ser artista, escultor, en el resonante espacio, con insistencia tan retórica, que el profesor, al que sólo unos ojos jóvenes podían considerar anciano, pareció convencido de la permanencia de mi hambre.

Hizo preguntas. Mi edad, diecinueve, parecía no decir nada o ser admisible. Aceptó sin comentario mi lugar de nacimiento, tan terriblemente importante. La religión no la consideró merecedora de pregunta. Tampoco el hecho de que, en mis tiempos escolares, hubiera aprendido a dibujar un poco de modelos, con el conocido pintor de caballos Fritz Pfuhle, que daba cursos nocturnos para aficionados en la Escuela Superior Técnica de Danzig, le arrancó ningún «ah, sí» de reconocimiento. No quiso saber nada de mis experiencias de guerra que acababan de terminar a tiempo y eran, sin embargo, suficientes.

Y —¡por suerte!— no hubo ninguna pregunta sobre el título escolar, ese bachillerato que abría todas las puertas.

El profesor Enseling me dio más bien breves instrucciones, según las cuales se podía encontrar sin dar rodeos —primero torciendo a la izquierda, luego a la derecha y luego en la acera derecha—, en la Hindenburgallee, una cercana oficina de empleo.

Me dijo que debía conseguir que me proporcionaran allí un puesto de aprendiz como cantero o tallista. No faltaba trabajo para los artesanos. Siempre había demanda de lápidas sepulcrales.

Para terminar, mi asesor laboral se complació en mostrarse como profeta sin barba, pero digno de crédito:

—Cuando haya terminado, joven, vuelva a presentarse aquí. Seguro que volvemos a tener carbón.

Sin más reparos. Yo, que desde que acabó la guerra no quise obedecer más órdenes, a quien todo lo más resultaba aceptable el consejo de cabos veteranos, el niño de la guerra escaldado y, por ello, con incurable tendencia a llevar la contraria; yo, que entretanto había aprendido con esfuerzo a dudar de toda promesa; yo —o quienquiera que fuese entonces— actué siguiendo instrucciones, aunque no ciegamente. La palabra del profeta indicaba la única dirección viable. Así que nadie —con la voz que fuera— hubiera podido convencerme para no ir a la oficina de empleo. Él habló y yo fui.

Ay, si hoy, preguntado por esos nietos que, entretanto o pronto habrán terminado el colegio y no saben adónde ir ni qué hacer, tuviera a mano una instrucción que se pudiera seguir tan inmediatamente: «Luisa, haz eso, por favor, antes de hacer aquello...», «Ronja, con bachillerato o sin él deberías...», «Lucas y Leon, os aconsejo vivamente que...», «Y de esa forma, Rosanna, podrías comenzar más tarde a...».

En cualquier caso, al cabo de media hora me hizo feliz una hoja estampillada, en la que figuraban, escritas a mano, las direcciones de tres empresas dedicadas a la talla de piedra. Todas, como se debían al arte funerario, se encontraban cerca de los cementerios municipales. Allí no se andaban con trámites burocráticos. No se pedían títulos escolares.

El recuerdo es curiosamente caprichoso: de pronto se fundió la nieve, la helada cedió. Liberado de los cortes de corriente, funcionaba incluso el tranvía. Me quedé ya en la primera empresa en la que me presenté, cerca del cementerio de Wersten, porque en el taller del maestro Julius Göbel un viejo tallista llamado Singer esculpía un crucificado magníficamente musculoso, que, en bajorrelieve, inclinaba la cabeza a la izquierda en una ancha pared pétrea, y padecía, tan fiel al original, que no se podía apartar la vista de él.

No es que aquel hombre sufriente de aspecto atlético, tallado en diabas, me hubiera entusiasmado, pero la perspectiva de una destreza posible de aprender me resultaba atractiva. Acepté, aunque Göbel, que, de forma poco gremial, llevaba un elegante traje de paño y no tocaba casi nunca una piedra ni daba golpe, sólo me ofreció para comenzar mi aprendizaje trabajar con cantos y superficies rectas.

Él, que más bien personificaba al vendedor de sepulcros de palabra suave y que tenía poco de maestro, señaló a su futuro picapedrero lápidas terminadas que, formadas ante el edificio del taller, aguardaban clientes de luto. Allí, un aprendiz estaba quitando a las verticales superficies una cubierta de nieve que, de todas formas, había empezado a derretirse.

Todavía faltaban en las piedras los nombres y fechas de los difuntos. Pulidas en mate o en brillo, tenían su precio como losas de a metro, almohada o pantalla panorámica. Quien, como supérstite, quería comprar, no sólo se veía en la empresa de Göbel ante una oferta escalonada, sino que al Bittweg daban varias empresas que exponían las mismas piedras sepulcrales. El negocio con la transitoriedad del ser humano, por no hablar sin tapujos de la muerte, disfrutaba, hasta en tiempos de escasez, de una fuerte demanda.

Göbel enumeraba las distintas clases de mármol y granito, distinguía entre caliza y arenisca, se lamentaba de la falta de material recién extraído, señalaba viejas lápidas, apiladas a un costado, entre una maleza proliferante, para cuya reutilización había que raspar el lado ya prescrito. Llamaba por su nombre a algunas herramientas, y se lamentaba de que, desde hacía años, no se suministraran cinceles con núcleo de acero Widia que, como era sabido, sólo podían conseguirse caros, con divisas, por ser de producción sueca.

Sobre herramientas, como mazos, gradinas y punteros, así como sobre mármol de Silesia, granito belga, travertino y caliza conchífera, escribí más tarde, mucho más tarde, un capítulo entero, cuando finalmente me fue posible vaciarme en el papel, palabra a palabra, y, al hacerlo, en lo que al mundo de los cementerios se refiere, encontré cosas como si fuera un ladrón de cadáveres profesional. Y es que la literatura vive del botón que quedó, la herradura sin óxido del caballo de un ulano, la mortalidad del hombre y también de lápidas desmoronadas.

Por eso, al caminante que sigue su camino y sus rodeos en dirección al Arte por el estrecho sendero entre poesía y verdad se le atravesará una y otra vez *El tambor de hojalata;* un libro cuyo contenido acumulado arrojó sombra antes de que fuera encerrado entre dos tapas y aprendiera a andar enseguida.

Por ejemplo, en el proverbialmente paciente papel, separé al viejo oficial Korneff de la empresa de Göbel y creé para él su propio pequeño taller, a fin de que pudiera enseñar al jorobado héroe de mi primera novela a transformar, con la regla, los hierros afilados y dentados y el cincel, un trozo de piedra basto y recién extraído en una losa finamente esculpida y al final pulida para una tumba individual; y mi hablador héroe Oskar Matzerath, para el que se había vuelto repugnante el mercado negro como base existencial, se mostró tan hábil para aprender como yo, que, sin joroba ni vida anterior apropiada para una novela, comencé mi aprendizaje como practicante.

Cuántas cosas se convierten en material narrativo. Para la transformación de la vida vivida en estado bruto en un texto repetidas veces corregido, que sólo en forma impresa encuentra el descanso, puede citarse como ejemplo una de aquellas lápidas sobrantes, por haber sido retiradas transcurrido un plazo, que se amontonaban sin orden a un costado. Por voluntad del maestro Göbel, había que raspar radicalmente la inscripción profundamente grabada, hasta que en la cara vista de la piedra nada recordaba ya a un hombre llamado, digamos, Friedrich Gebauer, nacido en 1854 y fallecido en 1923. Luego, diversas herramientas ayudaban a dar a la diabas una nueva superficie brillante, en la que, con nombre y fechas, se esculpía profundamente otra vida, que podía ser perpetuada hasta la fecha de vencimiento oficial; de esa forma reutilizables, las piedras talladas son la base de nuestra vida después de la muerte, temporalmente limitada. Los nombres pasan, pero las inscripciones —por ejemplo ésta: «La muerte es la puerta de la vida»— podían sobrevivir en forma de recuadro que se respetaba, y no debían ser raspadas, eliminadas.

Y lo mismo que sobre el material declarado muerto que fue reanimado puede decirse algo, se podría dar información también sobre el intercambio con personas vivas, pero de momento quiero limitarme al viejo oficial Korneff, aunque no sea seguro que se llamara así.

Padecía de veras forúnculos. Especialmente propenso era su cuello, surcado por hinchadas cicatrices. En todas las primaveras, y así al comienzo de la del cuarenta y siete, se le abrían abscesos, que antes, tan imaginados como palpables, eran del tamaño de un huevo de paloma y prometían luego un vasito de aguardiente rebosante de pus. Por ello, los aprendices cantábamos descaradamente por el largo Bittweg, en cuanto los forúnculos de Korneff comenzaban a brotar: «El invierno ya se ha ido, Korneff anda dolorido...».

Además, es verdad que Göbel, cuya empresa se llama en la novela simplonamente Wöbel, anunciaba con su nombre, en un letrero, su empresa de lápidas sepulcrales. Como era más hombre de negocios que maestro artesano, supo pocos años más tarde, con ayuda de un aserradero de piedra que había comprado —fuera de la ciudad, en Holthausen—, ayudar a dar a los nuevos edificios fachadas de travertino y suelos de mármol; su rápida ascensión en la época del incipiente milagro económico daría por sí sola para un relato.

Cuando firmé el contrato de aprendiz, la empresa Göbel me resultaba atractiva por otra razón: aparte de la ridícula retribución mensual de cien marcos —de igual forma pagaba el chapucero Korneff al Oskar aprendiz— se me prometió, a mí, hambriento experimentado, un potaje de verdura con carne, dos veces por semana, con reenganche garantizado.

En la vivienda situada inmediatamente al lado del taller, la mujer de Göbel cocinaba con toda clase de hierbas unas sopas sazonadas. Yo la veía como una matrona de ojos de vaca, a la que una corona de pelo trenzado, como las que en otro tiempo llevaba la jefa de la asociación de mujeres del Reich, sentaba bien. Aunque no tenía hijos, se le hubiera querido poner la Cruz de Oro de la maternidad que se daba entonces, por lo preñadamente cariñosa que se afanaba, preocupada siempre por saciar a sus comensales.

Al vender lápidas a los campesinos de la izquierda del Rin, se incluía como precio, además del dinero contante, diez kilos de legumbres, y también una hoja de tocino y varios pollos sin desplumar. Contrapartida de la roja arenisca del Meno de una lápida para dos era un cordero listo para el sacrificio, cuyas costillitas y flácido vientre encontraban asiento en el potaje de verdura. La almohada de piedra para una tumba de niño valía dos ocas de San Martín; y nosotros disfrutábamos de los menudillos —alas, pescuezo, corazón y estómago— en una sopa grasienta.

Ella daba de comer a todos los que, bajo el techo del taller, tragaban polvo de piedra: tres flacos aprendices, dos oficiales de origen silesio, especializados en grabar inscripciones y además hermanos, el viejo oficial Korneff, el escultor Singer y yo, el principiante que parecía tan seguro de sí mismo, y al que uno de los hermanos silesios dio enseguida el consejo de que no se considerase nada especial, ni mucho menos un artista.

Más tarde, me habló de Breslau, la ciudad todavía intacta por la que se luchó hasta el final, la ciudad destruida. Al hacerlo lamentó menos los muertos no contados, que yacían en las calles y que brigadas de limpieza enterraron en fosas comunes, que el hecho de que no se hubiera podido poner lápidas a aquellos cadáveres amontonados.

Los hermanos silesios entendían de literatura. Podían recitar epigramas de Angelus Silesius y grabar en la piedra, como inscripción: «Hombre, sé esencial; porque cuando el mundo acabe, no existirá ya el azar, y sólo la esencia cabe».

De esa forma me convertí en colaborador aprendiz de la empresa Göbel. Lo único que planteaba dificultades era la pregunta sobre mi lugar de residencia. El equipaje que había traído, el petate y el zurrón del pan que aún llevaba colgado decían lo suficiente sobre la falta de hogar del practicante. Sin embargo, como, por parte de madre, me quedaba un resto católico y, preguntado por Göbel acerca de mi religión, pude citar por su nombre a la Única Iglesia Verdadera, pronto encontré ayuda.

Desde su oficina telefoneó al parecer a Dios Padre: me recomendó en el lugar más alto como alguien que profesaba la verdadera fe, y me consiguió en unos minutos un sitio para dormir, si no en el Paraíso, al menos en su filial, el hogar Cáritas del Rather Broich.

Desde la parada de Bittweg, que, como queda dicho, bordeaban varias empresas de tallistas, entre ellas la de Moog, especializada en arenisca y basalto, que en *El tambor de hojalata* firma como gran empresa C. Schmoog, era fácil llegar a mi futuro hogar en tranvía, con un solo transbordo en la Schadowplatz. Como si, por intercesión materna, se me hubiera encomendado a un ángel guardián, todo fue maravilloso, sin que yo hiciera nada.

Voluntariamente y gratis, mi recuerdo me hace ofertas a docenas —tantas cosas ocurrieron al mismo tiempo—, dejando la elección al narrador: ¿debo seguir con la talla de piedra o examinar mi estado interior en los puntos de ruptura? ¿Procedería ahora una ojeada retrospectiva a los cementerios de Danzig y, por lo tanto, una anticipación del relato posterior de *Malos presagios,* o debo instalarme ya?

El hogar de Cáritas en Düsseldorf-Rath estaba a cargo de monjes franciscanos. Tres o cuatro padres y media docena de hermanos siervos administraban, en las proximidades de la fábrica bombardeada y bastante destruida de Mannesmann, una institución que antiguamente se ocupaba de los artesanos peregrinos, y luego, cada vez más, de personas sin techo y viejos solos. Al parecer, hasta un asesino en serie llamado Kürten fue cuidado en los años veinte por los monjes. Y, como la demanda no disminuyó nunca, el complejo de edificios, milagrosamente ilesos y rodeados por muros y vallas de poca altura, sobrevivió, como enclave caritativamente eficaz, a todos los cambios políticos. Fuera en paz o en guerra, nunca le faltó clientela.

El padre Fulgentius, como prior, dirigía la institución. Un hombre con hábito que parecía un gruñón de edad mediana y que, cuando me presenté, no preguntó por la firmeza de mi fe sino que me hizo rebuscar en un arcón de ropa donada que olía a cerrado, porque quería ver al «nuevo ingreso» —el joven de ropa militar teñida— vestido de paisano. Además, me hacían falta unos pantalones de dril para trabajar en el taller de Göbel; el chico de acoplamiento había desgastado demasiado bajo tierra su ropa de trabajo.

De la cabeza a los pies: me pude ataviar como era debido. Incluso calzoncillos y dos camisas de muda sacó el prior del arcón, y además un jersey evidentemente hecho de restos de lana de colores, que durante mucho tiempo aún me mantendría caliente. Y por si fuera poco, el padre Fulgentius me obligó a aceptar una corbata de puntos rojos sobre fondo azul: «Para los domingos», como me dijo, aludiendo a mi posible asistencia a la capilla de Cáritas que pertenecía al asilo.

Todo me estaba bien. Por lo que se refiere a mi autorretrato más reciente, debía de tener un aspecto inmejorable, porque en cuanto abro el recuerdo como si fuera un armario ropero, cuelga allí, además de los pantalones planchados para los días de fiesta, mi primera chaqueta de la posguerra, de dibujo de espiga claramente reconocible.

La admisión en el ala dedicada a vivienda del edificio principal, cuya sólida construcción se debía a los años ochenta del siglo XIX, no ofreció nada nuevo; en el mejor de los casos, una variación de lo habitual. Mi lugar para dormir lo encontré, como ya en calidad de auxiliar de la Luftwaffe y hombre del Servicio de Trabajo, luego artillero de tanque, prisionero de guerra y finalmente chico de acoplamiento, en calidad de usufructuario de la cama superior de una doble litera. Con otras cuatro, ésta estaba en una habitación sin ventanas que, como iba a ver hacia la caída de la noche, estaba habitada por estudiantes y aprendices, que eran algo más jóvenes o pocos años mayores que yo. Y, lo mismo que yo, ansiaban chicas, y hablaban constantemente de mujeres y de su constitución carnal. Sin embargo, en el mejor de los casos, habían podido encontrar cierta libertad de movimientos con esta o aquella señorita bien dispuesta en el cercano bosque de Grafenberg, que en el invierno del cuarenta y siete, como todo alrededor, estaba congelado en medio de una helada persistente.

Por lo demás, esos senderos conducían al establecimiento psiquiátrico en el que, pocos años más tarde, un paciente pidió a su cuidador, Bruno, quinientas hojas de papel inocente, lo que tuvo consecuencias.

Junto a nuestra habitación sin ventanas, que se encontraba encerrada en el centro de la casa y era difícil de librar del olor a hombre joven, pero que, con buena calefacción, conservaba el calor, estaba la celda de un hermano siervo, cuyo nombre monástico he olvidado. Sin embargo, su figura espigada, siempre presurosa y aparentemente volante en su hábito pardo, se me ha quedado grabada hasta en sus menores detalles.

Nosotros lo considerábamos una aparición angélica, sobre todo porque sus ojos siempre enrojecidos, incluso en asuntos profanos, como cuando supervisaba la distribución de raciones de pan, parecían contemplar a la Virgen María. Además, en torno a la parte central del cuerpo del monje había un manojo de llaves colgado de una cuerda, que avisaba desde lejos de sus idas y venidas. Nunca lo vi sentarse. Siempre estaba yendo a algún lado. Se apresuraba, como si aquí o allá tuviera que obedecer a un llamamiento. Nadie sabía sobre cuántas cerraduras reinaba.

Y aquel hermano siervo, que parecía tan intemporal que su edad debe quedar ahora inestimada, ejercía imperceptiblemente su vigilancia, pero con una insistencia siempre amistosa, no sólo sobre nosotros, a quienes, de todas formas, según el reglamento clavado en la puerta de la habitación, las «visitas femeninas» estaban prohibidas, sino también sobre una sala llena de hombres ancianos, continuamente jadeantes y que sólo con dificultad respiraban. Debían de ser, si no cien, no muchos menos de setenta. Cucheta tras cucheta, encarnaban desde hacía decenios, con la dotación que iba desapareciendo y renovándose siempre, el asilo administrado por Cáritas.

Por una ventana practicable de su celda, el monje encargado de la vigilancia contemplaba día y noche la sala y, en ella, a los enfermos decrépitos y apáticos, de repente afectados de intranquilidad o ataques de tos que saltaban de uno a otro, o por alguna riña súbita.

Hasta en sueños lo oíamos hablar a través del tragaluz, suavemente adormecedor, como si hablara a niños. Su entonación permitía suponer que venía del Sauerland.

A veces, el monje sin nombre me permitía echar una ojeada por el tragaluz. Lo que veía, la caducidad multiplicada de la existencia humana, se me ha quedado tan presente, que me veo a mí mismo en una de las setenta a cien cuchetas, en persona y con mi tos de fumador que nada puede curar ya: como enfermo dependiente, sometido a la vigilancia del hermano siervo. A veces, cuando, contraviniendo lo prohibido, enciendo la pipa bajo el edredón, él me riñe por el tragaluz, con voz baja e insistente.

Al otro lado de nuestra alcoba se abre la puerta, sólo accesible para él, del comedor de los ancianos. El comedor, con sus altas ventanas, mira al patio, al que en verano dan sombra los castaños. Bajo los castaños había bancos, siempre ocupados por ancianos que padecían tos crónica o asma.

Para desayunar, dos monjes de la cocina colocaban la amplia caldera, llena de sopa de sémola, en la mesa de nuestro cuarto. A la sopa echaban leche en polvo, enviada por los correligionarios franciscanos del Canadá. A pesar de las mascullantes quejas permanentes, la sopa de sémola con leche sabía, de forma irreparable, a quemado. Unas veces suave, otras obstinado, se mantenía un gusto que quería ser inolvidable para el paladar.

Después de nosotros, los ancianos recibían su sopa de la mañana. A través de la trampilla del comedor, los monjes de la cocina la distribuían con cucharones. También ellos hablaban a los ancianos como si tuvieran que cuidar de niños.

Y, como el asilo Cáritas del Rather Broich me ofreció durante años alojamiento y comida baratos, puedo decir que mi desayuno, hasta la reforma monetaria y más allá de ese acontecimiento que lo cambió todo, se compuso invariablemente de la mencionada sopa de sémola con leche, dos rebanadas de pan de centeno y trigo, un pegote de margarina y —de forma alternativa— puré de ciruelas, miel artificial o un queso como goma para untar.

A veces, los domingos y, siempre, los días de importantes fiestas religiosas, por ejemplo el Corpus Christi, nos daban un huevo duro. Luego, al mediodía, después del pan de carne picada o el fricasé de pollo, se servía incluso temblorosa gelatina o flan de vainilla. En cambio la cena era uniforme y olvidable.

Los días laborales, todo el que iba a una clase, o como aprendiz o practicante a trabajar, recibía, en un recipiente de lata que podía cerrarse, llamado tartera, una ración de cosas diversas cocinadas juntas para el camino, lo que sin embargo tenía un gusto demasiado indefinido para poder citar los ingredientes.

La cocina se quedaba con nuestros cupones de comestibles. De todas formas nos llenábamos. Sólo nos daban los cupones de ropa y de tabaco.

Así cuidado, iba al trabajo día tras día. En comparación con la necesidad general fuera del asilo de Cáritas, las cosas me hubieran ido en realidad bien, si mi hambre secundaria no se hubiera manifestado tan insistentemente en todo momento y, sobre todo, en los viajes en tranvía.

El tranvía, siempre repleto, venía de Düsseldorf-Rath, se detenía cerca del asilo y hacía sonar el timbre de parada en parada hasta la Schadowplatz, en donde yo cambiaba a la línea que iba en dirección a Bilk y el cementerio de Wersten.

Nunca encontraba sitio. Había de pie, muy apretadas, personas medio dormidas de ambos sexos, totalmente despiertas, mudas o locuaces. Yo oía, olía y veía lo que daba de sí el dialecto del Rin: chismes y chascarrillos, el olor a ropa raída y —consecuencia de la posguerra— más mujeres que hombres.

A medias apretándome con intención y a medias empujado, me situaba entre chicas jóvenes o me veía metido entre mujeres adultas. Y, cuando no estaba encajado entre ellas, mis pantalones rozaban sin embargo ropa femenina. Con cada parada, cada arrancada del tranvía, se acercaban tela y tela, carne y carne bajo la tela.

Todavía amortiguaban abrigos de invierno y chaquetas guateadas, pero con la primavera se frotaron tejidos más finos. Rodilla contra rodilla. Antebrazos desnudos, las manos, alzadas para agarrarse, se acercaban demasiado.

No es de extrañar que mi pene, de todas maneras independiente y además fácilmente excitable, se volviera semirrígido o rígido durante el trayecto de media hora hasta el lugar de trabajo. Escasamente aliviado por el cambio de tranvía, hacía que mis pantalones me resultaran estrechos. Ni siquiera mediante una intensa fuga de pensamientos provocada se lo podía adormecer. Saciado yo por la sopa de sémola con leche matutina, la otra hambre me corroía ahora impertinente.

Y eso día tras día. Siempre me avergonzaba y temía que se notara aquella cosa abultada, que se considerase molesta e indecente, más aún, que fuera insultado en alta voz como un fastidio.

Sin embargo, ningún viajero de falda y blusa al que me acercara demasiado se indignó. A ningún cobrador de tranvía le susurraron quejas mirándome. Sólo el propietario de aquel rebelde sinvergüenza tenía conciencia de la sublevación que había en sus pantalones y, al mismo tiempo, de su impotencia.

Entretanto, conocíamos de vista a los viajeros. Cogían el tranvía con cierta puntualidad, de acuerdo con el horario. Se arriesgaba una sonrisa, que rápidamente se alisaba y tomaba nuevo impulso. Se hacía un gesto de cabeza; por extraño que se siguiera siendo, se acercaba uno más y más.

Por la charla de las chicas y mujeres, a menudo interrumpida por risitas, sabía o sospechaba que iban a su lugar de trabajo en grandes almacenes, la central telefónica, la cinta transportadora de la fábrica de Klöckner, oficinas. Me metía resuelto entre profesionales, rara vez me frotaba con amas de casa.

A partir del otoño, las apreturas de todas las mañanas me situaron detrás de dos estudiantes de la escuela de arte dramático. Las dos llevaban vestidos floreados. Bastante amaneradas y sin preocuparse por los oyentes próximos, hablaban de Hamlet y de Fausto, el famoso Gründgens, la igualmente famosa Flickenschildt y la Hoppe, más famosa aún, por lo tanto de los grandes de entonces en la vida teatral de Düsseldorf: el impenetrable maestro del arte del disimulo, la severa encarnación de la tradicional disciplina teatral, y mi ídolo, a la que, desde mis tiempos escolares, había conocido en las pantallas de cine.

Al oír el cotilleo teatral cotidiano, se me despertó con la otra hambre también la de las artes, de forma que me hubiera gustado hablar con ellas de *Broma, sátira, ironía,* una obra que posiblemente estaba en cartel; sin embargo, permanecí mudo y me arrimé, por planas y huesudas que fueran las dos en una época pobre en calorías, a las estudiantes de arte dramático: ellas, en su parloteante celo, no percibían lo que, por un sentido más profundo y gracias a mi prepotente capacidad de imaginación, les ocurría: al mismo tiempo e insistentemente a una tras otra.

Las dos querían parecerse a Gretchen o Käthchen. Me hicieron escuchar fragmentos de monólogos ensayados. La erre rodada de la Flickenschildt les salía bien por el entrenamiento. No obstante, para igualar a la Hoppe les faltaba personalidad. Su verborrea no paraba de fluir. Nunca cruzamos palabra.

Cuando Gründgens, más tarde, puso en escena *Las moscas* de Sartre en un teatro provisional, creí, como espectador, ver sobre el escenario a mis superficies de frotado: en medio de un coro inquieto, disfrazadas de insectos.

Luego fueron otra vez las oficinistas o las de la central telefónica con las que me apreté, las que me apretaron y las que, tanto dolorosa como placenteramente, me pusieron en apuros. Apenas recuerdo rostros. Sin embargo, una de las chicas, a la que me acerqué demasiado, tenía unos ojos muy separados que, con indiferencia, me miraban sin verme.

Sólo ante las lápidas que estaban dispuestas en hilera, brillantemente pulidas, en las explanadas de las empresas de talla del Bittweg, que esperaban allí, y los nombres y fechas labrados con profunda escritura, se me pasaba el estado de excitación de media hora de los viajes en tranvía de cada mañana. También cedía entonces el regusto de sopa de sémola con leche quemada.

Mi tartera llena de guisote se la daba a la mujer del maestro para que, como las tarteras del escultor Singer, el viejo oficial Korneff, los tallistas de inscripciones silesios y los flacos aprendices, la calentara al baño maría para el mediodía.

Únicamente los martes y viernes iba a trabajar sin tartera en el zurrón del pan. Eran los días de la sopa de carne y verdura, no sólo nutritiva sino también muy sabrosa, que de todas formas, en lo que afectaba por igual a los aprendices y a mí, tenía su precio, que enseguida se reclamaba.

Al lado mismo del depósito de piedra, la mujer del maestro, que era de origen campesino de la orilla izquierda del Rin y, evidentemente, amante de los animales, tenía en un cobertizo parecido a un establo, además de cinco gallinas Leghorn, una cabra, que pasaba por ser lechera y diariamente exigía forraje. Lucía, con su piel de blancos mechones, una ubre rosa. Su mímica no estaba libre de arrogancia. Si daba realmente leche no es seguro, pero, en cuanto pregunto a la cebolla, una ubre llena a reventar quiere ser ordeñada por la mano de la mujer del maestro.

Día tras día, los aprendices y yo, alternativamente, debíamos llevar a la cabra, de una cuerda, a donde crecía y recrecía la hierba. Entre las lápidas expuestas no se encontraba forraje, porque allí tenían las gallinas su espacio para corretear y, en años venideros, me proporcionaron un tema —«Aves de corral en el cementerio central» se llama un poema—, pero fuera de la valla crecía hierba suficiente.

En cuanto la cabra se hubo comido todas las hierbas e incluso las ortigas a lo largo del Bittweg, sólo le quedaron como lugar de pasto las vías del tranvía que iba a Wersten y, más lejos, a Holthausen. A ambos lados de la vía había alimento para días.

A los aprendices o novicios, como los llamaba Korneff, no les importaba cumplir sus deberes del mediodía con el altanero animal de la cuerda, aunque con ello se

280

los privara de buena parte de su descanso. Uno de los aprendices, con gafas, al que resultaba duro trabajar con la piedra y por eso más tarde se fue a correos, en donde al parecer hizo carrera como funcionario, se quedaba incluso más tiempo que el requerido buscando forraje, mucho después de la pausa.

Para mí, sin embargo, pasear con la cabra, que además se llamaba *Genoveva*, se convirtió en un tormento. En general, y por los espectadores. Porque los edificios del hospital municipal corrían paralelos a las vías y escondidos entre los árboles; suele ocurrir a menudo que los hospitales estén cerca de cementerios y negocios de piedras sepulcrales. Había mucha gente que iba y venía de la puerta principal, no sólo visitantes.

Al mediodía, a las enfermeras, individualmente o en alegres grupos, les gustaba darse una vuelta bajo los árboles. ¡Ay, cómo gorjeaban! Mi aspecto, joven con cabra testaruda, sólo podía hacerlas reír.

Yo tenía que soportar sus voces, algunas burlonas. Mi ropa de trabajo, el dril tantas veces remendado, y el hecho de pelearme continuamente con la obstinada cabra, que siempre quería ir en otra dirección y, al hacerlo, balaba a voz en grito, me convertían en hazmerreír o hacían que me sintiera como un hazmerreír. Como San Sebastián, que atraía las flechas de sus enemigos, yo era blanco de palabras mordaces.

En aquella época, sin duda mi comportamiento tímido me impedía contestar a aquellas enfermeras con ganas de broma y de uniforme blanquísimo y favorecedor, con réplicas desvergonzadas, haciéndolas así perder terreno. Me avergonzaba y, por eso, apenas estaban fuera de mi vista aquellas lenguas maliciosas, daba patadas a la cabra *Genoveva*.

Quien cree estar en la picota piensa en la venganza, y sin embargo, por lo común, no da en el blanco o —como en mi caso— consigue sólo flores de papel:

insultos tragados, maldiciones que en realidad hubieran debido ser llamadas de reclamo.

De esa forma, mi exhibición del mediodía tuvo las correspondientes consecuencias: aunque, según redacción ulterior, el novelesco héroe Oskar Matzerath, que, más o menos en la época de la alimentación de la cabra, padecía trastornos de crecimiento y, por ello, fue paciente del centro hospitalario, consiguió a la primera quedar citado con una de las enfermeras que lo cuidaban y, apenas dado de alta como curado, invitar a la enfermera Gertrud a café y pasteles, a mí, en cambio, no se me ocurría ninguna palabra agradable. Seguí siendo el tragicómico apéndice de una cabra obstinada de ubre bamboleante.

Oskar sabía tornear hermosas palabras; yo estaba como caído de bruces.

Él, que incluso sabía vender provechosamente su joroba, tenía ocurrencias a docenas; a mí sólo se me ocurrían gestos torpes y, por consiguiente, equívocos.

A él le venían a la boca con gracia viejísimos trucos del arte de la seducción; a mí, todo lo más, se me oía tragar; tragarme palabras.

¡Ay, si hubiera sido tan descarado como Oskar! ¡Ay, si hubiera tenido su ingenio!

A ello se unía el que la mala suerte parecía perseguirme. Porque una vez, cuando tenía ya en los labios una palabra amable para una enfermera de rostro de madona que paseaba sola, y más lisonjeras palabras en reserva, la cabra que me habían endosado comenzó a mear, con fuerza y largo rato.

¿Qué hacer? ¿Apartar la vista? ¿Buscar apoyo en las lápidas alineadas más allá de las vías? ¿Fingir indiferencia?

Todo inútil. El meado de la cabra lechera *Genoveva* no quería acabar nunca. Emparejados de la forma más ridícula, ofrecíamos un espectáculo lamentable.

Todavía hoy me pondría como un tomate si no pudiera invocar a la vez un recuerdo capaz de detener el persistente chorro de orina de la cabra: muy pronto, aunque en un lugar de pasto diferentemente fertilizado, pude apuntarme rápidos éxitos, en concreto en pistas de baile que se llamaban «Wedig» o «Löwenburg». Como bailarín, era muy solicitado. Y esa ventaja, lograda bailando con piernas jóvenes, se tradujo hace pocos años en los poemas de un hombre anciano que creía ser ágil todavía para unos *Últimos bailes,* aunque sólo fuera durante el tiempo de un «tango mortale».

Fines de semana locos por el baile. Los días laborables, sin embargo, aprendía, bajo la dirección de Korneff, a dar regularmente golpe tras golpe con el mazo de madera, llamado maza. Afilaba y cincelaba superficies de piedra caliza y granito belga apenas desbastados. Pronto conseguí rodear un mármol de Silesia, suficientemente grande para una tumba de niño, con una gargantilla. Incluso me atreví a hacer un astrágalo, a fin de adornar la lápida encargada para la tumba de un catedrático emérito.

El viejo Singer me enseñó, con ayuda de un armazón de tres patas, la máquina de sacar puntos, a trasladar un punto tras otro del modelo de yeso del Crucificado al trozo de diabas todavía sin tratar, eliminando masa de piedra. La aguja montada en el armazón tomaba del modelo del cuerpo los puntos más profundos y los más altos. Una y otra vez, el trípode se movía del yeso a la piedra tomando medidas. Hasta que se trasladaron todos los puntos distintivos hubo que desbastar y, por fin, cincelar con el escoplo, para que la aguja tocara exactamente su punto. A quien hacía trampa, Singer lo descubría enseguida con una ojeada por encima de la montura de sus gafas. Él, que en sus años jóvenes había esculpido el monumento a Bismarck de Hamburgo, me enseñó a dar rostro a la piedra.

Me salieron callos y me dejé la piel bajo los hierros. Mis músculos, bonitos para enseñar, se endurecieron. Parecía un artesano como es debido y, por ello, pude convencerme en años posteriores de que, en caso de un retroceso político, de una censura otra vez implantada o de una prohibición estatal de escribir, podría alimentar a mi familia como picapedrero; una seguridad que me dio tranquilidad interior. Porque eso es sabido en todas partes: como la muerte no conoce descanso, incluso en tiempos de necesidad hacen falta lápidas; la oferta de Göbel de tumbas individuales y dobles tuvo una gran acogida.

De forma que cincelábamos golpe a golpe. Al hacerlo, me tragaba lo que se levantaba en nubes del granito belga y olía sulfurosamente, como pedo de viejo. Para el último alisado servía la pulidora. Los fines de semana, sin embargo, todo el polvo de piedra se desprendía: de la noche del sábado hasta entrado el domingo se bailaba.

Comenzaba así: el monje que vigilaba a los ancianos tosedores y a nosotros, los usufructuarios de las literas dobles, el hermano que servía desde la mañana a la noche con hábito revoloteador y llavero tintineante, se situaba inmóvil la tarde del sábado a la puerta abierta de su celda y contemplaba, con piadoso recogimiento, cómo nos arreglábamos para salir.

Yo me ponía los pantalones negros arrebatados al arcón de ropa del padre Fulgentius. En el lavadero, el monje sirviente que trabajaba allí nos había enseñado a planchar rayas perfectas. Vestido además con mi chaqueta de dibujo de espiga, debía de parecer un gigoló profesional. Por desgracia, en nuestra habitación de diez camas no había ningún espejo.

Un estudiante ya entrado en años, tipo cabo, que estudiaba para ingeniero y que, luego, como directivo en Mannesmann, supo aprovechar la coyuntura del negocio de las tuberías, me enseñó a hacerme el nudo de corbata de tamaño mediano. Algunos daban un lustre intenso a sus zapatos, otros se fijaban el pelo con agua azucarada. Todos iban de punta en blanco.

Nuestro monje, sumido en el recogimiento, hacía desaparecer las manos en las mangas de su hábito y seguía con la vista, petrificado, al grupito, en cuanto nosotros, ruidosamente, como si fuéramos a buscar un tesoro, nos íbamos al bailongo del fin de semana.

A mí me resultaba fácil. Desde muy pronto fui bailarín. En las fiestas burguesas en la Zinglers Höhe o en la sala adornada con guirnaldas del popular restorán al aire libre Kleinhammerpark de Langfuhr, iba antes y después de comenzar la guerra, y no sólo como espectador y coleccionista de detalles para relatos posteriores. Mientras los pequeños burgueses del suburbio, vestidos de paisano o uniformados de pardo caca, se divertían unos con otros o unos contra otros, a los trece años aprendí, llevado por solitarias novias de soldado, a bailar, lo que incluía el vals de Renania y el *one-step*, el *foxtrot*, y el vals inglés, hasta el tango aprendí temprano y por eso, en los tablados de los años de la posguerra, me vi de pronto solicitado.

Ahora eran los ritmos de un conjunto *dixieland*, que, entre el «Shoeshineboy», el «Tiger Rag» y el «Hebabariba», tocaba también, si se le pedía, el tango. Había antros de baile por todas partes, en los sótanos de la ciudad vieja de Düsseldorf, en Gerresheim, también cerca en Grafenberg, un suburbio en cuyo bosque colindante no sólo el establecimiento psiquiátrico se haría un nombre, gracias a un paciente ávido de recuerdos; también a mí me resultaba complaciente el bosque: el acalorado bailarín encontraba en senderos, con esta o aquella chica de la central telefónica, algún banco acogedor o —apartado del camino— el ansiado lugar cubierto de musgo para tumbarse.

Juegos de cambio de árbol y de la vaca ciega, recuerdos imprecisos, sólo apoyados en el sentido del tacto, que se pierden en agujeros negros. No podría dar ningún nombre, salvo el de una chica, que se llamaba Helma, tenía mucho pecho y, cuando en el Löwenburg, con luz súbitamente atenuada, se anunció que sacaban a bailar las mujeres, me invitó a un *foxtrot,* después de lo cual se encaprichó de mí.

Era una época loca por bailar. Nosotros, los vencidos, ansiábamos la música del vencedor transatlántico que nos liberaba durante un *blues: «Don't fence me in...».*

Había que celebrar la supervivencia y olvidar las casualidades escenificadas por la guerra. No se evocaba lo que había sido vergonzoso u horrible y acechaba desde atrás. El pasado y su terreno ondulado por fosas comunes era nivelado de sábado a domingo para convertirlo en pista de baile.

Sólo cuando, transcurridos años, pude distanciarme e hice que el posterior paciente del establecimiento psiquiátrico de Grafenberg bailara un *one-step* en el mencionado Löwenburg, a los acordes de «Rosamunda», pudo llamar Oskar todo aquello por su nombre y escribir fielmente lo que, semana tras semana, dejé de lado o reprimí por molesto: fantasmas atormentadores que ahora, medio siglo más tarde, llaman de nuevo a la puerta queriendo entrar.

El recuerdo se basa en recuerdos, que a su vez se esfuerzan por conseguir recuerdos. Por eso se asemeja a la cebolla, que, con cada piel que cae, deja al descubierto lo olvidado hace tiempo, hasta los dientes de leche de la primera infancia; luego, sin embargo, el filo del cuchillo la ayuda a conseguir otro fin: cortada piel a piel, provoca lágrimas que nublan la vista.

Me encuentro sin rodeos y más exactamente me veo en los bancos, bajo los castaños que dan sombra al patio del asilo de Cáritas. Allí me siento con un viejo distinto cada vez, tratando de llevar su rostro al papel.

Dibujo a lápiz ojos turbios y empañados, y ojeras, orejas secas que se deshilachan en los bordes, la boca mordisqueante sin parar. Dibujo la frente, un campo lleno de surcos, ahora el cráneo reluciente o nublado apenas por el escaso cabello, la piel delgada y ligeramente latente sobre la sien, y el cuello, cuero arrugado.

Con lápiz de plomo blando y su suave brillo especial se pueden modelar caballetes de nariz y mandíbulas, el labio inferior colgante, la barbilla retraída. Travesaños y arrugas verticales dibujan la frente. Líneas que traza el plomo, se hinchan, desaparecen. Lo que, sombreado, se encuentra tras los cristales de las gafas. Dos cráteres: los agujeros de la nariz, que sueltan pelos grisáceos. Infinitos matices de gris entre el negro y el blanco: mi credo.

Desde la infancia he dibujado con lápices. Muros de ladrillo imaginados sombríos y costrosos vistos de cerca. Siempre la goma de borrar al lado, hasta que se gastaba, desmigajaba; por lo que más tarde, mucho más tarde, canté a ese medio de ayuda asignado al lápiz en un ciclo de poemas: «Mi goma de borrar y la luna decrecen ambas».

Ahora se sentaban para mí en los bancos del asilo de Cáritas ancianos en semiperfil, manteniendo, como si se les mandara, la dirección de sus ojos. Posaban una o dos horas. Muchos padecían ataques de asma. Su respiración sibilante. A veces mascullaban incoherencias, a través de las cuales vagaban por la Primera Guerra Mundial, Verdún, la inflación. Los recompensaba con cigarrillos, mi divisa: pagaba dos, tres pitillos, que se fumaban hasta la colilla inmediatamente después de la sesión, o tras un largo ataque de tos.

Como seguía siendo no fumador, podía pagar en todo momento, con lo que la prioridad de dibujar a partir de un modelo agotaba mis reservas de tabaco. Una vez posó para mí un anciano de flameante cabello y barba ondulados, gratis y, según dijo, «¡sólo por amor al arte!».

Sin embargo, al dibujante bajo los castaños le faltaba, por aplicado que fuera, la indicación correctora.

Con gusto hubiera mostrado a aquella profesora auxiliar que, poco después de Stalingrado y con el comienzo de la guerra total, fue obligada a enseñar arte, algunos de aquellos dibujos a lápiz sobre papel de pasta de madera, de los que el practicante de picapedrero creía que algunos estaban logrados, otros no.

Cuando tenía unos catorce años, ella daba sus clases en el colegio Petri. Todos los sábados, se le confiaba un montón de groseros patanes, que pretendían aburrirse y de los cuales algunos, en el mejor de los casos, dibujaban sobre el papel coños peludos y monigotes de picha desmesurada.

Ella no hacía caso de la parte tediosa de la clase —brutos adolescentes jugaban en grupitos al *skat* o dormían durante las dos horas— y ocupaba al resto con tareas perspectivistas. Sólo se interesaba por dos o tres de sus alumnos que, en su opinión, mostraban un poquitín de talento.

Así llegué a disfrutar de sus esfuerzos. Más aún, me invitó a visitar su taller al aire libre de Zoppot. Casada con un jurista mucho mayor que ella, que en algún lugar, tras el frente del Este, prestaba servicios de retaguardia como oficial de intendencia, la joven vivía en una casita rodeada de maleza, a la que tuve acceso nosécuántasveces.

Con pantalones cortos o con el largo uniforme de invierno de las Juventudes Hitlerianas, iba con el tranvía a Glettkau, pasando por Oliva y, esperanzado, por las dunas de la playa o el borde de las olas a lo largo del mar, pero no buscaba ámbar en las algas marinas arrastradas a la playa, sino que, poco antes de los primeros chalés de Zoppot, torcía a la izquierda. Pasando por delante de arbustos, que comenzaban a echar botones o en los que, a partir de finales de verano, ardía el escaramujo. La puerta del jardín chirriaba.

En la veranda favorecida por la luz septentrional, veo esculturas masivamente rechonchas y cabezas de yeso o todavía húmedas en arcilla. Detrás, el caballete cubierto. La veo a ella con su vestido de delantal salpicado de yeso, con un cigarrillo entre los dedos.

Era de Königsberg, pero no había encontrado en la Academia de Bellas Artes de allí, sino en la Escuela Superior Técnica de Danzig, su maestro: el profesor Pfuhle, conocido pintor de caballos, con el que yo también seguí más tarde un curso para aficionados.

El cabello le caía, corto y liso, según una moda hacía tiempo pasada. Y sin duda el estudiante de secundaria que llevaba mi nombre estaba distantemente enamorado de Lilli Kröhnert. Sin embargo, ninguna mirada, ningún contacto buscado. Ella se me acercaba, desconcertándome de una forma muy distinta.

En una mesita de fumar —mi profesora echaba humo sin cesar—, tal vez de modo no deliberado o quizá intencionadamente, había puesto un montón de revistas de arte y catálogos manoseados, que tenían mi edad o eran más viejos que yo, unos en blanco y negro y otros con ilustraciones en color.

De manera que el alumno los hojeó y vio cuadros prohibidos de Dix y Klee, Hofer y Feininger, y también esculturas de Barlach —el novicio lector— y la gran figura arrodillada de Lehmbruck.

Vi más cosas aún. Pero ¿qué exactamente? Sólo que sentía calor es seguro. Tanto me fascinó y, al mismo tiempo, espantó lo que nunca había visto antes. Todo aquello estaba prohibido, era «arte degenerado».

Una y otra vez, el noticiario había mostrado al espectador lo que en el Tercer Reich había que considerar bello: los escultores Breker y Thorak competían entre sí en fuerza muscular, con figuras de héroe talladas en mármol, de tamaño superior al natural.

Lilli Kröhnert, la fumadora, cuyo estrabismo me irritaba, la joven mujer de peinado a lo *garçon* y marido distante, mi amada profesora, que me mostraba cosas prohibidas, siempre algún Lehmbruck, pero señalándome también escultores tolerados como Wimmer y Kolbe, corría el peligro de ser denunciada por su alumno, según ella no carente de talento. La delación era entonces corriente. Una indicación anónima bastaba. En aquellos años, alumnos de instituto fervorosamente creyentes habían enviado con harta frecuencia a sus profesores —como, un año más tarde, a mi profe de latín, *monsignore* Stachnik— a Stutthof, el campo de concentración.

Ella sobrevivió a la guerra. A principios de los sesenta, cuando con mis hijos mellizos de cinco años, Franz y Raoul, viajé por Schleswig-Holstein y, a la noche, leí en público fragmentos de mi novela *Años de perro,* en la librería Cordes de Kiel, me reuní con Lilli Kröhnert y su marido, también sobreviviente, al otro día, en Flensburg. Ella seguía fumando y sonrió cuando le di las gracias por su temeraria enseñanza artística.

Ay, si hubiera estado a mi lado, críticamente, cuando yo, el no fumador, dibujaba bajo los castaños a hombres viejos y tosedores, con lápiz blando, y los recompensaba con cigarrillos...

Después de haber saciado mi hambre primaria mediante sopas de Cáritas insípidas y, sin embargo, con regusto, y mi otra hambre, sin duda aumentada durante los viajes en tranvía los días laborables, pero calmada tras el bailongo de los fines de semana por bailarinas devotas, quedaba la tercera hambre, el ansia de Arte.

Me veo en localidades baratas en el teatro de Gründgen —¿estaba ya entonces o el año siguiente el *Tasso* de Goethe en el programa?— y simplemente ahogado por el raudal de imágenes de exposiciones cambiantes: Chagall, Kirchner, Schlemmer, Macke, ¿quién más?

En el asilo de Cáritas, el padre Stanislaus me alimentaba con Rilke, Trakl, una selección de poetas barrocos y los primerísimos expresionistas. Yo leía lo que ofrecían las existencias, protegidas por él más allá de la época nazi, de la biblioteca de los franciscanos.

Y, en compañía de una accesible hija de catedrático de instituto —huida con su padre de Bunzlau—, calmaba, mientras duraba el concierto de la sala Robert Schumann, mi ansia de todo lo que seducía la vista y el oído.

Sin embargo, mi entusiasmo lector y el pasivo consumo de productos artísticos más bien aumentaba mi hambre de arte y me incitaba a producir yo mismo.

De forma que me salían sin interrupción poemas a metros: mi metabolismo lírico. Después de terminar el trabajo, cincelé, en la barraca del tallista Göbel, mis primeras pequeñas esculturas en piedra caliza: torsos femeninos, expresiva una cabeza de chica. Y además, lo que podían ofrecer los asmáticos ancianos por un pago en cigarrillos llenaba mi bloc Pelikan: hoja tras hoja, rostros variados, con cicatrices, extinguidos, secos, rostros de piel y huesos. Mal afeitada o con barba, parpadeante o lagrimosa, la vejez me miraba. En cuanto rebobino el tiempo y vuelven a ser imaginables los bancos bajo los castaños a la luz clara de primavera, estival, otoñal, me veo dibujando rostros semidespiertos que, en mis hojas, anticipan la muerte.

Como la producción del no fumador se ha perdido, es incierto si, al mismo tiempo, veía a mis compañeros de habitación como modelos. Es posible que el padre Fulgentius, prior del asilo de Cáritas, con expresión malhumorada y algunas marcas de viruela, y además el padre Stanislaus, aficionado a Rilke, una sensible mosquita muerta, a quien gustaba citar versos de *El ruiseñor de Trutz* del monje barroco Spee von Langenfeld, fueran llevados al papel. Me gustaría que hubiera una hoja en la que pudiera reconocerse como ángel a nuestro hermano que vigilaba apresuradamente y cuya mirada aguardaba siempre un milagro de la Virgen María. Sin embargo, en esa multitud desaparecida, sólo son seguros los retratos de ancianos.

Después de un año con Julius Göbel, el viejo oficial Korneff, el escultor Singer y su máquina de sacar puntos, de tres patas, después de, una semana tras otra, dos veces sopa de verdura, y después de haber llevado suficiente tiempo a la cabra lechera *Genoveva,* el practicante creyó que debía cambiar de empresa de aprendizaje.

Bastaba de animal balador, bastaba de cuerpos punteados del atlético Cristo en la cruz y bastaba de mármoles, Vírgenes de pie sobre la media luna *a contrapposto,* de granito lustrado (en contra de lo legalmente dispuesto), y de las rosas quebradas que, como relieve de medallón, yo cincelaba en las lápidas de niño. Nunca más quería ver a las gallinas Leghorn picoteando entre piedras sepulcrales. Me atrajo la empresa de la casa Moog, situada al final del Bittweg. Allí se trabajaba sobre todo con arenisca, toba volcánica y basalto, recién extraídos de las quebradas del Eifel. Allí casi nadie solicitaba pesadas moles sepulcrales con inscripciones. Allí no colgaba de mí ninguna cabra.

No me resultó fácil despedirme de Korneff y su encanto de viejo oficial. En la primavera, en cementerios llenos de pájaros, habíamos sujetado con espigas las lápidas y sus pedestales, para una a tres personas, sobre sus zócalos. Contemplamos el traslado de cadáveres, que querían ir a otras tumbas. Al lado de Korneff se podía soportar el negocio con la muerte. Con él se podía despotricar a gusto.

Sin embargo, como Korneff, en época posterior, encontró oportunidad de colocar mármol y diabas con su ayudante Oskar Matzerath, hasta bien entrado el capítulo «Fortuna Nord», ser testigo de traslados de cadáveres deseados y con Oskar —como me había aconsejado a mí también— dejar al mediodía su tartera llena de guisote en el crematorio del cementerio, para que se la calentaran, el tema del arte sepulcral y la reglamentación de los cementerios se ha agotado; suplementariamente puede decirse, en el mejor de los casos, algo sobre poesía y verdad: quién puso en la boca a quién y qué, quién miente con más precisión, Oskar o yo, a quién en definitiva debe creerse, lo que aquí y también allá falta, y quién llevó a quién la pluma.

No obstante, como ese señor Matzerath nunca trabajó para la empresa Moog, confío estar a salvo de las persecuciones del parto tardío de mis años mozos durante algún tiempo.

Por atractivo que pueda ser barrer las cáscaras de huevo de los propios hijos incubados, por lo general sólo se encuentran en el recogedor restos de origen dudoso: la cerrilidad que no perdona detalle, ocurrencias antes tachadas que esperan ser revividas, por ejemplo el rumor de que la cabra *Genoveva,* apenas había dejado yo la empresa Göbel con la bendición del maestro Singer, durante la búsqueda de forraje al mediodía, se había soltado con su cuerda de uno de los aprendices, se había dado a la fuga y había exhalado su último balido bajo el tranvía que se dirigía a Bilk.

Al parecer, la mujer de Göbel, la matrona de ojos de vaca, sospechó que sólo por mi partida, de pena, *Genoveva* se había tirado a la vía, precipitándose bajo las ruedas.

Durante los primeros meses en la casa Moog, me dediqué, con aprendices y oficiales, a una tarea cuyos resultados esculpidos en piedra no servían al aura de los cementerios. Más bien, había que eliminar los daños feos y persistentes de la guerra dentro de los parques municipales y, por consiguiente, en el Hofgarten.

Allí, donde figuras de arenisca habían sido decapitadas por la metralla o convertidas en inválidos mancos, aquí había que renovar la cabeza ausente de la diosa

Diana, allá una cabeza de Medusa que faltaba, según modelos fotográficos o de yeso. Miembros perdidos y cabecitas de ángel partidos en dos necesitaban ser completados. También se encomendaban a la casa Moog angelotes de cuerpo entero con graciosas manitas regordetas, protuberancias carnosas, hoyuelos por todas partes y rizos exuberantes. Previsoramente, el jefe de la empresa conseguía ser complaciente con las autoridades municipales.

Con ayuda de los aprendices, que procedían todos de familias de tallistas establecidas, aprendí que los golpes equivocados en la piedra son permanentemente imposibles de corregir si no pueden ocultarse con alguna trampa hábil. De esa forma, reparando los daños de la guerra, es decir, con parches, pasábamos nuestros días. La receta para la pasta de piedra, que no debía ser demasiado grasienta ni demasiado delgada, se la debía al maestro Singer, que me la confió como despedida, en calidad de secreto profesional para guardar.

Sin embargo, en lo que se refiere al arte, verdadero objeto de mi hambre permanente, sólo se me ofreció un criterio cuando anónimos clientes encargaron varias copias de un torso de noventa centímetros. En cualquier caso, el jefe de la empresa se dio aires misteriosos cuando destapó el modelo cuidadosamente envuelto en mantas de lana.

El yeso permitía reconocer como autor claramente al escultor Wilhelm Lehmbruck, en otro tiempo famoso, incluso destacado, pero que, durante el dominio nazi, fue proscrito con sus esculturas de todos los museos; ya de alumno, yo lo había encontrado, aunque sólo fugazmente, en las revistas de arte prohibidas de mi profesora Lilli Kröhnert. Ella lo llamaba «uno de los realmente grandes».

En la Moog, no obstante, no se mencionó el nombre de Lehmbruck. Todo lo más se murmuró sobre el origen del modelo de yeso. Uno de los oficiales bromeó: «De uno salen tres».

Ése fue el número de piedras areniscas que se trabajaron. Al parecer, el encargo era de un marchante que se dedicaba a comerciar con copias, las cuales hacía pasar por originales, ofreciéndolas en el mercado negro. En aquellos años de la posguerra había muchos compradores ignorantes, nuevos ricos autóctonos y recién llegados de los Estados Unidos: comenzó la época de las falsificaciones.

En cualquier caso, las tres copias hechas en arenisca clara se vendieron antes de que estuvieran listas para ser recogidas en nuestros caballetes de madera.

Desde el centro del muslo hasta el vértice de la cabeza ligeramente vuelta, medí el torso sin brazos. La inclinación de la pelvis indicaba una pierna libre y otra de apoyo. Un Lehmbruck del período medio, hecho poco antes de comenzar la Primera Guerra Mundial, probablemente en París.

Como siempre, trasladamos la multitud de puntitos marcados con lápiz de la superficie del modelo de yeso a la piedra. Para ello ayudó de la forma tradicional la máquina de sacar puntos de tres patas, con su aguja de tope movible.

El viejo maestro Moog vigilaba personalmente nuestro trabajo. Sin duda, los aprendices de familias de tallistas con tradición conocían muchos trucos, pero, en cuanto aparecía el peso pesado Moog, de nada servían las tretas. Se levantaba con dos dedos el párpado caído, comprobaba cada detalle, dejaba caer de nuevo uno u otro párpado, parecía un buda. Nunca tenía que recurrir a la máquina y, con su punta fijada en el brazo de metal giratorio, no se le escapaba ningún punto defectuoso.

Para mi vergüenza he de confesar que, en las superficies tranquilas pero sin embargo movidas de la espalda del torso, trabajé de una forma chapucera especialmente reconocible. Hubo que repasarlo. Lo que quiere decir: hubo que nivelar la capa de piedra que faltaba entre los dos omóplatos, pero lo que se había quitado a toda la superficie siguió faltando.

Quién sabe a quién complace hoy una de las copias, mi Lehmbruck: si a los clientes del anónimo comprador de entonces o —después de una reventa— a un propietario posterior del fingido original; sin embargo, sigo con el deseo de tener oportunidad de pedir a Wilhelm Lehmbruck, que puso fin a su vida poco después de terminar la Primera Guerra Mundial, su indulgencia y perdón.

Ay, si pudiera ensayar mi método, que a veces tiene éxito, de la invitación conjunta y reunir en torno a una mesa imaginada a él, a quien Lilli Kröhnert me había elogiado como de grandeza incomparable, con los pintores Macke y Morgner, que cayeron jóvenes cerca de Perthes-les-Hurlus y Langemarck.

En mi papel, los cuatro conversaríamos sobre lo actual de entonces —el entusiasmo con que uno fue a la guerra—, pero luego sólo sobre arte. Lo que ha sido de él desde entonces. Cómo el arte sobrevivió a todas las prohibiciones pero pronto, apenas liberado de coacciones exteriores, se redujo a doctrina y se disipó en lo abstracto.

Podremos reírnos de los cachivaches de las instalaciones y de las tonterías de moda, de la locura inquieta del vídeo y de los saltitos de evento en evento, de la santificada chatarra y del abarrotado vacío del ajetreo artístico siempre actual sólo.

Y entonces, como anfitrión y cocinero, tendría que alegrar a mis invitados con permiso de la muerte. Primero vendría a la mesa un caldo de pescado, cocido con cabezas de bacalao y sazonado con eneldo fresco. Luego podría servir una pierna de cordero mechada de ajo y salvia, con lentejas, sacadas de un caldo condimentado con mejorana. Habría queso de cabra y nueces para terminar. Con *aquavit* —los vasos llenos hasta el borde— se podría brindar y despotricar contra todo lo divino y lo humano.

De Lehmbruck, el taciturno westfalio, sólo vendrían frases cortas. De August Macke, al que le gustaba hablar, se podría escuchar lo que, durante su breve viaje a Túnez —juntamente con Paul Klee y Louis Moilliet—, habían vivido como acontecimientos luminosos y otras aventuras, entonces, en abril del catorce, pocos meses antes de comenzar la guerra. Y Wilhelm Morgner daría a conocer los cuadros que habría pintado —¿posiblemente abstractos?—, si en Flandes una bala no le hubiera...

Sin embargo, ni palabra sobre el desgraciado amor de Lehmbruck que, al parecer, fracasó con una belleza del teatro y mujer-niña, la actriz Elisabeth Bergner. Se decía que se había suicidado por ella, lo que dudo. Era la guerra, que en su cabeza, en muchas cabezas, no quería acabar...

Y después de la mesa seguramente habría alguna oportunidad para dar las gracias a Lehmbruck. Él, el maestro no solicitado de mi tiempo de aprendizaje, me dio el criterio para aprender del fracaso...

¿Y luego? Luego vino la reforma monetaria. Su fecha separaba en antes y después. Fijó un fin y prometió un principio a todos. Devaluó y se jactó del nuevo valor. De muchos hambrientos filtró pronto algunos nuevos ricos. Hizo perder terreno al mercado negro. Prometió el mercado libre y ayudó tanto a la riqueza como a la pobreza a establecerse permanentemente. Santificó el dinero y nos convirtió a todos en consumidores. Y en conjunto reanimó los negocios, y por ello también la cartera de pedidos de las empresas de tallistas del Bittweg, donde hasta entonces el trueque y el comercio de productos naturales habían determinado los precios.

Poco antes de la fecha que lo cambió todo, se adjudicó a la empresa Moog la reparación de la fachada del edificio de un banco, que seguían afeando los daños de la guerra. Evidentemente, los banqueros se avergonzaban de su fachada. Había que recibir el acontecimiento que se adivinaba con un exterior mejorado, en el plazo establecido y de acuerdo con un presupuesto.

Así pues, los daños causados en los bloques de caliza conchífera por la metralla debían eliminarse con cincel y rellenarse con trozos rectangulares; sujetos con espigas y ajustados, encajaban muy bien. ¿Cómo se llamaba el cliente? Supongamos que era el Dresdner Bank, hacía poco rebautizado como Rhein-Ruhr-Bank.

De esa época sólo ha quedado una foto. Representa a un joven, subido a una estructura de tubo de acero, que mira al mundo como si lo abarcara con la vista. Para identificarse profesionalmente, el zurdo sostiene como es debido el mazo de madera de los tallistas y en la otra mano el puntero.

Algún compañero de trabajo habrá hecho la instantánea. Al fondo de la imagen, una depresión vaciada a cincel revela lo poderosamente que la fachada de piedra natural reviste la parte delantera del Dresdner Bank. Quemado por completo en su interior, sobrevivió con sus muchos pisos a la granizada de bombas y está ahora ansioso de capital fresco y de renovadas ganancias.

El joven tallista está solo, porque la junta directiva del bastión monetario, que había servido a todos los sistemas, también al de la delincuencia organizada, no quería aparecer en la fotografía y se contentó con hacer eliminar todos los daños visibles de la fachada del banco. Al fin y al cabo, se quería recuperar el prestigio, al menos exteriormente.

El joven demacrado vestido de gorra de visera y dril, que, seguro de sí mismo, está de pie en el armazón de tubo de acero y mira al mundo, soy yo, poco antes de la reforma monetaria. Un autorretrato en una pose activa.

Es cierto que las plantas superiores del banco, ante las que estoy yo, muy alto en el armazón, no estaban todavía listas para ser ocupadas, porque tenían huellas de incendio, pero la sala de ventanillas de la planta baja debía abrirse próximamente al público.

En el piso de arriba nos sentábamos los tallistas durante la pausa del mediodía, y vaciábamos a cucharadas nuestras tarteras. Como el techo entre la planta baja y el primer piso sólo había sido cubierto provisionalmente con tablas, se podía, por grietas del ancho de un dedo, mirar a la sala de ventanillas.

Por eso vi, pocos días antes del día D, la nueva divisa en billetes y monedas sobre largas mesas, clasificada, contada, atada y empaquetada en rollos por empleados de banca, a fin de que estuviera lista a tiempo para el comienzo de la milagrosa distribución de dinero.

Hubiéramos querido agarrar con un brazo alargado por el deseo, echar el anzuelo. Con algunos compañeros, hubiéramos podido convertirnos, si no en delincuentes, al menos, con un plan bien pensado, en bienhechores y protectores robin hood de los pobres, tanto nos tentaban de cerca los novísimos artículos de fe.

Hasta entonces, mi sueldo por horas en las obras era de noventa y cinco centavos del Reich. Incluidas las horas extra, llegué a un sueldo semanal de unos cincuenta marcos. Pronto carecerían de valor.

¿Hubiera podido sospechar que abajo, en la sala de ventanillas del Dresdner Bank, como igualmente en mil y más de mil lugares de distribución, pronto se pagaría un futuro que en adelante tendría su precio?

Súbitamente se podía tener de todo, casi de todo. Escaparates todavía ayer pobremente abastecidos se vanagloriaban con géneros antes acaparados. Quien tenía algo en reserva, pronto consiguió dinero nuevo. Por lo que parecía, la escasez había sido sólo fingida, un engañoso vestigio del pasado. Y como todo lo pasado se había devaluado, es decir, era algo de lo que no valía la pena hablar,

todo el mundo, aunque no sin esfuerzo, miraba valientemente hacia delante.

No sé lo que me compré con los cuarenta marcos
alemanes de dinero en mano que, en nombre de la parpadeante justicia, me correspondieron. ¿Tal vez auténticos lápices Faber Castell y una goma de borrar nueva?
¿O fue una caja de acuarelas de Schmincke con veinti-
cuatro pastillas?

Probablemente, la mayor parte se invirtió en los
billetes de un viaje a Hamburgo, al que había invitado a la
madre. Ella quería visitar a su hermana Betty y a la tía
Martha, la mujer del hermano mayor de mi padre —tío
Alfred—, que, como funcionario de policía, había vivido
con prima y primo, en la urbanización de viviendas ado-
sadas del Hohenfriedberger Weg, y ahora vivía en algún
lado en el norte, en Stade.

Las ruinas de Hamburgo parecían, en general,
como las ruinas de Colonia. Sólo a la segunda ojeada llamaban la atención chimeneas que habían permanecido
en pie y descollaban, mientras que, con sus muchos pisos, las casas de viviendas de alquiler se derrumbaban.

Sorprendentemente, había un teatro que funcionaba. Y como a mi madre siempre la había atraído el teatro, tanto si era ópera, como opereta o drama —con ella
vi de niño en el Stadttheater de Danzig el cuento de hadas *La reina de las nieves*—, fuimos por la noche a ver
una obra de Strindberg, *El padre,* con Hermann Speel-
mans como protagonista. Mi madre lloró al caer el telón. No me acuerdo de los parientes a los que visitamos,
pero el viaje de ida y vuelta en tren lo recuerdo perfec-
tamente.

En el viaje de ida, después de haber dejado atrás la
Cuenca del Ruhr destruida por las bombas, veo pasar rápidamente, a derecha e izquierda, la llanura westfalia, que
finge que no hubiera ocurrido nada revolucionario. Y veo
a la madre, que sentada frente a mí guarda silencio.

No le gustan mis preguntas, y trata de imponerme el paisaje como puro «deleite para los ojos»:

—Mira esos prados verdes, con todas esas vacas...

Yo pregunto sin embargo:

—¿Cómo fue cuando llegaron los rusos? ¿Qué ocurrió realmente? ¿Por qué Daddau cuenta sólo cosas divertidas? ¿Y papá sólo divaga? ¿Os hicieron los rusos...? ¿Y cuando luego llegaron los polacos...?

Ella no encuentra palabras. Como mucho puedo oír:

—Eso es cosa pasada. Sobre todo para tu hermana. No preguntes tanto. Eso no arregla nada. Al final tuvimos un poco de suerte... Todavía estamos vivos... Lo pasado, pasado.

Y luego, en el viaje de vuelta, la madre me pidió que no hablara tan severa y ásperamente con el padre. Él, decía, había trabajado muchísimo y lo había perdido todo, el negocio con el que se había encariñado igual que ella. No obstante, me dijo, él no se quejaba y sólo se preocupaba por su señor hijo. Era muy bonito cuando iba a visitarlos, por desgracia sólo rara vez... «Y, por favor, la próxima vez sin disputas.» Había que dejar en paz el pasado.

—Sé un poco amable con él, chico. O podemos jugar tranquilamente al *skat*. Se alegra siempre tanto cuando vienes...

Durante los pocos años que le quedaron aún, mi madre no empezó siquiera una frase, ni dejó caer una palabra, de la que pudiera deducirse qué ocurrió en la tienda vaciada, abajo en el sótano o en algún otro lugar del piso, dónde y cuántas veces fue violada por los soldados rusos. Y el hecho de que, para proteger a la hija, se hubiera ofrecido para sustituirla, sólo pude saberlo después de su muerte, en alusiones, por la hermana. Faltaban palabras.

Tampoco a mí me venía a los labios lo que, acumulado atrás, estaba al acecho. Mis preguntas no formuladas... La fe empedernida... Los fuegos de campamento de las Juventudes Hitlerianas... Mi deseo de morir como el teniente de navío Prien de submarinos... Y además voluntariamente... El hombre del Servicio de Trabajo al que llamábamos «Nosotrosnohacemoseso»... Cómo el Führer sobrevivió luego gracias a la Providencia... El juramento a la bandera de la Waffen-SS con un frío cortante: «Aunque todos se vuelvan infieles, nosotros seguiremos fieles...». Y cuando los órganos de Stalin cayeron sobre nosotros: los muchos muertos, jóvenes la mayoría o inmaduros como yo... Cuando luego canté en el bosque «Hans pequeñito», hasta tener respuesta... El cabo salvador, al que las dos piernas, mientras que a mí, precisamente a tiempo, la granada del tanque ruso... Sin embargo, creí hasta el fin en la victoria final... Hasta en los sueños febriles del enfermo leve toqueteaba a una chica de trenza negra... El hambre corroedora... El juego con los dados... Y cuando luego, imposible de creer en las fotos: Bergen-Belsen, los cadáveres amontonados... mirar, vamos, mirar, no apartar la cabeza, sólo porque, dicho en pocas palabras, es indescriptible...

No, no volvía la cabeza atrás, o sólo lo hacía rápidamente y asustado sobre el hombro. Desde que me pagaban el mismo salario por hora, por el trabajo de talla en la construcción, en la nueva divisa, y poco después siete centavos más, vivía sólo en el presente, miraba, como creía yo, hacia delante. Trabajo no faltaba.

Inmediatamente después del desmoronamiento del marco del Reich, la empresa Moog se alegró de recibir nuevos encargos fuera del ámbito de los cementerios. Por todas partes había que reparar fachadas dañadas por la guerra. De todas formas, las fachadas estaban de moda. Tras andamios de construcción levantados con rapidez, se eliminaban huellas por un salario a destajo. Surgieron los primeros engendros del luego habitual arte de las fachadas. Especialmente buscado era el travertino, el mármol preferido del Führer.

Además, después de la jornada de trabajo, colocábamos grandes placas de mármol de Lahn con manchas de colores en una carnicería recién abierta, cuyas paredes y mostradores debían recubrirse, brillantes y con mucho colorido. Y en las villas compradas por los nuevos ricos levantábamos paredes de toba volcánica.

Sólo para el arte no tenía tiempo. Todas las figuras de inválidos de guerra de arenisca habían vuelto a ser cabezas, rótulas y fluidos pliegues. El torso de Lehmbruck, que traicionaba mi defectuosa letra, había encontrado un comprador, como original. Y tampoco los ancianos de Cáritas querían seguir haciendo de modelos bajo los castaños, porque ahora se podía conseguir cigarrillos sin cupones de fumador.

Por mucho que tintineara con el nuevo dinero y sorprendiera a los padres con regalos, no podía superar mi tercera hambre, ni siquiera con pagos extra, ganados con horas extraordinarias. Sólo se seguían solicitando fachadas. Entonces tuve noticias por fin de la Academia de Bellas Artes.

Con una carpeta llena de dibujos a lápiz —la galería de ancianos que, entre ataques de tos, habían sido complacientes—, así como tres pequeñas esculturas —los torsos de mujer libremente inspirados en Lehmbruck, la cabeza expresiva—, me había presentado dentro de plazo, acompañando a mi solicitud un certificado favorable de prácticas, firmado por el maestro Moog.

Además, el padre Fulgentius, según aseguraba a su invitado favorito, había intercedido por mi solicitud mediante diarias plegarias matutinas, concretamente a San Antonio, que estaba en la capilla de Cáritas, yeso pintado, de tamaño natural, y competente en toda clase de asuntos.

Cuando le informé de lo apretada que había sido la decisión, porque entre veintisiete solicitantes sólo se había admitido a dos, y de que los retratos habían dado a conocer a la comisión de examen un talento capaz de desarrollo, pero, sin embargo, mis prácticas de picapedrero y escultor habían sido de peso decisivo para la aceptación de la solicitud, aunque, por desgracia, el profesor Mataré no quería aceptar más alumnos, y por ello mis estudios iniciales de escultura en el semestre de invierno debían empezar con cierto profesor Mages, para mí desconocido, el prior del asilo de Cáritas del Rather Broich me ofreció otra posibilidad de servir al Arte.

Con él había habido con frecuencia conversaciones, en cuyo transcurso se me debía explicar o, por medio de aseveraciones, hacer plausible el milagro de la Gracia, el profundo sentido de la Trinidad y otros misterios, pero también la complacencia divina en la pobreza franciscana.

Esa charla con un incrédulo —a veces se servía y me servía un vasito de licor— me recordaba las conversaciones sostenidas durante el cautiverio de la guerra mientras jugaba a los dados con mi compañero Joseph, que había tratado también de encontrar, como un sabueso olisqueante, mi perdida fe de niño en el Corazón de Jesús y la Santísima Madre de Dios, para lo que disponía ya entonces de una docena de sutilezas teológicas, como aprendidas de memoria.

Y, lo mismo que Joseph en el gran campamento cerca de Bad Aibling, así me hablaba ahora el padre Fulgentius, aunque no tan sabihondo como mi compañero bávaro, sino más bien astuto y taimado. En el voladizo del edificio principal, que él llamaba la oficina, trazaba para su huésped una visión del futuro cuyas dimensiones medievales tenían un extraño atractivo tentador y me recordaban mis fantasías de colegial.

Hacía poco, me dijo, en el convento central de la orden franciscana había muerto, de avanzada edad, el padre Lukas, hermano escultor. Ahora se ofrecía, con luz cenital, caballetes de modelar y un arcón de arcilla, su taller, que, techado, llegaba al aire libre, hasta el jardín del convento. Igualmente había allí abundantes herramientas, y un importante depósito de piedras aguardaba la mano que les diera forma. Incluso, gracias a piadosos donativos, había mármol de las canteras de Carrara, que en su tiempo prefirió el gran Miguel Ángel. Por ello había que tomar una decisión con alegría. La fe ausente aumentaría y se afirmaría sin duda trabajando en las Vírgenes, en cuanto, después de la Santísima Virgen, se le encargara un San Francisco y luego un San Sebastián. Cuando había una entrega piadosa y una asiduidad incesante, la iluminación, normalmente, no dejaba de producirse. El resto —lo sabía por experiencia— dependía de la Gracia.

Se sonrió de mis dudas ante ese esbozo del futuro y los piadosos deseos que conllevaba. Sólo cuando aludí a mi hambre secundaria, y la llamé incurablemente crónica, más aún, cuando le pinté con placer infernal mi dependencia de chicas jóvenes, mujeres maduras, de la Hembra en sí, superando en lascivia las tentaciones de San Antonio —cometidas con animales y seres fabulosos del taller flamenco de El Bosco—, el padre Fulgencio renunció a sus esfuerzos de seducción. «Ah, sí, la carne», dijo, escondiendo las manos en las mangas del hábito; eso hacen con frecuencia los monjes en cuanto el diablo los inquieta.

Decenios más tarde sin embargo, cuando, en plena producción, el éxito se convirtió en costumbre, la fama en aburrida y la envidia habitual en algo tan repugnante como ridículo; cuando transitoriamente había agotado la lucha en el campo político con adversarios en emboscadas de derecha e izquierda; cuando, como artista de dos profesiones, marido, padre, propietario de una casa y contribuyente, y además como laureado y sustentador de una familia que proliferaba, creía estar tan firmemente establecido en la vida, que, soñando o despierto, especulaba con toda clase de excusas, me pregunté cómo habrían transcurrido mis años si, ya en el gran campo de Bad Aibling, jugando a los dados, hubiera escuchado a mi compañero Joseph, que entretanto era obispo, me hubiera tragado obedientemente sus pastillas antidudas, hubiera renovado mi fe de niño y luego —con o sin formación académica como escultor— hubiera prestado oído al consejo o propuesta del prior, y primero a prueba, pronto como novicio, y finalmente haciendo mis votos, me hubiera refugiado en el taller del convento elogiado por el padre Fulgentius...

Yo monje. ¿Qué nombre de monje me habrían dado? ¿Qué esculturas habría hecho, aparte de los deseados santos? ¿Habría, como el Maestro de Naumburgo, colocado y acoplado sobre zócalos figuras de donantes de la economía y la política: aquí el canciller Adenauer, mano a mano con la genial especialista en demoscopia Noelle-Neumann, allí el gordo Ludwig Erhard, emparejado con la Hildegard Knef de largas piernas? Mejor relieves para puertas de catedrales: la caída al Infierno. O Adán y Eva, cuando, bajo el árbol de la ciencia, se afanan y sacan gusto una y otra vez al pecado original.

Sin duda me habría saciado en primer lugar, y en tercero me habría convertido en un artista bastante piadoso, pero el hambre segunda y siempre obsesionada por otra carne me habría seducido una y otra vez, al ofrecerse o buscar yo la oportunidad, haciéndome irremediablemente mundano.

De cómo me hice fumador

Quien por su profesión está obligado a explotarse a sí mismo a lo largo del tiempo, se convierte en un aprovechador de restos. Mucho no quedaba. Lo que, gracias a los medios de ayuda accesibles, se podía formar, deformar, narrar finalmente con saltos hacia delante y luego a contracorriente, se lo tragaron las novelas, como monstruos devoradores de todo, y fue excretado en cascadas de palabras. Al metabolismo lírico siguió el épico. Después de tanto excremento —lo que fue a parar a los libros— surgió la esperanza de haberse convertido por fin en un espacio hueco, haberse vaciado escribiendo y estar como un cuarto bien barrido.

Y, sin embargo, quedaron restos, respetados por el azar: por ejemplo, un documento de identidad fechado en el semestre de invierno del cuarenta y ocho-cuarenta y nueve. Lo estampilló la Academia Estatal de Bellas Artes de Düsseldorf. Ahí está doblado, quebradizo, dañado, y en él, como foto de pasaporte de formato establecido, el retrato de un joven cuyos ojos pardos y pelo oscuro hacen suponer un origen meridional, más bien los Balcanes que Italia. Esforzadamente burgués, lleva corbata, pero parece estar de ese estado de ánimo básico que, poco después de la guerra, se puso de moda como existencialismo y determinó gestos y mímica en las películas neorrealistas..., tan sombríamente abandonado de Dios y concentrado en sí mismo mira el retratado al objetivo.

No hay duda, las anotaciones escritas sobre esa persona, y la firma de su puño y letra, que acentúa los trazos descendentes, confirman lo que era de suponer: ese malhumorado que me resulta extraño soy yo cuando era estudiante de Bellas Artes, en el primer semestre. La corbata puede proceder del arcón de ropa donada del caritativo padre Fulgentius. Y fue anudada de modo expreso para el rápido trámite de una tienda llamada Fotomaton. Bien afeitado y con la raya del pelo correctamente sacada, me veo fotografiado; en fin de cuentas vacuo, lo que abre espacio suficiente para las suposiciones.

La inclinación que sentíamos yo y los que eran como yo por el existencialismo —o por lo que podía entenderse en cada caso como tal— era un artículo, importado de Francia y adaptado a las ruinosas circunstancias alemanas, que se podía llevar como máscara y que a los supervivientes de los «años oscuros», como se perifraseaba la época del dominio nazi, nos sentaba bien a la cara; nos ayudaba a adoptar poses trágicas. Uno se veía a sí mismo, según su humor más o menos melancólico, en una encrucijada o ante el abismo. Al parecer, la humanidad en general se encontraba en una posición igualmente amenazada. Para el estado de ánimo apocalíptico predominante, el poeta Benn y el filósofo Heidegger ofrecían citas apropiadas. El resto lo proporcionaba la muerte atómica, ensayada a fondo y que se podía esperar dentro de poco.

De ese animado comercio de fin de temporada formaba parte el cigarrillo pegado al labio inferior. Señalaba la dirección hacia abajo y se balanceaba, tanto encendido como frío, mientras en conversaciones de noches enteras se resumía en definitiva el ser del hombre como «algo arrojado de todo lo que es». Siempre se hablaba del sentido y el sinsentido, del individuo y la masa, del yo lírico y la omnipresente nada. Y entre las figuras de dicción recurrentes aparecía el suicidio, llamado también muerte voluntaria. Sopesarlo en sociedad mientras se fumaba era de buen tono.

Es posible que el joven de la foto de tamaño pasaporte, en el transcurso de esas conversaciones que intentaban llegar al fondo, que se complacían en perderse en lo absurdo, al principio, como todos aquellos con quienes se reunía para celebrar un final sin fin, se convirtiera en bebedor de té adicto y sólo luego en fumador, pero me resulta difícil fechar la primera vez que eché mano al cigarrillo, una y otra vez aplazado.

En general, el desarrollo cronológico de mi historia me apretó como un corsé. Ay, si pudiera ahora remar hacia atrás y desembarcar en una de las playas del Báltico en donde, de niño, con arena mojada, hacía castillos... Ay, si me sentara otra vez bajo el tragaluz del desván y pudiera leer, ensimismado, como nunca después... O acurrucarme otra vez con mi compañero Joseph bajo una lona y jugarme el futuro, en aquel entonces, cuando el futuro todavía parecía estar fresco del rocío y virgen...

En cualquier caso, ahora tenía veintiún años y me las daba de adulto, pero seguía siendo no fumador confeso cuando, con una chica de Krefeld, cuyas esculturas de animales —corzos y potros— había considerado favorablemente la comisión de examen, fui asignado a la clase de escultura del profesor Sepp Mages. Éramos los más jóvenes.

Alguien, probablemente el padre Fulgentius, me había convencido del efecto estimulante, no del tabaco sino de la glucosa, porque era él quien me la suministraba: donaciones de padres y hermanos siervos canadienses.

Me llamó la atención que en el taller todos los demás, entre ellos un herido de guerra con un ojo de cristal, fueran fumadores. También la modelo, un ama de casa metidita en carnes, fumaba durante el descanso, después de media hora de estar *a contrapposto,* aunque yo le daba parte de mi glucosa.

Una de las alumnas, que, como mujer ya entrada en años de pelo recogido —el ridiculizado «peinado de cese de alarma» de los tiempos de la guerra—, trataba de mimarme, fumaba como una dama, con boquilla. Su amiga, favorecida por nuestro profesor —posiblemente era su amante—, chupaba nerviosa cigarrillos liados por ella que aplastaba en un trozo de arcilla en cuanto Mages entraba en el taller. Todos echaban humo; uno de los compañeros fumaba incluso en pipa.

Quizá, como principiante demasiado solícito, imité inmediatamente o poco después el echar mano a un cigarrillo o liármelo yo mismo, como copié la bata blanca hasta la rodilla con la que todos los alumnos y alumnas se situaban en semicírculo ante sus figuras de arcilla sobre tacos, mientras miraban al ama de casa desnuda y, con las espátulas y el alambre de modelar, entraban en los detalles físicos. De forma no distinta a la de las enfermeras y médicos jóvenes, aguardaban la visita del médico jefe; porque también Mages, salvo la boina, aparecía de blanco.

Con mis pantalones de dril pescados en el caritativo arcón y el jersey de colores chillones hecho con restos de lana, me consideraba de segunda división. Y como al hijo le faltaba tan llamativamente una prenda como es debido, la madre —orgullosa de su, como ella decía, «flamante académico»— me cortó una bata blanquísima hecha con sábanas, desgastadas sólo en la parte de los pies o la cabeza. En las fotos de aquella época me veo así disfrazado.

Con más claridad que el demorado comienzo de mi carrera de fumador tengo ante los ojos la primera tarea encargada al principiante: se trataba de copiar en arcilla una cabeza de mujer de yeso, de tamaño mayor que el natural y romana tardía, que el profesor Mages había escogido en la sala de antigüedades de la Academia y me había, por decirlo así, endosado.

El andamio de tubos de hierro montado en la base de madera, del que colgaban varitas llamadas mariposas, unidas en cruz, daba firmeza a la masa de arcilla. El ligero giro hacia la izquierda de la cabeza, con su peinado de rizos exuberantes y un perfil igualmente inclinado, dificultaba la reproducción exacta.

Me ayudé con trazos de compás y la plomada, sobre todo porque el comienzo de la espalda insinuaba un suave giro del cuerpo a la derecha. A ello se añadía el nuevo material, arcilla húmeda y blanda que, cuando dejábamos el taller al caer la noche, se envolvía en paños mojados.

Como ante mí flotaban figuras y cabezas muy distintas de las romanas tardías, maldije para mis adentros, pero aprendí tanto más cuanto más me sometía a aquel vaciado de yeso con tendencia a la doble barbilla. Curioso, busqué y encontré la belleza oculta del detalle, por ejemplo en la curvatura de los párpados o el arranque de los lóbulos de las orejas, que colgaban libres.

El practicante de picapedrero y escultor en piedra había tenido que desbastar materiales duros; ahora, en el primer semestre, aprendió a servirse de masas blandas, dar forma a la arcilla gris verdosa y, como Dios Padre, modelar en barro, si no un Adán, sí una cabeza de Eva.

Días de activo ajetreo, porque en alguna parte se celebraban fiestas —¿San Martín?—, luego otra vez silencio y concentración en el viejo edificio de la Academia. Lentamente fue cobrando forma la copia, asemejándose a su hermana de yeso. Entremedias, desnudos y estudios de dibujo ante los huesos reunidos en su totalidad de un esqueleto masculino, al que los alumnos llamaban *Tünnes* o *Schäl:* dos personajes populares en Renania, de cuyas vidas de héroe circulaban innumerables chistes.

Y lo que la ciudad podía ofrecer: una y otra vez exposiciones en la Kunsthalle. Los pintores de la Sezession renana, el grupo «Joven Renania», expresionistas, la colección de «Mutter Ey», prestigios locales de Düsseldorf. Vi trabajos de Goller, Schrieber, Macketanz, del escultor Jupp Rübsam. Estaba de moda un pintor llamado Pudlich.

Una exposición de gabinete mostraba acuarelas de Paul Klee, que, hasta que los nazis lo destituyeron, había sido profesor de la Academia. Se decía que, en nuestro taller, antes de irse a París, Wilhelm Lehmbruck había sido alumno de una clase magistral de un tal profesor Janssen. Y otras leyendas: se decía que August Macke, aunque por poco tiempo, había aprendido allí lo que había que aprender. Artistas que alcanzaron la perfección temprano, sus nombres se pronunciaban con timidez.

A veces me atrevía a visitar otros talleres, en los que, por ejemplo, un extraño santo llamado Joseph Beuys pasaba por genio, pero era sólo alumno de Ewald Mataré; quién hubiera podido suponer que, más adelante, haría subir inconmensurablemente el precio de la miel artificial, de diversas grasas y del fieltro.

O una corta visita al zoo de Otto Pankok, en cuyo cercado los talentos proliferaban silvestres y los gitanos entraban y salían, en clanes familiares. Allí nadie llevaba bata blanca.

En la clase del escultor Enseling, que me había asesorado profesionalmente de forma tan breve como decisiva, tropecé con Norbert Kricke, que, fiel al original, emulaba a su maestro y convertía a chicas vivas desnudas en chicas desnudas de yeso, hasta que, sólo unos años más tarde, se cansó de sus niñas desnudas y en adelante, con esculturas de alambre decorativamente doblado, se puso al servicio del espíritu del siglo.

Por todas partes parecían estar surgiendo genios, que no querían admitir que los «modernos», de Arp a Zadkine, eran ya de museo. Sin reparos, los epígonos se hacían pasar por destacados artistas únicos.

¿Tomé yo también impulso para saltar a las alturas celestiales? ¿O estaba ya saciado mi hambre de arte porque tenía seguro un pesebre que prometía estar siempre medio lleno?

Probablemente mi formación artesana con la piedra resistente me guardó de descollar como genio. Además, Mages, que procedía de una familia de picapedreros del Palatinado, me ataba corto. Y algo profano, que sin embargo estaba encima en el catálogo alemán de virtudes —la diligencia—, me empujó también.

Es cierto que seguía viviendo, lejos de la luz del sol, en la habitación de diez camas del hogar de Cáritas del Rather Broich, pero el amplio taller de los alumnos con sus altas ventanas al norte, el olor de la tierra arcillosa, el yeso y los trapos húmedos se convirtieron en mi auténtico hogar. Acostumbrado desde mi formación como picapedrero a levantarme temprano, era el primer alumno que estaba ante el caballete, y a menudo el último que cubría con paños su trabajo. ¿En qué otro lado hubiera podido —aunque sólo fuera unas horas— estar solo? No, no solo: mis diez dedos se ocupaban de una masa moldeable, de arcilla. Se podía sentir algo parecido a la felicidad.

Sólo así puede explicarse que el sábado, poco antes de que la Academia cerrara, abriera una rendija bajo la ventana de ventilación del gran frente de ventanas, para, la tarde del domingo, tener acceso al taller, después de haber trepado fuera por la desigual fachada de piedra natural.

Eso suena temerario y podría dar para una escena de película: la apasionada ascensión del trepador de fachadas, o bien, un nuevo Luis Trenker vence a la pared norte del Eiger. Sin embargo, como los talleres de los escultores así como la yesería y la fundición de bronce estaban en la planta baja, mi ascensión de los fines de semana era fácil; no debo de haberla inventado yo, sino sólo excesivamente practicado. Nadie se molestó por ello. Ni siquiera el portero quiso ver nada.

Hacia la mitad del primer semestre conseguí incluso convencer a una de mis bailarinas del Löwenburg para que participara en la partida ascensionista del domingo, e hiciera de modelo para mí en el taller poco caldeado, aunque calentado al menos parcialmente por una estufa de radiación, por cierto sobre un disco giratorio de madera. Como ella sentía apego por mí, trepó y posó, aunque no sin protestar.

A diferencia de nuestra ama de casa que hacía de modelo durante los días laborables, y cuyas carnes rebosantes correspondían al ideal del veterano maestro francés Maillol y de mi profesor, la tiritante figura *a contrapposto* de la bailarina de los fines de semana era de complexión delgada. Se le dibujaban claramente las clavículas, los huesos de la pelvis, la columna vertebral. De piernas ligeramente zambas, estaba allí de pie mientras yo hacía girar con luz adecuada su desgarbada belleza.

Ella, como era de natural nervioso, tenía tendencia a llorar, en cuanto estar de pie inmovilizada en una pose le resultaba excesivamente fatigoso. Yo trabajaba deprisa, sin decir palabra. En lugar de descansos, en cuanto empezaba a moverse le ofrecía glucosa. Su pelambrera y sus partes pudendas flameaban rojas.

De forma tan egoísta logró el alumno de mi nombre su primera escultura independiente. Enseguida, después del trabajo y del descenso por la fachada —nunca utilizamos el taller como nido de amor—, íbamos con el tranvía a Grafenberg, donde anunciaban *ragtime* hasta medianoche. También como bailarina se dejaba llevar fácilmente mi modelo de los fines de semana, flexible y de pies ligeros.

Con arreglo a sus proporciones —¿se llamaba Elsbeth?— surgieron en arcilla algunos esbozos, de los que se ha conservado un vaciado en yeso —*Muchacha con manzana*—, que se ha transmitido luego como bronce. Y sobre la base de esos esbozos secretos acometí, bajo la vigilancia del profesor de la boina, casi siempre malhumorado, mi primera gran escultura, la chica sonriente, una figura de apenas un metro.

Lejos de todas redondeces maillólicas, ella estaba ante mí con lordosis y brazos colgantes. Mages lo permitía.

A él, a quien se atribuían algunos monumentos bélicos surgidos en la época nazi y dos paquetes de músculos del estadio olímpico de Berlín, le gustaban aquellas figuras mías que llegaban hasta el hombro. Más aún: en el invierno del cuarenta y nueve-cincuenta, mi chica, que sonreía un tanto estúpidamente, fue premiada a posteriori, como la escultura de la misma altura pero de caderas intencionadamente anchas de mi compañera Trude Esser, en calidad de trabajo del semestre, y reproducida en el informe anual de la Academia. Fotografiado frontalmente, el vaciado en yeso coloreado que, de esa forma, fingía ser de bronce, estaba de pie, oblicua y descarada *a contrapposto*. La chica sonriente tuvo para ella sola una página entera.

La publicación del folleto de la Academia, que para mí no habría sido entonces demasiado importante, sólo en retrospectiva adquiere significación, porque hasta la muerte de mi madre —murió de cáncer a finales de enero del cincuenta y cuatro— era la única prueba y documento de mi genio artístico, hasta entonces sólo pretendido. Ella que, temerosamente preocupada, había soportado las «locuras» y prometedores viajes a, como decía ella, el «País de los Sueños», y había creído ciegamente en su hijo, poseía ahora algo que podía mostrar a parientes y vecinos con modesto orgullo:

—Mirad lo que ha hecho mi chico...

Sólo puede sospecharse cómo aquella reproducción aislada que tenía mi madre se convirtió en icono. Ay, si hubiera podido ofrecerle más: algo bonito que enseñar. Sin embargo, mis dibujos a pincel y pluma de caña le parecían horribles, demasiado estremecedoramente sombríos. Por deseo de ella, pedí prestados colores al óleo a mi amigo Franz Witte y pinté, del natural y sobre tablero de partículas preparado, sus flores favoritas, un ramo de asteres... mi único cuadro al óleo.

Desde hacía más de dos años vivían los padres cerca de la mina de lignito Fortuna Nord, en un piso de dos habitaciones propiedad de la empresa, sin duda pequeño pero con buena calefacción y una cocina que servía de cuarto de estar, en Oberaußem, un pueblo en el que se habían asentado muchos mineros. El alquiler era reducido. Poco a poco el piso se fue amueblando.

Si yo iba de visita, lo que ocurría casi siempre sin anunciarme y de forma espontánea, el informe de la Academia estaba en la mesita auxiliar junto al diván. La madre lo había abierto en el lugar adecuado, como si hubiera sospechado mi llegada. Siempre esperaba algo de su hijito, que ahora se había confirmado, dándole renovadas esperanzas.

Y probablemente esa prueba presentable de un rendimiento, con el nombre impreso del autor, suavizó la permanente disputa entre padre e hijo y moderó el tono de nuestras relaciones. Mi hermana, que ya el año anterior había comenzado su aprendizaje de comercio en el Marienhospital de Düsseldorf, pudo, cuando visitamos juntos a los padres, disfrutar de la paz familiar favorecida por aquella reproducción; paz que se mantenía incluso cuando padre o hijo, al jugar al *skat* en la mesa de la cocina, perdían un gran *slam;* ese juego de cartas lo aprendí de joven mirando a mi madre, que en el *skat* subastaba apasionadamente y, sin embargo, rara vez perdía.

Ella cuidaba del folleto de la Academia. Quizá por eso, aquella chica de apenas un metro de altura y eternamente sonriente ha seguido siendo para mí importante hasta mi edad actual, aunque por aquel entonces ese yeso, junto con los otros, figuras sólo de mediana altura, me era tan indiferente que en el siguiente cambio de lugar, a mediados del cincuenta y dos, lo dejé en el taller, con lo que un compañero se llevó aquella chica de un metro, huérfana.

Sólo diez años más tarde, cuando yo tenía ya fama, nombre y dinero suficiente, él dio aviso, de modo que un vaciado en bronce pudo asegurar la supervivencia de la chica. Lo mismo ocurrió con el esbozo *Muchacha con manzana,* producto de mis ascensiones por la fachada. Edith Schaar, que durante breve tiempo fue modelo en nuestra clase y luego, en el norte de Alemania y España, se volvió creativa como artista polifacética, salvó, después de mi súbita partida, aquel vaciado en yeso, para que recordara una época que para mí, con excepción de objetos tangibles, sólo aparece borrosamente, como en fotografías subexpuestas.

Demasiado poco puede captarse. En los espacios intermedios fluctúan, en el mejor de los casos, estados de ánimo. Lo que hubiera podido ser sordamente opresivo o lúdicamente ligero sigue siendo incierto. No hay acontecimiento que me dé a conocer como persona que actúe o padezca. Tampoco recuerdo lo que entonces, hasta en sus dolorosos detalles, recordaba. La cebolla se niega. Sólo cabe suponer lo que ocurría fuera del taller de alumnos y del caritativo alojamiento. Y también a mí me veo sólo como uno de muchos esbozos, de lejano parecido con el original.

El estudiante de Bellas Artes en su segundo y luego tercer semestre habrá seguido estando, además de obsesionado por el arte e inconstantemente ansioso de influencias siempre nuevas, que se borraban unas a otras con rapidez, hambriento de amor y loco por bailar, pero es inseguro que, en aquellos años de división política del país, de los comienzos de la Guerra Fría y de la lejana guerra de Corea, yo me decidiera por este o aquel partido y, si lo hice, con qué argumentos. Era la época de las consignas sin consecuencias: «*Ami go home*».

Sólo como sensación se me ha transmitido el asco que surgió en mí ante aquellos tipos a los que sentaba muy bien, como nuevos ricos, el milagro económico que arraigó en primer lugar en Düsseldorf. Y es segura mi aversión permanente. Sin embargo, el que entretanto tenía derecho a votar, ¿emitió su voto con ocasión de las primeras elecciones al Bundestag? Seguramente no. Concentrado por completo en su propia existencia y las correspondientes cuestiones existenciales, la política cotidiana me preocupaba poco. En el mejor de los casos, cuando el rearme se convirtió en tema y finalmente en un hecho, se hubiera podido incluir al joven participante en la guerra, al gato escaldado, entre los que protestaban en masa pero eran, políticamente, elementos pasivos del movimiento «No-contéisconmigo».

El canciller Adenauer parecía una máscara, detrás de la cual se escondía todo lo que yo odiaba; la hipocresía que se las daba de cristiana, el estribillo de mentirosas aseveraciones de inocencia y la exhibida rectitud moral de una pandilla de criminales disfrazada. En medio de las falsedades, sólo el escaso dinero parecía real. Maquinaciones tras las fachadas y trapicheos católicos se hacían pasar por política. La empresa Henkel con sede en Düsseldorf produjo un jabón detergente llamado Persil, del que se derivó la expresión «certificado Persil», para acreditar la blancura. Y con esa ayuda no pocos, que todavía llevaban encima la porquería parda, consiguieron una camisa blanca. En adelante, como personas sin tacha, disfrutaron de puestos y dignidades.

¿Y los sociatas? El socialdemócrata Kurt Schumacher, al que, como chico de acoplamiento, había visto y oído ante el decorado de ruinas de Hanóver y al que hoy incluyo entre los grandes olvidados, me asustó al comienzo de los cincuenta con su patetismo nacionalista. Todo lo que olía a nación me daba asco. Rechazaba arrogantemente las nimiedades democráticas. Cualquiera que fuera la oferta política que se hiciera, yo estaba en contra. Lo que se me metió en el nivel de los novecientos cincuenta metros de una mina de potasio como hallazgos democráticos parecía haber caído en lo insondable. Aquel ególatra, al que no me hubiera gustado conocer y, si lo hubiera hecho, nos habríamos peleado, sólo se veía y sentía a sí mismo.

Durante conversaciones nocturnas, en las que se bebía mucho té y se fumaba mucho, se inhalaban al mismo tiempo todos los tópicos que pertenecían a la oferta del existencialismo. Otra vez nos importaba el todo, pero —según creíamos— a un nivel superior. Y cuando nos enzarzábamos, las contradicciones no se producían por los crímenes de la pasada guerra, ni mucho menos por las luchas de partido de la actualidad, sino que chapoteábamos más bien en la aproximación conceptual.

Tal vez hubieran podido deducirse de aquel nocturno desgaste de palabras un vago antifascismo y un filosemitismo sin objeto. En el proceso de recuperación, a la resistencia no ejercida seguía ahora un coraje prepotente y un heroísmo que ya no tenía que demostrar su valía. Y también yo debí de ser uno de aquellos valientes esgrimidores de boquilla, cuyos tópicos, amablemente, no ha almacenado la memoria, ese incinerador de basura.

Sólo bajo el influjo de mi nuevo profesor Otto Pankok cambió todo eso un tanto; sin embargo, todavía Sepp Mages seguía siendo mi respetado maestro, aunque, por lo demás, nada espectacular ni mucho menos un maestro que me haya marcado. Él nunca hablaba de arte. Su concepto de la forma, firme y como inamovible, elogiaba lo sencillo. Y a principios de los sesenta había publicado un libro con el título *Granitmale* («Momentos de granito»), en el que, didácticamente, daba expresión tallada en piedra a lo simple. Bajo su vigilancia seguí siendo trabajador y aprendí el oficio.

Sin embargo, ¿en qué consistía mi vida cotidiana fuera del taller? Leía lo que se podía tomar prestado y lo que el padre Stanislau me pasaba. Las novelas de Rowohlt, impresas en papel de periódico sobre rotativa, salieron baratas al mercado: *Luz de agosto* de Faulkner, *El revés de la trama* de Graham Greene. Incesantemente salían poesías de mi mano, influidas unas veces por Trakl, otras por Ringelnatz y otras por los dos a la vez. Comía lo más necesario en el asilo de Cáritas. Y de vez en cuando se podía ganar estrictamente lo suficiente como decorador de escaparates o, de forma temporal, como picapedrero en la construcción. También dibujaba, en festivales de tiro a orillas del Rin, retratos de obesos bebedores de cerveza y de sus esposas, amantes de balancearse mientras cantaban, cogidas del brazo: dos marcos el dibujo. Aquello bastaba para pagar el abono mensual del tranvía, la entrada de cine, la entrada de teatro, el bailongo semanal y —finalmente ahora sí— mi tabaco.

¿O me convertí primero en fumador, cuando la caja de los mineros de mi padre, que seguía encontrando trabajo en el lignito de la Baja Renania, me concedió una beca de cincuenta marcos mensuales?

En cualquier caso, comencé a fumar regularmente, en cuanto el joven que llevaba mi nombre creyó que tenía que fumar. Mi tabaco preferido, que se llamaba Schwarzer Krauser, al estar cortado finamente, se prestaba a ser liado a mano. El de fábrica, por ejemplo Rothändle o Reval, no hubiera podido permitírmelo, ni siquiera en cajetillas de cinco.

Fumaba como si hubiera aprendido muy pronto. Sin embargo, ninguna crisis me hizo dependiente de la nicotina. No me empujaron penas de amor ni dudas existenciales. Probablemente fueron las acaloradas rondas de conversaciones y sus cavilaciones profundas que chapoteaban en la superficie las que hicieron surgir el deseo de pertenecer al menos a la comunidad de los fumadores y, como uno de ellos, echar mano a tabaco y papel de fumar; eso me hizo adicto o, dicho más suavemente, fumador habitual.

El Schwarzer Krauser se vendía en bolsitas puntiagudas, por fuera azules, plateadas por dentro, que el zurdo tenía siempre al alcance de la mano en el correspondiente bolsillo del pantalón. Liar a mano lo había aprendido a cielo abierto mirando a los soldados veteranos y bajo tierra a los mineros, de forma que el chico de acoplamiento podía facilitar a su conductor de locomotora, como reserva, media docena de pitillos liados por él.

A mediados de los setenta, cuando, por miedo a la «pierna de fumador», me convertí en fumador de pipa, se reflejó en el papel, con el título «Liado a mano», mi necrológica de una práctica de años: «Al liarlo, hay que quitar radicalmente al tabaco todas las pelusas que no quieran someterse. Sólo entonces, después de apretarlo en el tercio de la hojilla que mira hacia el vientre y hacerlo rodar hasta el comienzo, la lengua humedece, sin prisas sino lentamente y con sentimiento, la goma del borde exterior de la hojilla, contra la resistencia del índice que sirve de apoyo...».

En mi necrológica alababa «el papel de fumar que puede comprarse en Holanda y que, no estando engomado, sin embargo pega», y señalaba al final una ventaja especial: «... las colillas de los cigarrillos liados a mano son todas distintas, pero están siempre torcidas con sensibilidad; mi cenicero informa a diario de si mi crisis hace progresos».

Visto desde hoy, y si divido en tres partes el transcurso de mis años hasta la fecha —la del no fumador, la del fumador de cigarrillos liados a mano y la del fumador de pipa—, sale ganando la del no fumador durante los años de guerra y los primeros años de la paz. Comerciando con su ración de cigarrillos y con la cartilla de fumador que le correspondió luego, obtuvo beneficios —temporalmente, en el mercado negro se daba por un «activo», como se llamaba a los cigarrillos de fábrica, un huevo—; el fumador sólo podía contabilizar como ganancia un placer de cierta duración, chupada a chupada, un vicio que no quería dejar.

Únicamente cuando, a los cincuenta años, liar cigarrillos se había convertido en manía y, como alternativa, en comercio sagrado y, siguiendo la exhortación médica, renunció a la práctica de liar e inhalar a diario lo liado a mano, se pasó, con ayuda de ejemplares ya quemados, regalo de un supuesto amigo, a la pipa, que hasta hoy sólo deja de lado, olvidándola fría, cuando forma figuras de arcilla —hombres o animales— y los diez dedos están contentos.

A posteriori puede especularse: si me hubiera quedado por completo con la escultura y no me hubiera dedicado a escribir y teclear, a una o dos manos, manuscritos que proliferan épicamente y estimulan que agarre, nervioso, productos del tabaco —durante algún tiempo fumé además puros y puritos—, no tendría que defenderme ahora de los educadores del pueblo, que, es cierto, han limitado su fanatismo civilizadamente a la prohibición del disfrute de nicotina, permitiendo incluso zonas estrechamente limitadas para fumadores incorregibles, pero ¿quién sabe qué se les ocurrirá dentro de algún tiempo o mañana mismo, como cariñoso castigo?

Además, como no fumador virtuoso que hubiera renunciado a tiempo a escribir obsesivamente, tosería menos, no tendría que escupir flema salpicada de manchas grises y, con la pierna izquierda sin dolores, andaría mejor... Bueno, ¡vamos a dejarlo!

Todavía como no fumador —o poco después de haber caído en ese placer incesante— aprendí, bajo la malhumorada vigilancia del profesor Sepp Mages, que una vez al día realizaba su ronda de correcciones y, al hacerlo, hacía indicaciones lacónicas, a mantener la superficie de arcilla de las esculturas en lo posible áspera durante largo tiempo, porque un alisado prematuro, decía, engañaba la vista. «Sólo parece terminado», era su reparo constante.

Ese método lo utilicé luego al trabajar en mis manuscritos, dejando el texto una y otra vez sin acabar, y manteniéndolo fluido de versión en versión. Además, sigo escribiendo aún de pie ante un pupitre, porque estar de pie ante el caballete de modelar se ha convertido para mí en costumbre. Mages no toleraba que nadie se sentara.

Hasta finales de los cincuenta seguí siendo alumno suyo. Terminé o parecí terminar algunas chicas flacas. Durante ese tiempo de aprendizaje, en el que me negué con firmeza a, fiel a las modelos, normalmente regordetas o gordas, seguir imitando a las redondas figuras de Maillol, uno de mis compañeros —el veterano de guerra de ojo de cristal— silbaba día tras día temas y motivos de las nueve sinfonías de Beethoven, y además de los conciertos de piano.

Su técnica del silbido era de asombrosa perfección. Silbaba suites y sonatas y cuanto había ofrecido la música clásica de Bach a Brahms, de una forma tan artística e impresionante que en adelante pude distinguir la tercera de la quinta sinfonía, y a Schubert de Schumann. Silbaba con pasión refrenada, es decir, ni demasiado fuerte ni sólo para sí. A solicitud de sus compañeros, repetía melodías especialmente pegadizas, este o aquel adagio, la *Sonata a Kreutzer,* la *Pequeña serenata nocturna.* Podía, si recuerdo bien, es decir, sin exageración notoria, silbar incluso partes enteras del *Arte de la fuga* de Bach.

Mientras el veterano de guerra silbaba los motivos conocidos para los otros alumnos y hasta entonces nunca oídos por mí, iba alisando la superficie de una figura caminante de arcilla, de tamaño natural y de sexo femenino, que tenía algo de momia del Antiguo Egipto, con una espátula plana, hasta que un alegro silbado lo convenció para raspar la superficie de la momia con una espátula dentada. Luego, un tiempo más lento lo ayudó otra vez a dar un nuevo alisado. Hacia arriba, hacia abajo se movía su instrumento de madera. Sólo cuando Mages hacía su ronda de correcciones interrumpía el virtuoso su concierto.

De esa forma conseguí de pasada una formación musical y, ansioso de educación como estaba, hubiera sin

324

duda aprovechado más aún al silbador, de no haber tenido una disputa con mi maestro.

No es que yo hubiera buscado la pelea. También él parecía estar contento conmigo y con mi diaria presencia diligente. Cuando un modelo en yeso hecho por su mano —una gran figura arrodillada en bajorrelieve— tuvo que ser trasladado a caliza conchífera, me pidió incluso que, a cambio de un sueldo por hora como era debido, ayudara en la orilla de Mannesmann, en donde su armatoste debía adornar el portal del edificio del Gobierno. El plazo de entrega apremiaba y subí también al andamio y cincelé junto a dos oficiales de la empresa Küster la caliza conchífera de Grenzheim, una piedra de dureza pérfidamente variable.

Sin embargo, cuando me divirtió añadir con arcilla de modelar, después de algunas chicas de pie, una figura femenina echada, cuyos muslos se abrían generosamente, Mages se escandalizó por aquella vagina no escondida y por aquella, según él, posición vulgar, que no permitía una forma «cerrada con sencillez». Me sugirió que cerrara aquellos muslos.

Cuando el alumno se negó a seguir las reglas de la decencia y el decreto formal del profesor, éste tuvo que tomar una decisión:

—Bajo mi supervisión no ocurrirá nada así —y añadió—: ¡Nunca jamás!

¿O quizá pasó incluso a los hechos, apretando lo que, en su opinión, estaba demasiado abierto? La arcilla es blanda, cede.

El recuerdo ofrece variantes, que unas veces pueden considerarse favorables para él y otras para mí. Así, inmediatamente después de su intervención correctora, puede que yo remediara el abierto estado de la yacente, porque la arcilla, al fin y al cabo, cede.

En cualquier caso, el enfrentamiento entre maestro y discípulo transcurrió a media voz, pero, por ambas partes, severamente de acuerdo con los principios. Como no éramos de arcilla, ninguno cedía. El intento de mediación del veterano de guerra de ojo de cristal, dotado silbador que se consideraba a sí mismo portavoz de la clase, no tuvo éxito.

Así que cambié de maestro. Mages facilitó incluso mi aceptación en el taller de Otto Pankok. El de Mataré, donde el ambiente era de cristiano-ascético a antroposófico, girando en torno al alumno ahora dominante Joseph Beuys, no me atraía ya. Más bien parecía llegado el momento de, libre de coacciones didácticas ejemplares, buscar el camino o rodeo propio.

Pankok no era escultor, trabajaba casi exclusivamente en blanco y negro con carbón, o en grabados en madera, y pasaba incluso por ser daltónico, pero atraía alumnos que se querían expresar y que, como recientemente yo, apostaban por sus propias ideas. Con mis compañeros seguí teniendo buenas relaciones: con Beate Finster, el constante patito feo, pero especialmente con Trude Esser y su apuesto Manfred, una cabellera rizada vikinga del norte de Frisia, que más tarde —lo que sería por sí solo una historia— fue secuestrado y llevado a París.

Mi nuevo maestro podía tener cincuenta y tantos, pero, por su barba canosa, parecía mayor y, en su concentrada dignidad, un poco Dios Padre, aunque no se le podía reprochar ninguna severidad bíblica, sino más bien un trato relajado y tolerante con sus alumnos, que veían en él no tanto un maestro sino una figura que dejaba huella. Y que no sólo porque era alto podía pasar por alto muchas cosas.

De forma igualmente recta y, por ello, acompañada de burlas, habrán aparecido o, mejor dicho, entrado en escena los antiguos cristianos. Algo suavemente revolucionario se desprendía de él. Su credo pacifista, que Pankok expresó en el grabado en madera *Cristo rompe el fusil,* contra el rearme de los alemanes y que, como cartel muy utilizado, fue ejemplar para mí durante largo tiempo, es decir, hasta llegar a las protestas contra los misiles de medio alcance soviéticos y americanos de los ochenta; no, después aún: porque cuando, a finales del pasado siglo, financié con el dinero sobrante de un premio una fundación para el pueblo de los roma y sinti, fue lógico llamar al premio de la fundación, que se concedería cada dos años, Otto Pankok.

En la época nazi se le prohibió dibujar y exponer sus dibujos. Él, que había vivido temporalmente con gitanos y viajado con ellos, condensó la vida de esa minoría siempre perseguida y finalmente diezmada en innumerables grabados en madera y dibujos al carbón. Como conocía a sus gitanos, pudo traducir su miseria y su miedo en una serie de imágenes de la pasión de Cristo: hojas de gran formato, llenas de infinitas tonalidades de gris, entre el negro y el blanco.

Gitanos, viejos y jóvenes, eran su elenco. Y por eso, no sólo entraban y salían en el estudio de Otto Pankok sino también en los talleres de sus alumnos los supervivientes de Auschwitz-Birkenau, en clan reducido. Pertenecían a la complicada familia Pankok. Eran algo más que simples modelos. Con nosotros, vivían en una época en la que rápidamente los viejos y, como habíamos esperado, destruidos principios del orden volvían a ser válidos, renovados y relucientes: nosotros, sin embargo, nos comportábamos como los malogrados hijos de la Restauración.

Telón y cambio de escena en un teatro, en el que los personajes que actúan aparecen, según el recuerdo, disfrazados de una forma o de otra y, con desenvoltura, como si fueran inventados, se surten en la sala de atrezo. Porque mientras en el entorno y zona protegida de aquel hombre bondadoso de barba expresivamente rizada era imaginable todo lo posible e imposible, y representable en imágenes, un personaje imaginado encontró luego su puesto, cuando la tinta no quería acabárseme, en la casa de fieras de Pankok. Capítulo tras capítulo, vivía su novela devoradora del tiempo. En cada uno de esos capítulos estaba en el centro de la historia. Pasivo o activo, era esto o aquello. Además, Oskar Matzerath, en aquel ajetreado taller que recuerdo como una reserva zoológica, se hizo pagar como modelo.

Codiciado por pintores y escultores, Oskar resultaba apropiado para su representación expresiva y simbólica. Más aún, como era de baja estatura y tenía joroba, encarnaba la locura de la época, la pasada y la incipiente. Y como era esto y aquello, podía ser al mismo tiempo lo contrario de todo ello. Quien se encontraba con él estaba ante un espejo cóncavo. En cuanto él entraba, todos los que se le acercaban demasiado cobraban otro aspecto.

Así, Otto Pankok, que quería verlo y transformarlo como modelo, se convirtió en caricatura de sí mismo, transformándose en un profesor Kuchen que resoplaba polvo de carbón. En cuanto Oskar oía rechinar sobre el papel los carboncillos de Siberia del dibujante, bosquejaba un contrarretrato, en el que, con palabras, denunciaba cuanto entraba en su campo de visión.

Lo mismo hacía con los alumnos del profesor, en cuyos caballetes el modelo parecía crear un estilo. Sólo a los gitanos los evitaba, como si temiera que pudieran calarlo y calar su juego tramposo de palabras e imágenes y —lo que temía especialmente— despojarlo de su magia.

Y ni siquiera yo, el discípulo con más capacidad de absorción de Pankok, era perdonado en el capítulo en que el profesor Kuchen resopla carbón, sino que me perdía en el interminable tumulto de palabras, que finalmente, ordenado en forma de novela, llegó al mercado de los libros.

Yo era un simple instrumento para escribir, que seguía los altibajos de la trama y no podía olvidar ni los hechos fundidos en hormigón ni todo lo simulado que aparecía en contraluz: las entradas en escena de Oskar.

Él determinaba quién debía morir, a quién se le permitía sobrevivir milagrosamente. Fue Oskar quien me obligó a volver a visitar los círculos brumosos de mis años mozos. Me dio carta blanca para encerrar entre signos de interrogación todo lo que se hacía pasar por verdad. Él, el modelo torcido en persona, me enseñó a ver todo lo torcido como bello. Él, no yo, deformó a Pankok convirtiéndolo en Kuchen, y al apacible pacifista en un volcán cuyos estallidos de violencia expresiva oscurecían todos los papeles. Su presencia desencadenaba orgías en negro. Veía negro, ennegrecía, su joroba arrojaba sombras negras.

Sólo al margen hay que observar que Oskar Matzerath fue también modelo de Mages, al que bautizó enseguida como profesor Maruhn. Algunos de mis condiscípulos, a los que ofreció contemplar su joroba en clase de Maruhn y Kuchen, fueron utilizados más tarde como modelo para su furia escritora que todo lo nombraba, por ejemplo mi amigo Franz Witte, con el que, bajo la suave vigilancia de Pankok, compartí taller; a él correspondió en la novela, como «Von Vittlar», un papel fantasmal. Y mi amigo Geldmacher, del que se hablará más adelante, se convirtió, como Klepp, en un cocinero de espaguetis que, siendo comunista, veneraba también a la reina de Inglaterra y, al tocar la flauta, mezclaba la *Internacional* con el *God save the Queen*.

Es cierto que, como autor, uno se vuelve cada vez más dependiente de sus personajes inventados, pero sin embargo hay que responder de sus hechos y fechorías. Y si Oskar, por una parte, supo expropiarme con sus trucos, por otra ha dejado generosamente sus derechos de autor sobre todo lo que en su nombre ocurrió. Quien escribe, renuncia a sí mismo. Sólo los funcionarios de Hacienda no quieren reconocer que la existencia del autor es una simple afirmación, es decir, ficción, y no está sujeta a tributos.

Por eso hay que reconocer que ahora me resulta difícil palpar mi tempotránsito de entonces para encontrar hechos demostrables. Porque, como ya en otros episodios, una y otra vez alguien se entromete con insistencia en cuanto quiero entrar en materia. Como héroe de novela públicamente confirmado, él reclama su demostrable primogenitura y me exige, siempre que es posible hacer un trueque, el proverbial plato de lentejas.

Oskar insiste en que le cedan el paso, lo sabe todo mejor y se ríe de mis agujereados recuerdos; en su caso, la cebolla se complace, como puede leerse, en otra función y significación.

Para descargarme y librarme de esa falta de autonomía, por mi propia culpa, entro sin más circunloquios en mis primeros viajes importantes. Unas largas vacaciones semestrales, de julio a septiembre, los hicieron posibles.

A partir del cincuenta y uno, todo ciudadano federal podía solicitar un pasaporte. Las solicitudes de visado eran atendidas tras una espera no demasiado larga. El dinero más imprescindible para el viaje lo había ganado como picapedrero en la construcción y previsoramente el último invierno, colaborando en la fabricación de figuras para las carrozas de Carnaval: modeladas con yeso en malla de alambre y tela de saco, en nuestras carrozas se balanceaban, pangermánicamente cogidos del brazo, Adenauer y Ulbricht. La canción de Carnaval entonces popular: «Quién pagará todo esto, quién tiene tanta pasta», me sigue persiguiendo.

Sin embargo, mi respaldo pecuniario lo ganaba principalmente haciendo fachadas de caliza conchífera y travertino. Había que renovar los antepechos de piedra natural. El salario por hora era un marco setenta.

A partir de mediados de julio estuve listo para viajar. Prometí a los padres, si no cartas, sí muchas postales. La mochila pesaba poco: la camisa, los calcetines de recambio, la caja de acuarelas, la cajita llena de pinceles y lápices, el bloc de apuntes, pocos libros. Un saco de dormir pudo comprarse barato en una tienda en la que se liquidaban existencias del ejército de los Estados Unidos. También había allí zapatos de los tiempos de avances militares, que ahora podían resultar apropiados como calzado de caminante.

Siguiendo el antiguo instinto alemán, me sentí atraído, como en otro tiempo los teutones, los emperadores Staufer y los romanos alemanes, devotos del Arte, por Italia. El lejano objetivo de mi viaje era Palermo: con él me había familiarizado ya de joven, sonámbulamente, como doncel o halconero de Federico II y, al fin y al cabo, cuando acabaron los Staufer, perteneciendo al séquito de Conradino.

Otro acicate para superar los Alpes era una herida cuyo dolor no podían aliviar ni poemas apresuradamente segregados, ni un aumentado consumo de tabaco: mi primer gran amor —si prescindo de los delirios amorosos de colegial— insistía en ser desgraciado.

Ella, Annerose, se dedicaba igual que yo a aprender escultura. De ojos grises o azules, me pareció guapa, y en aquella época sabía también por qué. Con faldas bamboleantes, iba y venía de Stuttgart, donde había sido alumna del escultor Baum. Esto ocurría en marzo o a principios de abril, en cualquier caso en una época del año que fingía más que anunciaba la primavera, pero invitaba al cambio.

Poco antes de nuestro incipiente amor, yo había dejado por fin el asilo de Cáritas en el Rather Broich, sin despedirme casi. En la Jülicher Straße había un cuarto de baño vacío, con bañera pero sin agua, amueblado con una cómoda y un somier plegable.

Como mi hermana, cuyo aprendizaje se desarrollaba en el edificio de administración del Marienhospital, me había conseguido allí comida gratis, ahora me alimentaban caritativamente monjas franciscanas y tenía oportunidad de compartir en la pista de baile el tiempo libre de esta enfermera o de aquélla y gravitar acompañado, en visitas breves, sobre el somier plegable del subarrendador de la Jülicher Straße. Además, en aquel cuarto de baño habitado había una alfombra de fibra de coco, que no voy a describir a lo largo y a lo ancho, porque otra vez se entromete Oskar, que quiere alojarse también, ser partícipe.

El trato con las enfermeras de la Jülicher Straße fue sólo de corta duración. Terminó abruptamente cuando Annerose entró en mi campo visual, del que fue expulsada cualquier otra presencia femenina. Sólo la veía, quería verla, a ella. Y como suele ocurrir con esa especie de estrechamiento de la vista, todo se convertía en toma de posesión. Me puse inmediata y precipitadamente a prepararnos un espacioso nido. El cuarto de baño sin agua era demasiado estrecho y, además, había sido testigo de experiencias anteriores.

Así que, con el pintor y músico Horst Geldmacher y con ayuda del capataz de la construcción Werner Kappner, al que conocía de la vecindad, de mis años infantiles en Langfuhr, empecé a convertir, en Düsseldorf-Stockum, el piso superior de un edificio de establo en estudio de artista con habitación anexa: de esa forma nuestro amor sin hogar tendría un refugio permanente, y yo, después de tantos años en barracones y habitaciones llenas de literas, tendría por primera vez cuatro paredes aseguradas.

En cualquier caso, amor e interés personal animaban por igual mi afición al placer de construir, que en años posteriores ha buscado oportunidad, una y otra vez, reconstruyendo y ampliando convenientemente primero el estudio en ruinas de Berlín-Schmargendorf, luego el gran estudio de la Niedstraße en Friedenau, además un taller en el pueblo de la Marsch Wewelsfleth, por aquí el pequeño estudio de la isla danesa del Báltico Møn, por allá la vieja edificación portuguesa, y finalmente el establo de Behlendorf, a fin de asegurarme espacio para nuevos partos mentales.

Y buena parte del material, cemento, planchas de escayola, piedra de construcción hueca, marcos de metal para las claraboyas y la puerta a la que debía llevar una escalera exterior de hierro procedía de obras no vigiladas, o me lo agenció el vecino que había ascendido de hijo de policía a capataz de la construcción.

La escalera se la compramos por poco precio a un empresario dedicado a demoliciones, Geldmacher consiguió la estufa de carbón y varios metros de tubo que, llevados a través de la pared exterior, debían servir como tiro. A través de mi padre, que por su trabajo en el lignito seguía percibiendo una buena remuneración, recibí una partida de briquetas, que se amontonaban ya en primavera como reserva para el invierno.

El establo, que se pudo alquilar por una modesta tasa de utilización, estaba en el patio trasero de una casa de alquiler, cuyo retrete de la planta baja podíamos utilizar. En el patio había un arbolito escuchimizado, yanosédequé clase.

Con sus flautas, la gaita y el maletín de comadrona lleno de utensilios pictóricos, Geldmacher se alojaba en el cuarto delantero. Annerose y yo teníamos en el estudio con claraboya un techo y, con cielo despejado, estrellas que contar. El colchón doble se extendía sobre cuatro ladrillos, en un marco con cuñas. De día y de noche nos acompañaban desde al lado, cuando éramos una sola carne de muchos miembros, las flautas dulces de Geldmacher, con *blues* que hacían variaciones sobre canciones infantiles.

Nuestra felicidad a plazo fijo duró hasta el comienzo del verano. Annerose y yo hubiéramos podido estar también calentitos durante la época fría del año, y también el placer del apareamiento habría sido difícil de saciar, si mi primer amor no hubiera encontrado un fin súbito.

La madre de mi amada, desde el principio mujer amenazadora en la distancia, había ordenado a su hija en definitiva obediente, en una montaña de cartas y telegramas, que volviera a Stuttgart sin excusa ni pretexto, ¡enseguida!

Unos recortes debían probar algo horroroso que ella había leído en el periódico local. A lo largo de un artículo, se hablaba del asesinato de una chica joven, cometido por un picapedrero, por cierto con ahínco, con sus herramientas: martillo y punterola, que se reproducían como indicios fotográficos. Con lo que yo, sin consideraciones y en la letra manuscrita de una madre enfurecida, era equiparado al picapedrero asesino. A ello se añadía que, en el recorte que acompañaba la carta, podía leerse que el asesino era del Este, y zurdo.

Es cierto que Annerose titubeó durante toda una noche y medio día, pero la madre venció. Desgarradora la despedida. Espantosamente vacío me pareció el casi terminado estudio con luz cenital. La cama ahora demasiado ancha. El acento suabo que echaba de menos. Los dedos de ella, cortos y fuertes. Abruptamente privado de toda ternura quedó un pobre perro aullador, cuyos gemidos traté de deletrear; sin embargo, mi intento de descifrar los pensamientos del abandonado fue por completo inútil.

Hasta entonces, él había dejado a chicas y mujeres, después de un hastío rápidamente sobrevenido, sin despedirse. Ahora se veía desenganchado y colocado en vía muerta.

El amigo Geldmacher, que hasta entrada la noche fabricaba con diversas flautas dulces *jazz* de origen alemán, no podía consolarme, por muy virtuosamente que transformara en un *blues* la canción popular «En la fuente, ante la puerta».

Trabajar en la construcción ayudó un poco. También conseguí cambiar al portero de la Academia de Bellas Artes una colección de sellos, llena de raros ejemplares del Estado Libre, que mi madre había salvado del caos de la expulsión, por un equipo completo para el estudio. De las existencias que la Academia tenía en el sótano, el portero distrajo un caballete de modelar, dos discos giratorios, varios compases de metal y un caballete de pintor que todavía hoy, sin que sepa quién me lo envió, se encuentra, con la inscripción «Sala de desnudo II», en mi taller de Behlendorf.

Sin embargo, ni siquiera ese intercambio, no, nada podía compensar la pérdida de la amada, todo lo más un viaje.

Pedí rápidamente el visado. Durante el tiempo de espera, se colocaron fachadas en las obras. Me llevé unos trescientos marcos en una bolsa de cuero, sobre la piel desnuda. Aquella partida parecía una huida.

Avancé con rapidez en autostop, hasta que una manía compulsiva me indujo a interrumpir deliberadamente mi primer impulso, en la zona de servicio de la autopista de Stuttgart.

Desde la salida de la autopista, con un camión de reparto, en dirección al centro de la ciudad. La dirección era Hasenbergsteige. Subiendo la cuesta, busqué la villa, escondida tras el verde de los abetos, en la que mi amada había buscado refugio, por miedo inducido a un picapedrero de instintos asesinos, y ahora estaba presa, por haber seguido las sugerencias de su madre, mala de cuento.

¿Quería hacer yo de príncipe salvador?

¿Me empujaba la venganza o una esperanza diminuta?

En cuanto la película comienza a ir hacia atrás, deteniéndose ahora, me veo a la caída del crepúsculo —¿o era de noche?— ante la cerrada puerta del jardín, que cuelga de sus goznes oxidada y torcida. Hierros forjados, con arabescos, que yo sacudo y sacudo. Gesticulando, exijo entrar, maldigo a voces a madre e hija, silbo metiéndome dos dedos en la boca. No viene nadie para abrir una rendija la puerta. Más maldiciones. Luego, otra vez, cánticos de ruego suplicantes, posiblemente lágrimas.

Ahora quiero ver lo que, sin embargo, la película rebobinada y pasada de nuevo hacia delante no ofrece: un muchacho colérico que saca la puerta de sus goznes y, con las dos manos, la arroja al jardín delantero de aquella villa presa del miedo.

Tan fuerte quiero haber sido en mis años mozos. Tan lejos pretende el furioso enloquecido haber arrojado las hojas de la puerta de hierro forjado. Tanto me dolía la pérdida, que no sabía qué hacer con el amor que me sobraba.

Sin embargo, la película se desarrolla de forma muy distinta: es cierto que, en el curso de la novela *Años de perro*, por venganza rabiosa de alguien que no era yo, una puerta de jardín es sacada de sus goznes y —como «arrojamiento» simbólico— lanzada a la propiedad de un filósofo de gorro puntiagudo, pero eso ocurría a los pies de la Selva Negra, por muy distintos fundamentos fundacionales, mientras que yo estaba sin hacer nada en la Hasenbergsteige de Stuttgart, dejando colgar los brazos.

Silencioso estaba el joven ante la puerta cerrada, veía, porque —ahora estoy seguro— había caído sobre la villa de noche, una ventana de buhardilla iluminada, aguardaba inútilmente el perfil en silueta que conocía y rumiaba incesantemente su pesar. Nada se agitaba tras las cortinas. Ningún mochuelo chillaba. Ningún ruiseñor, sollozosollozo, participaba. Así acababa la película. Bajé la pendiente.

Cambiantes coches y camiones, desde Innsbruck incluso una motocicleta nos llevaron a mí y a mi pena,

que de parada en parada se debilitaba, por el paso del Bré-
nero, al país donde florece el limonero.

He llegado lejos. Con camionetas de reparto de tres
ruedas, en carros tirados por burros, en el Topolino, el apreciado dos plazas de aquellos años. Arriba y abajo por la bota
de Italia. Más lejos aún, a través de Sicilia, donde entre Si-
racusa y Palermo me encerró una región que no era más
que región. Nada arrojaba ya su sombra donde, durante horas, aguardé coches, carros, algo con ruedas, hasta que de
una depresión del terreno, entre montañas carstificadas,
surgió un grupo de personas armadas que se acercaron, se
acercaron cada vez más, y que difícilmente podían pasar por
una partida de caza, sino más bien por enviados rurales de
la mafia, hasta que por fin estuvieron en círculo en torno a
aquel forastero digno de asombro y con sombrero de paja.

Vacié la mochila y puse en fila, a la vista, mis pertenencias. Después de haberme preguntado el jefe, que
llevaba una larga falda, como un hábito de monje, mi procedencia y mi destino, se echó la carabina a la cara y,
cuando por fin, quién lo diría, apareció un Topolino que,
montaña arriba, se acercaba cada vez más, detuvo al dos
plazas. Su intimidado conductor, un médico rural, llevó a
su compañero de viaje hasta Caltanissetta, en donde me
depositó en la plaza del mercado.

Y otras aventuras, que he contado a mis hijos con
excesiva frecuencia y demasiadas variaciones para poder
decidirme ahora por la correcta; por ejemplo aquella versión en cuyo dramático desarrollo, con un fusil de fabricación alemana, el KP-8, muy conocido por mí, es
decir, con ayuda de un trofeo de la última época de la
ocupación, se me ayudó a mi transporte ulterior mediante un disparo de advertencia. Al fin y al cabo, fue al parecer la mafia la que, desde Nueva York y dirigida a distancia por su jefe y padrino Lucky Luciano, ayudó a las
tropas americanas de desembarco a ocupar la isla, en el
año de guerra del cuarenta y tres.

Evidentemente, los miembros locales de la «honorable sociedad», ramificada por toda la isla, me habían considerado un peregrino tan pobre como devoto: un *pellegrino* arrepentido en camino hacia la santa Rosalía, que como es sabido tiene su asiento en Palermo. De forma que me ayudaron. Y desde Caltanissetta, un conductor de camión me llevó, sin coacción alguna, hasta la meta de mi viaje.

Antes, sin embargo, había recorrido la Toscana y la Umbría, había llegado hasta Roma, había visto por fin en los Uffizi los originales de aquellas obras de arte —la *Venus de Urbino* de Tiziano y el *Nacimiento de Venus* de Botticelli, y luego, en el Palazzo Pitti, el *San Sebastián* de Sodoma, cuyo cuerpo de mozalbete atravesado por flechas se retuerce de forma bellamente dolorosa ante árboles y paisaje—, que ya en mi infancia, gracias a los cromos de colores de los cigarrillos, me habían hecho ansiar tanto el Arte. Me resulta fácil verme ante el cuadro de un hombre de nariz bulbosa, con gorro encarnado, que Piero della Francesca pintó de perfil.

Dormía en albergues de juventud y conventos, bajo olivos y entre cepas de vid, a veces incluso en bancos de los parques. Siempre que tenía acceso a una *mensa popolare,* comía platos de pasta baratos, sopas de pan con gotas de grasa y *trippa* a la napolitana, y por consiguiente mis primeros callos, comida de pobre, cocinada en todo el mundo con el cuarto estómago de la vaca, llamado mondongo, que, cepillado y bien lavado, parece un trozo de toalla.

Ese plato lo he servido luego una y otra vez, con tomates, ajo y judías blancas, como guiso para invitados que me importaban: por ejemplo, el Maestro de la catedral de Naumburgo y sus modelos, todos de familias burguesas o campesinas, que, después de bélicas anexiones de tierras a comienzos del siglo XIII, se habían asentado a orillas del Saale.

Ayudaron personalmente al Maestro cuando dio forma en piedra caliza labrada a la condesa Gerburga y el conde Conrado, al margrave Hermann y su risueña Reglindis, al caviloso conde Syzzo y el melancólico donante Thimo von Küstritz, y finalmente a Ekkehard II y su mujer sin hijos, la muy famosa Uta de Naumburgo.

En aquella época, cuando el coro occidental de la catedral adquirió sus figuras de donantes, luego llamadas góticas tempranas, no había todavía tomates ni judías blancas. Sin embargo, para mis invitados y el innominado Maestro pude cocinar un plato de habas frescas y callos, que en las cocinas populares de Roma me habían saciado.

Hasta una mujer de tonelero, la hermosa Gertrude, que había hecho de modelo para la inaccesible Uta de Naumburgo, probó de él; el conductor de aspecto siniestro, en cuyo fiel retrato se convirtió el conde Syzzo, no se cansaba de que le sirvieran callos; y Walburga, la hijita del orfebre, cuyos hoyitos se trasladaron a Reglindis, la hija del rey polaco, pidió también que le sirvieran otro cazo.

Todavía en los tiempos de la RDA, cuando por fin las autoridades del Estado tan penosamente aislado me autorizaron un viaje de lecturas públicas a Magdeburgo, Erfurt, Jena y Halle —era dos años antes de la caída del Muro—, Ute y yo visitamos la catedral de Naumburgo. Mientras admirábamos las figuras, situadas en alto, de los donantes, y Ute contemplaba a Uta, una experta explicó a nuestro grupo de visitantes el trasfondo socialista real de las figuras esculpidas en piedra.

—Deliberadamente, el Maestro renunció a representar santos canonizados y utilizó como modelo a personas trabajadoras y ya entonces con conciencia de clase...

Nuestra guía manifestó entonces que ni siquiera el culto propagandista fascista, especialmente alrededor de Uta, había podido aminorar la belleza de las figuras allí reunidas. Cuando salíamos, oí cómo Reglindis se reía.

Tenía tres direcciones cuando emprendí el viaje a Italia. La primera era la de la Hasenbergsteige de Stuttgart y fue rápidamente liquidada. La segunda se la debía a mi hermana Waltraut, que había terminado en la primavera su aprendizaje de comercio y luego, en las proximidades de Roma, ayudó a las piadosas hermanas de una orden que, además de diversos hospitales y la casa central de Aquisgrán, regían algunas sucursales extranjeras.

A la sucursal romana pertenecía una guardería, en la que mi hermana ayudaba a las monjas. Ellas estaban continuamente de camino apresuradas, trabajaban en la huerta del convento y no parecían tener tiempo para oraciones. Hasta la abadesa echaba una mano, repartía, apilaba ropa lavada y se ocupaba de la cosecha de aceitunas. Un convento de puertas abiertas y asistencia social activa.

Al ir a Sicilia y durante el viaje de vuelta de la isla, encontré allí acogida en un edificio anexo, es decir, una celda de convento con vista a los Montes Albanos.

Todos los atardeceres había un jarro de vino dispuesto. La cena la traía de la cocina una monja, redondita por todas partes y de origen westfalio, a la que le gustaba, antes de irse rodando, decir algo edificante.

Explicaba al incrédulo, con ayuda del vaso de vino aún vacío sobre el que daba oblicuamente un rayo de sol que lo atravesaba, de una forma válida para todos los tiempos, el milagro de la Inmaculada Concepción. Su dedo índice señalaba, de forma demostrativa, la luz penetrante y el vaso ileso.

De esa forma se atribuía al sol de la tarde una intencionalidad arcangélica, en tanto que la gran fortaleza religiosa se expresaba con acento claramente westfalio.

Mientras me ilustraba, a enorme distancia de cualquier práctica sexual, mi monja cocinera sonreía de un modo tan transparente como si también ella fuera de cristal y consciente en todo momento del milagro. Luego, como si no hubiera nada más que decir, sus manos desaparecían en las mangas de la túnica que la protegía por todas partes.

Apenas se había ido la monja, yo bebía vino en el ileso vaso. Al hacerlo, seguro que me pasaban por la cabeza algunas obscenidades. Al fin y cabo, de muchacho me había visto ya en el papel de un arcángel que no era sólo anunciador. Y todavía en mi época de prisionero de guerra, cuando mi compañero Joseph se esforzaba, mientras jugábamos a los dados, en inculcarme a mí, su compañero, la única fe verdadera, yo blasfemaba contra la Virgen, enumerando todos los instrumentos de tortura con los que personas de ambos sexos habían sido torturadas en nombre de la Madre de Dios.

Mi hermana, sin embargo, parecía ser feliz entre las activas monjas. Había vuelto a encontrar su fe de niña, que hacia el final de la guerra, ante la brutalidad de los soldados, había perdido; eso tendría consecuencias.

La tercera dirección me la había pasado, poco antes de iniciar el viaje, Dina Vjerny, una persona enérgica que, siendo la última modelo de Aristide Maillol, comerciaba florecientemente con sus esculturas desde París.

Había venido a Düsseldorf para vender a la ciudad un bronce de tamaño natural. Más tarde, aquella chica desnuda, para la que en años más jóvenes había sido modelo, estuvo sobre un zócalo en el Hofgarten.

Para nosotros, que contemplamos admirados su aparición como un acontecimiento natural, cantó por la noche, en alemán y ruso, canciones revolucionarias. Con ello, trastornó duraderamente a mi amigo Geldmacher y quitó a Trude Esser a su amado Manfred, para llevárselo directamente a París, en donde, poco a poco, se volvió sordo.

A mí, sin embargo, a quien mis recientes penas de amor me habían inmunizado contra tentaciones de esa índole, me dio la dirección de su marido divorciado, que en la Villa Medici romana cumplía con una beca estatal francesa. Dina Vjerny dio a entender de pasada:

—Le gustan las visitas...

Y efectivamente: él acogió a su huésped sin ceremonias. Al parecer, en su estudio vacío, como sin utilizar, debí de instalarme enseguida y trabajar en un busto, porque el episodio ha quedado documentado por una foto borrosa, que muestra a mi anfitrión de pelo rizado, y despreocupadamente ocioso, en forma de una cabeza de arcilla. La escultura parece expresiva e inacabada como un boceto de fauno.

En una mesa larga —una antigua mesa de mármol— yo comía menús de varios platos con él y otros becarios; su trabajo en productos artísticos se reducía a conversaciones desbordantes, que yo sólo comprendía por gestos. Se fumaba antes, durante y después de los platos. Con cámara oculta, un director del cine francés que pronto se llamaría nuevo habría podido captar escenas típicas de la época.

Situada en lo alto de la Escalinata de España, la Villa Medici parecía un sanatorio para artistas agotados. Tras unos pasos, unos bancos de piedra a la sombra invitaban al descanso en los vastos jardines.

Durante el día yo andaba más por las calles de Roma de lo que el calor permitía. Sólo hacía fresco en iglesias y capillas. Cualquier cosa que viera, cada fuente y trozo de columna, se convertía en metáfora. Hordas de curas vestidos de negro ofrecían, con sus sombreros de ala ancha, esbozos de movimiento, rápidamente terminados. Dibujaba con plumas de paloma y gaviota mojadas en una escudilla de tinta china diluida. Todo era sorprendente, se convertía en motivo; rocines de coches de alquiler que dormitaban, niños de la calle jugando y ropa tendida de largas cuerdas. Las mujeres gordas en el balcón. Las plazas solitarias y sin sombra.

Me compré un sombrero de paja. Para el fumador, los Nazionale eran los cigarrillos más baratos, a no ser que el marido divorciado de Dina Vjerny, que residía en Villa Medici como un príncipe desterrado, me ofreciera Gauloises. De mi reserva de Schwarzer Krauser para liar a mano no quedó pronto ni una brizna.

Cada día un regalo. Llegué lejos con mi primer viaje hecho por voluntad propia, que sin duda fue limitado en el tiempo pero nunca ha cesado, porque hasta en mi edad avanzada cualquier otro viaje —y con Ute he ido de continente en continente, recorriendo con ella China, la India, México...— me parecía cuidadosamente planeado y previsiblemente lucrativo, pero sin embargo pobre, si lo comparo con el diario enriquecimiento de mi primera excursión, bajando por la bota de Italia.

Yo vivía, es decir, absorbía sin cesar, quería verlo todo y trataba de reducir, en vano, el exceso de oferta. Me quedaba admirado ante el mármol rico en gestos y encantado ante los bronces de los etruscos, del tamaño de la mano, buscaba en Florencia y Arezzo a Vasari, y veía en el Palazzo Pitti y el Palazzo Borghese de Roma cada vez más cromos de cigarrillos de mi época escolar, ostentosamente enmarcados como originales.

Dibujaba lo que ofrecían paisajes, calles y plazas, y, como de costumbre, segregaba poemas que evocaban el calor estancado del silencio del mediodía o de las fuentes en algún parque umbroso. Seguí feliz o infeliz las huellas del pintor romano alemán Fohr, que se ahogó joven en el Tíber, hice amistades que no podían durar, encontré y abandoné encrucijadas, me permití aquí o allá, forzosamente ahorrativo, un helado de limón, subí con pies ligeros la Escalinata de España, dejé que mi hermana me fotografiara con sombrero de paja para que otro autorretrato más pudiera dar testimonio de mí, restauré en un convento de Umbría, a cambio de mesa y comida, una dañada Virgen de yeso con Niño, me dejé llevar al atardecer por el Corso de Perugia, bailé en una pérgola emparrada y bajo una iluminación de bombillas de colores con una inglesa que parecía inspirada en los ángeles de Botticelli, me perdí en la maraña de calles de Nápoles, escribí desde allí a mi madre una larga carta que alimentó sus nostalgias insatisfechas con detalles coloristas, gané en Messina, como pintor de carteles de gas butano, un poco de dinero para los días siguientes, me hice pasar —como luego he contado con frecuencia—, rodeado de mafiosos rurales, por *pellegrino* en viaje hacia Palermo y me regalaron tomates y queso de cabra.

Me consideraba fuera de la ley y, en mi ansia de viajar todavía no calmada, afortunado, favorecido de un modo aventurero, pero era sólo uno de los muchos miles de jóvenes que, durante los primeros años de la posguerra, ensayaron su idea de la libertad, traspasando las fronteras por fin abiertas y, sin rumbo o con rumbo fijo, en autostop o, como se llamaba allí, con *mezzi di fortuna,* se dirigieron a Asís, Pompeya, Agrigento o donde fuera. También encontré a mochileros que, siete años antes, uniformados de un modo u otro, habían sobrevivido a la lucha por la abadía de Montecassino o se habían enfrentado guerreramente en la playa de Anzio-Nettuno, pero ahora, vestidos de paisano e igualmente pacíficos, visitaban el lugar de los hechos de entonces. Vi indicadores de cementerios militares, con su orden y batallones de cruces en hilera, vi ruinas pronto cubiertas de maleza. El mar estaba tibio.

Y en el camino me encontré con chicas, que, solas o en pareja, habían emprendido el viaje desde Suecia, el Canadá o Escocia, y enviaban postales de todas partes a Haparanda, Toronto o Glasgow. Sin embargo, yo no estaba libre para ninguna, porque la estrechez (según el criterio suabo) me seguía teniendo preso. Sólo en Palermo, donde el supuesto peregrino no fue, como había prometido a los mafiosos rurales, a hablar con Santa Rosalía sino que, como invitado de la Accademia di Belle Arti, tuvo ac-

ceso a la clase de escultura del profesor Rossone, se abrió
de pronto mi ánimo para su alumna Aurora Varvaro. El
cerrojo se aflojó, se levantó el telón. ¿Cómo podría decirlo? A primera vista...

Diecisiete años podía tener ella, y estaba tan protegida por su encanto que yo, sólo desde apartados bancos
de iglesia y con demasiado pocas palabras, y además lejos de
cualquier gramática, podía insinuar todo lo que en ella veía,
adónde me llevaban mis deseos, cuántas penas de amor tenía que reprimir con ayuda de su inconsciente proximidad y por qué me dolía su belleza protegida. Naturalmente, amaba también el sonido de su nombre.

Cuando Aurora, con permiso de Rossone, posó
para mí para un retrato en arcilla, teníamos continuamente al lado, como vigilancia, a su hermano menor, que miraba sombrío, o a la abuela, que a veces daba una cabezada. Sólo se permitían miradas. De todas formas, las yemas
de los dedos se tocaban. Pudimos decirnos algunas cosas
con ayuda de vocablos ingleses. Sin embargo, lo que empezaba a insinuarse como posible amor permaneció como
una pluma en el aire; y también el retrato de la cabeza de
Aurora, de medidas por mí exageradamente alargadas,
sólo llegó a ser un boceto que, al parecer, poco después de
mi partida uno de los alumnos de Rossone vació en yeso.

Yo me fui... Ella se quedó. Pero todavía hoy, después de más de cincuenta años de distancia continua, que
sólo una vez, a comienzos de los sesenta, fue interrumpida y condujo a algo que quiere ser omitido, nos damos
mutuamente signos de vida y no hemos olvidado nada,
ninguna clandestinidad en la oscuridad de la iglesia, ninguna de las palabras susurradas, ni tampoco los momentos de proximidad fugitiva.

Sin embargo, lo que hubiera podido ocurrir si me
hubiera quedado en Palermo sólo puede imaginarse en
una película muy distinta, que se desarrolla como tragi-

comedia bajo el cielo siciliano, y llega hasta una ancianidad temblorosa. Y sin duda lo que quedaba de griegos, sarracenos, normandos y Staufer en aquel vertedero insular se hubiera condensado en material para una novela narrativamente ramificada. Deseos que se bastan y no tienen que cumplirse.

¿Y Danzig? ¿Qué se me habría ocurrido desde Palermo sobre la ciudad perdida de Danzig?

Cuando emprendí el viaje de vuelta en dirección a Cefalù y, en el primer camión que ofreció un lugar al autostopista como compañero de viaje, abrí un paquetito que debía servirme de provisiones, el paquete contenía, además de galletas e higos secos, media docena de huevos duros. Tan cariñosa era Aurora, mi amor no vivido, que perdura encerrado en el ámbar.

A mediados de septiembre llegué puntualmente a Düsseldorf para el comienzo del semestre. El estudio casi terminado construido en la Kirchstraße de Stockum no me pareció ya abandonado y sin vida. Enseguida empecé, como óvalo de estrecho perfil, un busto de San Francisco, y estatuillas de arcilla que parecían de procedencia etrusca. Además, estaba «Flautas» Geldmacher, con su multitud de instrumentos y su olor que desplazaba a cualquier otro.

Pankok examinó con benevolencia el producto de mi viaje —dibujos y acuarelas—, pero sólo fugazmente. Muchos de sus alumnos volvían de lejos y tenían cosas que mostrar.

Hasta aquí, la ojeada retrospectiva al viaje a Italia ha permitido dejar de lado una trama secundaria que, rica en personajes, se independizó luego y alimentó la novela que lo devora casi todo, de forma que para este relato que sigue sólo pueden utilizarse, en el mejor de los casos, los restos.

En las fotos que hizo Hannes, el hermano de Trude Esser, Geldmacher y yo fumamos con Franz Witte lo que parecen colillas de puro. Nos damos importancia, cada uno en su papel.

¡Ay, mis amigos! A los dos los sigo echando en falta aún. Ninguno llegó a viejo. Los dos se volvieron locos por su talento, y sin duda también por sí mismos; yo fui suficientemente robusto para sobrevivirlos.

La amistad con Horst Geldmacher, llamado «Flautas», y mi continua afición al *ragtime* y el *blues* tuvieron como consecuencia la fundación de un trío como grupo de *jazz*. El tercero era el guitarrista y bajista Günter Scholl, que estudiaba arte como profesor de enseñanza media y más tarde se convirtió también rápidamente en profesor de dibujo, alguien que siempre estaba de buen humor.

A mí me correspondió como instrumento de percusión un objeto ordinario, utilizado desde los primeros tiempos del *jazz* —¡Nueva Orleans!—: la tabla de lavar, sobre cuya hojalata ondulada marcaba ritmos con dedales en ocho dedos.

En el Czikos, un restaurante de la ciudad vieja, de dos pisos, estrecho como un tubo, de ambiente seudohúngaro, tocábamos tres veces por semana. Para los otros días tenían contratado a un gitano como cimbalista, con hijo y contrabajo.

Apretados bajo la escalera del piso alto, a cambio de comida gratis y una moderada remuneración, nos agotábamos hasta medianoche ante un público de nuevos ricos, entre los que figuraban artistas de más o menos éxito y sus acompañantes. Y como el dueño y la dueña del Czikos, Otto Schuster y su mujer, parecían personajes salidos de alguna trama novelesca, sirvieron luego para aquella trama secundaria en cuyo transcurso Oskar Matzerath sustituyó la tabla de lavar por el tambor de hojalata.

Tal como a él le gustaba, doblegó la voluntad de sus personajes y dio al Czikos a lo largo de un capítulo llamado «El Bodegón de las Cebollas», una importancia excesiva, al hacer que los clientes del exquisito local, tan anquilosados como ansiosos de vida, con ayuda de tablillas y cuchillos, se conmovieran hasta las lágrimas: la cebolla picada, laxante de tipo especial, resultaba apropiada para hacer un tanto porosa la «incapacidad para sentir duelo» luego atribuida a la sociedad de la posguerra.

Y así eran las cosas. Pagando, se podía llorar. Las lágrimas contadas producían alivio. Al final, los huéspedes de pago se convertían en niños balbuceantes que seguían obedientes los redobles del buen Oskar. De lo que puede deducirse que, más que todos los demás productos del campo o de la huerta, la cebolla se presta a su utilización literaria. Si, piel tras piel, ayuda al recuerdo a brotar o ablanda las glándulas lacrimales secas y las hace fluir, en cualquier caso es alegórica y, en lo que se refiere a El Bodegón de las Cebollas, era además buena para el negocio.

No puede decirse más al respecto. Lo que se convierte en literatura, habla por sí solo. Sin embargo, aunque El Bodegón de las Cebollas haya sobrevivido al Czikos, todavía arrastro el aire viciado de aquella cueva de ladrones de Otto Schuster; las lámparas de petróleo le daban ambiente y una luz atenuada.

A los tres músicos de ocasión rara vez nos correspondía una pausa. Sólo mucho después de medianoche, cuando se habían ido los últimos clientes, nos llenábamos el estómago de *gulasch* de Szegedin. Yo fumaba moderadamente, pero bebía demasiado: orujo y *sliwowitz,* aguardientes a los que nos invitaban señoras que chillaban. Un negocio ruidoso, cuyos precios habían aprendido a escalar por el llamado milagro económico.

Yo perdía el norte. La Academia me veía pocas veces. Cada noche se tragaba el día siguiente. Conversaciones tediosas. Aliento a matarratas. Rostros de clientes grotescos, que se borraban unos a otros. Agujeros en una memoria agujereada. Y, sin embargo, se dibuja como tras un cristal de vidrio opalino lo que puedo recordar de forma creíble a medias: los tres —Geldmacher con el sonido de su flauta, intensificado hasta la ronquera, Scholl con su banjo pellizcado y golpeado, y yo con la tabla de lavar, que unas veces se servía de ritmos escuetos y otras de ritmos acelerados—, un día tuvimos, muy tarde, una visita eminente.

Tras una *jam session,* que se suponía vendida hacía semanas, el ídolo de nuestros años mozos, con su séquito, llegó al Czikos. Desde cierta distancia, a unas cinco o seis mesas, habrá oído nuestra forma de *jazz* y, al parecer, le habrán gustado las erupciones de la estridente flauta de Geldmacher; su sonido era al fin y al cabo insólito.

Aquel destacado cliente que, como se dijo luego, hizo traer en taxi su trompeta del hotel, miró de pronto e inconfundiblemente a nuestro rincón de debajo de la escalera del piso superior y —ahora lo veo— se lleva el metal a los labios, sube a donde estamos nosotros, que, mal pagados, tocamos contra el ruido chillón del local, da un claro trompetazo como señal, recoge la nota salvajemente tartamudeada de la flauta de «Flautas», mientras hace girar los ojos en las órbitas, y toca un solo de trompeta al que responde ahora el solista llamado Geldmacher con la flauta contralto, apostando por el dúo de madera y metal; es sin duda alguna Satchmo, tal como lo conocemos por discos muy codiciados, por la radio y por fotos en blanco y negro. Ahora baja el volumen de su trompeta con sordina, vuelve a unir su sonido con el nuestro en un *chorus,* por una breve eternidad, me permite a mí y mis dedales otro ritmo, anima al banjo de Scholl, nos regala un júbilo común y, en cuanto Geldmacher —nuestro *moneymaker*— ha terminado su baile en el alambre, esta vez con el pícolo, se separa de nosotros con un trompetazo de reconocimiento, saluda amable y un poco paternalmente con la cabeza, y se va.

¡Qué importante visitación! El señuelo no había sido el banjo de Scholl, ni mis dedales sobre la lata ondu lada, sino «Flautas», que conseguía fácilmente, tras recordar brevemente la melodía, trasladar a Alabama canciones populares alemanas, como si fueran emigrantes sedientos de distancias. Con su versión de «Un cazador del Palatinado» —¿o fue la canción «Oh, árbol de Navidad»?— había captado la atención de Armstrong.

Audazmente, pero con una seguridad de ensueño, se estructuró el cuarteto. Es verdad que los cuatro tocamos sólo brevemente, cinco o siete minutos —¿cuándo dura más la felicidad?—, pero todavía tengo esa aparición, de la que ninguna foto con flash da testimonio, en los oídos y ante los ojos. Como homenaje a nuestros entretenidos esfuerzos quiere ser más importante que todos los premios que se me han concedido luego, incluso el mejor dotado, cuya concesión a una edad bíblica me ayudó a sentir una alegría irónicamente distanciada y que, desde entonces, cuelga de mí como si fuese título profesional suplementario.

Sí, aunque la deformación profesional hubiera podido seducirme para vivir retrospectivamente otra vez, lo que en el mejor de los casos sólo es plausible y permanente en el papel, es decir, aunque en la chata realidad no se hubiera producido ese encuentro digno de ser escuchado, se me ha quedado vivo sin embargo; perdura al alcance de la mano, está, como el oro de una trompeta, libre para cualquier interpretación y sustraído a toda duda.

En la casa de fieras de Pankok sucedían pocas cosas, salvo que los intentos de volar de Franz Witte y míos, con lienzo o papel de envolver, fracasaron audazmente. Ningún otro milagro nos volvió piadosos, a no ser que se experimentara una sopa de pescado de Trude Esser, que ella cocía para sus hambrientos amigos con innumerables arenques, como una milagrosa multiplicación de los peces.

Y, extrañamente cambiada, como si se hubiera producido un verdadero milagro, volvió mi hermana de

Roma y su custodia monacal. Para espanto de los padres, quería ser monja.

El padre se lamentaba, la madre se sentía mal. Yo bebía más de la cuenta. Franz Witte comenzó a hablar confusamente. Enfurecido, Geldmacher se golpeaba la cabeza contra las paredes, que eran reales y duras. En Corea y otras partes había guerra. Perdimos la fe en nosotros y vivíamos de prestado, mientras la caterva de nuevos ricos exhibía jactanciosamente sus posesiones.

Sin embargo, al fin y al cabo cayeron en el Czikos suficientes propinas para financiar en el verano del cincuenta y dos mi segundo viaje importante. Ahorré durante todo el invierno, quería irme, largarme de Düsseldorf, una ciudad que pretendía ser un «pequeño París» y cuyas pandillas artísticas se disfrazaban bohemiamente en las llamadas *Malkastenfesten* o fiestas del color.

En esa época tuve a mi lado, una detrás de otra y durante algunas semanas al mismo tiempo, a dos bailarinas fácilmente seducibles y conducibles, como legado de una fiesta de Carnaval en que se bailó lento hasta última hora. Así, la una, la otra, venían a visitarme en el estudio de la Kirchstraße de Stockum, en donde les servía platos de sartén, de mi estufa de carbón: había liebre a la pimienta, riñones de cerdo ácidos, hígado de caballo asado y otras cosas que asustaban a mis bailarinas.

De miembros largos la una, bien proporcionada por todas partes la otra; pero mi corazón o, mejor, sus ventrículos parecían seguir siendo inhabitables, por muy doblemente fiel que fuera a las chicas, hacia las que sentía apego cuando tenía ganas y oportunidad. Habían acabado su aprendizaje como costureras y ahora querían —no muy claramente dotadas todavía— dedicarse al Arte.

En cualquier caso, nos conformábamos. Y como no se podía conceder la posesión, nuestro intercambio transcurría no sin tensiones, pero sin finales trágicos. Nos teníamos simpatía, de momento.

Las dos habían hecho cursos con un mimo francés en el Brücke, un instituto de cultura patrocinado por la potencia británica de ocupación. Así ocurrió que una de ellas, que se llamaba Brigitte, más adelante, cuando yo me había largado ya, siguió a su maestro al campo socialista e hizo carrera en el Berlín oriental como coreógrafa; ya en mi época comenzó a acentuar su nombre a la francesa, lo que le resultaba fácil, teniendo en cuenta su carácter alegre del Rin.

La otra, sin embargo, que, aunque de Pomerania, encantaba como frágil criatura y, con medias verde cardenillo y violeta, convertía con sus largas piernas la Königsallee en pasarela de moda, permaneció todavía algún tiempo en Düsseldorf, fiel a la pantomima. Años más tarde apareció en una novela entretanto frecuentemente citada como la musa Ulla, pero se llamaba Jutta fuera de la literatura y, por su apariencia, otros y yo la llamábamos angelito; y tan tiernamente se llama para mí todavía hoy, cuando los dos, ancianos, nos saludamos desde lejos.

Planifiqué mi viaje a Francia sin Brigitte ni Jutta, a las que sólo se podía ver ya con movimientos de pantomima retardados. Ensayaban ante el espejo extraños andares, torciendo el cuello.

Otra vez viajé en autostop y fui la mayoría de las veces, en el camino hacia París y luego entre el Mediterráneo y la costa atlántica, acompañante de conductores de camión rendidos de cansancio. Con frecuencia tenía que cantar para que no se durmieran.

Hacia el amanecer resultaba fácil encontrar en el gran mercado de París, a un lado de Les Halles, que ya no existen, una oportunidad de viajar, ya fuera en dirección a Marsella, ya hacia Cherburgo o Biarritz. Fuera a donde fuera en autostop —a las playas de un mar o del otro—, volvía siempre a París, donde me alojé en distintos sitios, al principio en el albergue de juventud lleno de chinches de la Porte de la Chapelle, y luego, con vistas a Saint-Sulpice, con un traductor de Kleist llamado Katz.

Con el barullo verbal de dramas sedientos de sangre, se había vuelto loco de una forma entretenida, citaba continuamente de sus fragmentos sobre amazonas asesinas de hombres, y saludaba a todo el mundo con la exclamación: «Mi cisne sigue cantando en la muerte a Pentesilea». Tenía su corte en el Café Odéon, y se sentaba allí con el monóculo encajado, lo que me resultaba penoso. Al parecer, era de Maguncia o de Fráncfort. Por hábil que fuera dándole a la lengua, era avaro de palabras en cuanto se le preguntaba por su origen y mucho más por su supervivencia durante la guerra.

En caso necesario, yo encontraba lugares para dormir con franceses de mi misma edad, que habían hecho su servicio militar en Argelia o Indochina y estaban marcados por la guerra de una forma que me resultaba reconocible; en cualquier mezcla de idiomas, nos entendíamos mutuamente. Para quien ha visto muertos solos y en montón, cada día es una ganancia.

Durante algún tiempo encontré alojamiento en una buhardilla con vistas sobre tejados y chimeneas, que podía ocupar sin pagar alquiler porque a cambio lavaba los platos de un matrimonio, verbal y violentamente enemistado, de la vieja nobleza: Saint-Georges.

Cada vez, a lo largo de la mañana, su duelo iba aumentando desde el salón, por el largo pasillo, hasta la cocina. A menudo me quedaba sin habla, tratando inútilmente de calmar con gestos a la pareja, que, sin hacer caso del espectador, se lanzaba los platos que yo acababa de lavar o que estaban todavía sucios.

Ante su ayudante de cocina se comportaban siempre cortés o amablemente, y reservaban su furia para el momento de lavar yo los platos. Al parecer, su duelo —en el que rara vez acertaban en el blanco— requería un solo testigo.

A veces se lanzaban incluso cuchillos y tenedores. Una vez tuve que vendar un corte en el dorso de la mano izquierda de Monsieur. Por falta de conocimientos lingüísticos, sólo podía suponer qué era lo que excitaba a los lanzadores, acabando por ponerlos al rojo vivo: a lo mejor una disputa que había comenzado hacía muchos años, quizá en tiempos de la persecución de los hugonotes o incluso antes, en la época de aquella Guerra de las Rosas que no quería acabar.

Por lo demás, Monsieur y Madame se hablaban de usted. Tan formalmente se desarrollaban sus peleas. Yo hubiera podido hacer algún comentario al respecto, como autor de una obra para tres personajes. Mi amigo Katz la habría dirigido.

Por lo demás, nuestro teatro culinario se desarrollaba en una distinguida zona residencial: Boulevard Péreire se llamaba mi dirección de entonces.

¿Quién barría los añicos? Probablemente yo, con expresión indiferente. El diario derroche de vajilla habrá significado poco para mí, porque la discordia del matrimonio Saint-Georges se desarrollaba como un ritual en una época que era en general polémica. Cada tesis se enfrentaba con otra. No es que hubiera leído ya entonces a Camus, pero los combates verbales entre él y Sartre estaban en todos los labios, aunque más bien con frases hechas que con citas eruditas. Se trataba del absurdo en sí y de la leyenda de Sísifo, el feliz acarreador de piedras.

Probablemente fue Katz quien me contagió, al pasar con facilidad de Kleist a Camus, de Kierkegaard a Heidegger y de los dos a Sartre. A Katz le gustaba lo extremo.

En esa disputa, que duró años por encima de fronteras, entre los dioses de entonces de la sagrada doctrina del existencialismo, yo tomé partido, primero vacilante y luego con vehemencia, por Camus; más aún: para mí, porque desconfiaba de toda ideología y no tenía ninguna fe, hacer rodar la piedra se convirtió en disciplina diaria. Un tipo como aquél me gustaba. El preso condenado por los dioses, para el que lo absurdo de la existencia humana es tan cierto como que el sol sale y se pone, y que por eso sabe que la piedra que hace rodar cuesta arriba no se quedará allí, se convirtió para mí en santo digno de adoración. Un héroe más allá de la esperanza y la desesperanza, alguien a quien la inquieta piedra hace feliz. Alguien que nunca se da por vencido.

En París comencé, aunque sólo como de pasada y bajo cuerda, a ensayar decisiones partidistas, es decir, en el curso de conversaciones de café, con Katz o sin él, a plantear mis propios puntos de vista. Lentamente se me hicieron conmensurables las relaciones políticas de poder. Me inmiscuí, luché en caso necesario conmigo mismo y viví de platos baratos: *frites* y *boudin,* el tipo de morcilla francés.

Del producto sobre papel de mi viaje a Francia se ha conservado, además del libro de esbozos, un montón de dibujos de formato medio: hojas en las que, con plumas de gaviota y caña de bambú, una línea de contorno, apenas interrumpida, retiene las cabezas de hombres y mujeres a los que, de camino, en cafés, bancos de parques, en el metro y en los cambiantes lugares donde dormía, tuve cerca durante el tiempo de un boceto. Además, hay dos docenas de acuarelas sobre papel de envolver. Los motivos son cabezas con o sin sombrero, medias figuras, pero también calles de suburbio. Repetidas veces he pintado a la acuarela el canal de Saint-Martin, rico en puentes, y escenas de bistrot que, alternando de hoja en hoja, permiten reconocer la influencia de Picasso y Dufy, hasta Soutine. De expresividad intensificada, se distinguen de las impresiones lavadas con tinta china del viaje a Italia del año anterior. Obras artísticas rápidamente acabadas e intentos de encontrarme a mí mismo o a alguien que yo quería ser. Sin embargo, ¿quién quería ser yo?

Lo que se escribía de camino trataba también de encontrar el camino palpando. Una serie de poemas que gira en torno al timonel de Ulises merece ser olvidada. Luego hay un poema inacabable, durante el cual un santo estilita actual es elevado a héroe de lo absurdo: un joven albañil que renuncia a salario y pan, rompe todos sus lazos familiares y sociales, se convierte en automarginado y construye en la plaza del mercado de su ciudad una columna, desde cuya altura mira el ajetreo diario y también el mundo, para cubrirlo de insultos cargados de metáforas, desde su punto de vista elevado. Por lo menos permite a su madre que lo alimente mediante una larga pértiga.

Esa epopeya poética, alimentada por los primeros expresionistas alemanes y además por Apollinaire y García Lorca, y en consecuencia sobrealimentada, que sin duda alardeó bravuconamente pero nunca se terminó, sólo debe mencionarse porque aquel estilita estático, durante los años siguientes y en el curso de un largo proceso de fermentación, se convirtió en un parto mental ambulante que, desde una perspectiva contrapuesta —la visión a la altura del canto de una mesa—, despotricaba contra el mundo, aunque en prosa.

Hacia el final del viaje a Francia, di un rodeo. Una dirección bastó como cebo para viajar a Suiza. De esa forma llegué al cantón de Aargau y la pulcrísima pequeña ciudad de Lenzburg.

Mi visita era para la actriz Rosmarie Loss, a la que conocí —daban *Los hijos del Paraíso*— en un cine de Düsseldorf. Debió de haberme considerado, en el curso de nuestros apresurados abrazos y continuados combates verbales, como el eterno muerto de hambre, porque después de su partida me envió paquetes llenos de productos sui-

zos: «Flautas» Geldmacher y yo nos alegramos de la Ovo-
maltine, las gruesas pastillas de chocolate, el queso rallado
y la carne de los Grisones. Yo se lo agradecí con mis medios de pago: poesías largas y cortas.

En Lenzburg vivía ella con la familia de su hermana, en casa de sus padres. La casa unifamiliar no se dife-
renciaba apenas de las otras casas de la colonia. El padre
era cartero, miembro del club del libro llamado Bücher-
gilde Gutenberg y socialdemócrata. La amiga de ella, en
cambio, que vino a despedirse una tarde inofensiva, desti-
nada sólo a café y pasteles, procedía de una familia burguesa con propiedades, tenía diecinueve años y se movía
de forma marcadamente espasmódica, como bailarina incipiente, pero mantenía la cabeza alta sobre el largo cuello
y anunció, sin que le preguntara, que no sería maestra,
como querían sus padres, sino que iría directamente a
Berlín, para aprender allí con Mary Wigman, la famosa
pedagoga, el baile expresivo de pies descalzos.

¡Qué decisión más valiente, anunciada en un alto
alemán sonoro! Con lo que en mí, espontáneamente, se
redondeó algo que hasta entonces sólo había sido un vago
deseo: aseguré a la familia Loss, sentada alrededor, y más
aún a la futura alumna de baile, que igualmente y muy
pronto, quería mudarme a Berlín: el clima de la Alemania
occidental no me sentaba bien.

Así comenzó una charla que tuvo consecuencias.
Ella o yo sospechábamos que quizá nos encontraríamos en
Berlín. Berlín, sin embargo, era una gran ciudad en la que
era fácil perderse, pero si la casualidad lo quería...

Como mientras recorría Francia —y durante largas esperas de una oportunidad de viajar— había dibujado una y otra vez gallinas, comparé los movimientos convulsivos de la incipiente bailarina con la forma de andar
de las aves de corral por mí observadas; comparación
que enseguida, pero inútilmente, traté de hacer pasar por
cumplido.

Luego, ante café y pasteles, se habló otra vez de Berlín. Antes que yo, Rosmarie Loss se dio cuenta de que, al anunciar mi cambio de residencia, aquella inspiración como de lo alto, había participado mi corazón.

Más tarde, cuando Anna se había ido ya —tenía que despedirse en otro sitio aún—, se hicieron, desde el punto de vista socialdemócrata, comentarios mordaces: aquella señorita aficionada a viajar pertenecía a una familia de clase media cultivada que, mediante el comercio del hierro, guardaba y aumentaba sus propiedades. Sin duda un buen partido. Muy conveniente para pobretones venidos de Alemania...

Es posible que unos celos irónicamente disimulados colorearan, llenos de presentimientos, la escaramuza verbal —Rosmarie y yo, como pareja combativa, nos habríamos agotado tan apasionada como rápidamente—, mientras yo, relajado por estar seguro de mi acreditada falta de vínculos, fumaba cigarrillos, que se llamaban Parisienne y que me ofrecieron en una cajetilla amarilla.

En cualquier caso, la tertulia familiar en torno a la mesa de café estaba aún plenamente dedicada a la conversación, en parte en alto alemán y en parte en suizo-alemán, cuando un chico de unos tres años, hijo de la hermana de mi clarividente amiga del cine, con un tambor de niño colgado, entró en el cuarto de estar lleno de humo, golpeando con palillos de madera la redonda hojalata.

Dio dos golpes a la derecha, uno a la izquierda. Al hacerlo, no hizo caso de los adultos reunidos, atravesó el cuarto y dio varias veces la vuelta a los contertulios, sin dejar de tamborilear constantemente. No se le pudo distraer ofreciéndole chocolate ni con ridículas voces, parecía calar a todos y cada uno, y de pronto se dio la vuelta y salió del cuarto por donde había venido.

Una entrada con resonancias, una imagen que quedó. No obstante, pasaría mucho tiempo hasta que el cerrojo se abriera y se liberara la corriente de imágenes con lo que flotaba en ella, dejando salir palabras que, desde mi infancia, llenaban el calcetín donde guardaba mis ahorros.

Anna Schwarz, sin embargo, por breve que fuera su aparición, había dejado atrás algo más que su nombre.

De esa forma se concretó mi deseo hasta entonces impreciso de dejar el Düsseldorf del milagro económico, el alboroto cervecero de su ciudad vieja y el ajetreo de genios de la Academia de Bellas Artes. Yo quería buscar en Berlín un nuevo, exigente, un —como luego, presentándome, escribí en mi solicitud— «maestro absoluto», y, en un clima más áspero, disciplinar mis talentos vagabundos.

A principios de verano, antes aún del viaje a Francia, me había atraído una exposición del escultor Karl Hartung, y especialmente sus pequeñas esculturas de efecto monumental. Me presenté a él, profesor de la Escuela Superior de Bellas Artes de Berlín, con dibujos, fotos de algunos vaciados en yeso, la carpeta llena de poemas y un currículo ajustado en forma de carta. A finales de otoño recibí la aceptación.

No me despedí mucho. La madre se lamentaba: «Tan lejos». El padre dijo que Berlín era un «terreno peligroso», y no sólo por la situación política. La hermana estaba ya a punto de ir al convento central de Aquisgrán, y me deseó la «bendición de Dios».

En el estudio de Stockum se resecaban la cabeza de San Francisco todavía sin terminar e, igualmente, las estatuillas neoetruscas. Nada me ataba ya. Me resultó fácil dejar Düsseldorf.

Después de celebrar toda la Nochevieja, a primera hora de la mañana me acompañaron a la estación «Flautas» Geldmacher, Scholl con la guitarra y el hijo del gitano cimbalista con su contrabajo. También estaba allí Franz Witte. Todos fumamos, como si fuera la última, una colilla de puro. Otra vez nuestro tipo de *jazz*. La tabla de lavar y los dedales se quedaron en el andén. Más cosas se quedaron igualmente.

Salí en el tren interzonal el primero de enero del cincuenta y tres, a mitad del semestre de invierno: con poco equipaje, pero rico en palabras e, interiormente, en figuras que aún no sabían adónde ir.

Aire berlinés

¡Ay mis amigos! Cuando el tren se puso en marcha, Franz Witte seguía haciendo payasadas. Agitaba brazos y piernas en el andén, como una figura al viento, imposible de sujetar porque continuamente adoptaba poses diversas. Unas veces pavoneándose sobre sus largas piernas, como una grulla, otras aleteando, como si quisiera independizarse, irse de allí. Y sin embargo se quedó, quedó atrás, cambiado otra vez por sí mismo, un Prontootro, como no hay otro, pero que ahora cobraba forma en imágenes que lo ponían en escena con colores cambiantes, y por último con una estilización exagerada: un Greco distinto.

Todavía recientemente estábamos en uno de los pequeños talleres en los que podían estar solos los alumnos especiales de Otto Pankok, recorriendo juntos caminos distintos: él, como bailarín, yéndose por los escalones multicolores del arco iris; mis huellas se sucedían y se cruzaban en blanco y negro.

A veces yo lo observaba cuando, con varios pinceles al mismo tiempo, contaba leyendas de santos, haciendo que la sangre de los mártires saltara como de una fuente.

En sus lienzos hablaba de forma clara y sin mezclar —rojo junto a azul, amarillo junto a verde—, pero normalmente su discurso se enredaba, revolviendo esa poesía que tiene una belleza aérea pero, escrita, pierde enseguida su perfume.

Podía formar torres de nubes con palabras y derribar esas torres mediante una paulatina disminución de sílabas. Él, frágil, se proclamaba ángel vibrante, ante cuya voluntad no podía existir nada firmemente establecido. Con placer y un cuchillo de cocina destrozaba sus cuadros.

Poco después de mi partida en la mañana de Año Nuevo —¿o sucedió luego, un año después?—, el ladrillo que hacía tiempo apuntaba a su colodrillo le alcanzó en la cabeza.

Se habló de una riña en el barrio viejo de Düsseldorf, cerca de la iglesia de San Lamberto. Luego se dijo que un bromista llamado Franz Witte había ejecutado su baile sobre los techos cubiertos de nieve de unos coches aparcados muy cerca unos de otros, sobre Opel, Borgward, Mercedes, sobre encorvados Volkswagen. Sin embargo, como el que saltaba era un bailarín que se elevaba con ligereza y descendía con suavidad, ninguna de las carrocerías había sufrido daños.

Eso se confirmó más tarde. El caso es que, mientras saltaba de techo en techo, y aun saltando hacía payasadas —sabía hacerlo—, su nuca había sido alcanzada por un ladrillo... ¿O fue un adoquín? Así puso fin a sus saltos hacia Ningunaparte la cólera concentrada de los propietarios de los coches.

Más tarde, cuando la herida estaba exteriormente curada, fue llevado a Grafenberg: internado a la fuerza por haber llamado la atención repetidas veces. En el año siguiente a mi partida lo visité en el psiquiátrico. Le llevé algo dulce. Su figura parecía estar todavía más agitada por el viento. Decía en voz baja cosas extrañas y señalaba con unos dedos alargados a los árboles de hoja caduca que había tras la ventana del pasillo.

Y por esa ventana, al parecer, Franz, el favorito mimado de los dioses, saltó un día. Con impulso, a lo largo del pasillo y por último sin hacer caso del cristal. Quería volar otra vez, convertirse en pájaro o en aire, en viento en los árboles.

Como él, mi amigo muerto, se llama uno de mis hijos, y como aquel tío que, en el Correo Polaco, se convirtió en héroe sin quererlo. Este y aquel Franz. Cuando partí al alba, Fränzchen, como nosotros lo llamábamos, se quedó en el andén.

Junto a Franz Witte, al que una terrible inquietud agitaba, estaba inmóvil Horst Geldmacher, cuyo nombre —«fabricante de dinero»— inducía a error: aunque podía hacer todo lo imaginable —sabía dibujar con ambas manos y arrancar con muchos dedos a sus flautas sonidos nunca oídos—, para hacer dinero no estaba dotado.

Y sin embargo asusté a mi madre con ese nombre que tanto prometía, cuando, a sus preguntas temerosas sobre de qué pensaba vivir su hijito como artista: por ejemplo, cómo adquirir un mes tras otro el abono del tranvía —«¿Y con qué te compras realmente el tabaco y quéséyoqué?»—, sólo se me ocurrió una descuidada alusión a Geldmacher y a mi habilidad para manejar colores y papel: podríamos, en un santiamén, hacer ese tipo de cosillas que parecieran «auténticas».

No es de extrañar que mi pobre madre dedujera del nombre del amigo lo peor: el funcionamiento en el sótano de un taller de monederos falsos, en el que veía actuar, no sólo a aquel Geldmacher, sino también a su hijo, el niño problemático, que sería su cómplice. Ella sospechaba que en esa punible fabricación de dinero —igual daba billetes que monedas— intervendrían mis dedos.

Más tarde o, dicho más claramente, años después de su muerte, mi hermana me contó que nuestra madre, siempre que, en Oberaußem, se oía el timbre de la puerta del piso de los padres, se asustaba, esperando al policía del pueblo o, peor aún, a los funcionarios del Departamento de Investigación Criminal.

Con todo, «Flautas» Geldmacher sólo era peligroso para sí mismo y su cabeza, con la que, para demostrar sin que se lo pidieran su dureza, golpeaba contra paredes revocadas o muros desnudos. Eso solía ocurrir con intervalos irregulares. Por lo demás, se mostraba como hombre suave y marcadamente cortés, que saludaba con ceremonia varias veces y no sólo se limpiaba cuidadosamente en la esterilla las suelas de los zapatos cuando entraba en viviendas ajenas, sino que, de forma igualmente minuciosa, se las limpiaba al abandonarlas.

Sus desaceleradas entradas y salidas seguían extrañas reglas: cuando venía, cuando se iba, siempre llamaba a la puerta. Sin embargo, trataba a sus flautas con la misma intolerancia que a su cabeza. Varias veces vi cómo las rompía, una tras otra, y tiraba los pedazos por el puente del Rin, para luego llorar por ellas.

No tocaba con partitura, pero su música hacía brincar tan sonoramente las canciones infantiles, navideñas y de criadas, con los ritmos de los cantos de recolectores negros de algodón, que se podía pensar que tenía delante una partitura recién impresa. Además, como hábil decorador y apasionado por el detalle, podía transformar la más vulgar taberna de la ciudad vieja en un *saloon* del Oeste listo para filmar, o en las distintas cabinas de un vapor de ruedas del Misisipi lujosamente decorado; Düsseldorf, además de una clientela forrada de dinero, ofrecía la posibilidad de una gastronomía virtual.

Él era John Brown y la madre de John Brown al mismo tiempo, Old Moses y Buffalo Bill. Como Jonás, se metía en el vientre de la ballena y lloraba con Shenandoah, la hija del cacique, de forma que un río se convertía en agua de manantial. Mucho antes de que el *pop art* se pusiera de moda, él fue su inventor a la chita callando. Con contornos negros limitaba colores lisamente saturados.

En el año en que apareció *El tambor de hojalata*, y como me había pronosticado una vez una mujer de la limpieza en los posos del café, comenzó a salpicarme una fama sospechosa y conseguí, por medio de Dieter

Wellershoff, entonces lector de la editorial Kiepenheuer, meter en su programa de publicaciones *Oh Susana,* los dibujos de *jazz* y libros de notas de Horst Geldmacher. Esta obra de arte, hace tiempo agotada, de formato apaisado, que pone en escena con muchos colores *blues, spirituals* y *gospelsongs,* sólo puede encontrarse en librerías de viejo o a través de Internet.

«Flautas» aguantó más que Franz Witte. A principios de los sesenta, cuando comencé a perderme en el manuscrito de *Años de perro,* vino a Berlín y a nuestra casa de la Karlsbader Straße, abotargado ya por demasiada cerveza.

Allí, en aquella semirruina, que de todas formas parecía estar habitada por los horrores de la guerra hasta en la resquebrajada armadura del techo, asustó a Anna, los hijos y la pequeña Laura, nacida en el año de la construcción del Muro, una niña seria que sólo sonreía tentativamente.

Él mismo, asustado y empujado por el miedo, asustaba y amedrentaba a los demás.

Se creía perseguido, salía de las habitaciones andando hacia atrás, evitaba las aceras, intentaba borrar de la calle su rastro al andar, eliminaba las huellas dactilares, quería que yo lo escondiera, de unos sospechosos amenazantes, en la habitación de la galería de mi estudio y me rogó que le comprara una cámara fotográfica especial, y por eso no barata, con la que, según me dijo en susurros, se podía fotografiar el pavimento a través de la pernera del pantalón.

Se reía y lloraba al mismo tiempo. Golpeaba con la frente contra la pared, peor que nunca, andaba perdido sin sus flautas y desapareció un día, sin volver jamás.

Poco antes, tuvo aún una fase de claridad en la que, juntos, grabamos un disco de homenaje a Willy Brandt —entonces alcalde del Berlín occidental—: él con distintas flautas, desde el *piccolo* hasta la contralto, yo con media docena de poemas de mi tercer libro, *Triángulo de vías,* en el que se podía encontrar mi credo: «Ascetismo».

Desgraciadamente, se perdió la cinta en la que él, hacia finales de los cincuenta, puso música a un libreto de ballet que yo había escrito para Anna, *La oca y los cinco cocineros*, con empalagoso sentimentalismo y estridentes notas prensadas. Se estrenó en Aquisgrán, pero por desgracia sin Anna.

Todo aquello se desvaneció. Sólo quedan algunos discos, piezas de coleccionista con las que cicateo. Y dos amigos, que dejé atrás, permanecen encerrados en mi recuerdo: una prisión abarrotada, de la que no se deja salir a nadie.

¿Nos habíamos citado? ¿O fue otra vez la casualidad la que dirigió todo? Frente a mí se sentaba alguien al que sólo con precaución podía uno acercarse. En el escasamente ocupado tren interzonal de Berlín, él o yo hubiéramos podido encontrar asiento también en otro compartimento.

Ludwig Gabriel Schrieber, llamado Lud, tenía veinte años más que yo. Como pintor y escultor pertenecía a una generación de artistas que en el treinta y tres estaban demasiado inmaduros para ser prohibidos enseguida. Y cuando ya no pudo exponer sus cuadros en la galería Stuckert o con «Mutter Ey», comenzó la guerra y, durante toda la guerra, fue soldado.

Hacía poco que lo habían nombrado profesor en la Grunewaldstraße, en donde, en un edificio ileso, se formaban futuros pedagogos del arte. Yo lo conocía como cliente, gran bebedor, del Czikos. La mayoría de las veces estaba solo y, entre trago y trago, se humedecía la frente con orujo, como si tuviera que bautizarse una y otra vez.

En algún momento, sin duda durante una pausa de la música, dejé mi tabla de lavar y los dedales a un lado y me atreví a hablarle. Cuando supo que yo quería ir a Berlín, al taller de Hartung, me aconsejó, sorprendentemente servicial, que, además de la obligada carpeta, presentara una carta escrita a mano: eso causaba buena impresión y transmitía algo personal.

Ahora estaba sentado frente a él. Fumaba Rothändle, y yo lié, con mi reserva de Schwarzer Krauser, cigarrillos anoréxicos. Nos mirábamos sin vernos.

En Düsseldorf, donde era conocido como individualista fácilmente irritable y temido como alguien que, de pronto, agredía, había visitado a su amante, que sólo sobre el papel pasaba por casada. También Lud vivía separado de su mujer.

Cuando el tren arrancó, la amante se habrá quedado en el andén, lo mismo que mis amigos, que me habían despedido con bajo, flauta y contrabajo, se habían quedado atrás.

Lud suspiraba de vez en cuando, guardaba silencio. Yo hubiera querido decirle algo, pero no me atreví. Él viajaba continuamente entre Berlín y Düsseldorf, entre el estudio y la amante.

El rostro estrecho de ella me era conocido por encuentros fugaces, y su perfil por las pequeñas esculturas de madera de él. Sin duda, Itta, así llamaba a su amante, lo había acompañado a la estación, aunque no hasta el andén.

Sólo en la Cuenca del Ruhr iluminó la mañana de enero una luz pálida. Lud era amigo de pintores, que se llamaban Goller, Macketanz y Grote, desde antes de la guerra. Los años de dominio nazi y de la contienda habían frenado su desarrollo. Más tarde, trataron de escapar a sus modelos. En sus cuadros, las delicadas transiciones de color tenían que afirmarse frente a una severa composición.

Yo guardo dos acuarelas de Schrieber, surgidas durante su cautiverio inglés: paisajes de parques de colores claros, aplicados con discreción. Más tarde, cuando éramos amigos, hablaba, después de tres o cuatro vasos de aguardiente de treinta y ocho grados, de sus años perdidos, encolerizándose, y para compensar, golpeaba con el canto de la mano a inocentes clientes de la taberna.

Durante el viaje, al principio no cambiamos muchas palabras. ¿Dormimos? Apenas. ¿Había en el tren interzonal algún coche restaurante Mitropa? No.

Una vez —ya en la nevada Baja Sajonia— trató de explicarme con insinuaciones algo que tenía que ver con cambios físicos. Yo pensé que, añadiendo yeso, quería hacer más voluminosa alguna de sus esculturas. Finalmente se pudo adivinar que su amante estaba embarazada. Y de pronto Lud tarareó y luego cantó algo católico, según cuyo texto aproximado había que celebrar la llegada de un tal Emanuel; sin embargo, su hijo y el de Itta fue bautizado luego con el nombre de Simon.

También la mujer de Lud era, de estricto perfil, de rostro estrecho y ojos juntos y abultados. Durante la inauguración de una exposición la había visto, abandonada y muda, en medio de apreturas y conversaciones.

En Marienborn, los controles de la policía del ferrocarril de la RDA pasaron sin incidencias, por sombrío y titubeante que se mostrara Lud al sacar del bolsillo su pasaporte.

Los dos viajábamos con poco equipaje. En el baqueteado maletín de comadrona, encontrado en un mercadillo de viejo, yo había metido, entre camisas y calcetines, mis herramientas, entre ellas los cinceles, un rollo de dibujos y la carpeta llena de poemas, y envuelto un trozo de asado de cordero entre panes de comino, provisiones de viaje del Czikos. Llevaba puesto el traje de los tiempos de Cáritas.

Si supiera al menos qué me pasaba por la cabeza, además del deseo de cambiar de lugar y el afán de escapar al aire asfixiante de Düsseldorf. Por mucho que me esfuerzo, con mis medios de ayuda no se oye ni el eco de un pensamiento.

Sólo exteriormente, en lo que se refiere al maletín de comadrona del portaequipajes y al joven de la chaqueta de dibujo de espiga, estaba yo presente. Sin embargo, es seguro que, durante el viaje del Oeste al Este, la aglomeración de palabras me habrá hecho saltar casi la tapa de los sesos: tanta basura voluminosa producto de cavilaciones, tanto ruido acallado, vi espantajos venir hacia el tren interzonal... Partos mentales que no querían dejarme.

Físicamente palpable, y por ello cierto, es mi vecino de enfrente, Ludwig Gabriel Schrieber, al que sólo más tarde, cuando de forma tentativa y luego inquebrantable nos hicimos amigos, llamé Lud.

Y así abreviado, pero también ampliado a Ludkowski, Ludström, el prelado Ludewik y el compañero de borracheras Ludrichkait, luego al verdugo Ladewik o al tallista de madera Ludwig Skriever y transformado de siglo en siglo, está entretejido en la historia narrada, siendo partícipe a la vez de mi novela *El rodaballo*, en la que me agoté trabajando a mediados de los setenta. Entre sus capítulos breves hay uno titulado «Lud», porque mi amigo se me murió mientras yo no hacía más que escribir.

Desde entonces falta Lud. Desde entonces vive Lud en mi memoria, por lo que no lo puedo dejar. Y como describí, lo viví durante los primeros años en Berlín, cuando nos veíamos a menudo y a veces nos acercábamos demasiado: «Como si anduviese contra un fuerte viento. Inclinándose hacia delante y feroz cuando entraba en lugares cerrados, en el taller lleno de alumnos. La frente y los pómulos salientes, pero todo cincelado con finura. El cabello claro, suave. Los ojos enrojecidos, porque siempre soplaba el viento en contra. Delicado en torno a la boca y las aletas de la nariz. Casto como sus dibujos a lápiz...».

Y algo así, esbozado en contornos y con poco dibujo interior —aunque fuera veinte años más joven que en la época de mi necrológica—, estaba sentado en el tren interzonal hacia Berlín, enfrente de mí. Humo de tabaco en el compartimento, vacío si se prescinde de nosotros.

¿Estaba demasiado frío, sobrecalentado? ¿Se enfurecía ya contra los pintores no figurativos como un iconoclasta, o eso fue sólo durante ulteriores conversaciones de mostrador?

¿Compartimos ya entonces el asado de cordero y el pan con comino?

Fuera adelantábamos al paisaje que, escasamente nevado, yacía plano: como estaba vacío, poblado por seres inventados. Desde Magdeburgo, cuyos restos de ruinas sólo podían adivinarse a un lado, habló Lud: del hijo que, estaba seguro, había engendrado y que, cantado en alta voz, debía llamarse Emanuel; del arte de los hititas y la Gran Forma que habíamos perdido; de Micenas y la serenidad del arte miniaturista minoico. También habló con medias frases de los bronces etruscos, para luego llegar a las esculturas románicas del sur de Francia y de su época de soldado allí, de la posterior en Noruega y en el frente del Océano Glacial Ártico —donde «apenas se podía reconocer a los ruskis con camisa de nieve»—, y finalmente, tras apuntar de forma significativa hacia la catedral de Naumburgo y sus figuras de donantes gótico tempranas, volver otra vez a Grecia, pero sin mencionar su servicio militar en esta o aquella isla, sino más bien celebrando la severidad arcaica, la forma que alcanzó la calma, y su serenidad interior que todavía hoy nos irrita. Habíamos llegado tarde, sólo éramos seguidores, ptolomeos...

Y, entre las etapas en toda Europa de su época de soldado, sólo obsesionada, al parecer, por el Arte, citaba, sin que hubiera vasos hasta el borde a los que echar mano, su libro favorito, el *Ulenspiegel,* el brindis del viejo Baas:

—*Tis tydt van te beven de klinkaert...*

Él, bebedor acreditado, también sin aguardiente hablaba hasta embriagarse.

Luego vino Potsdam, nos serenó. El andén lleno de *vopos.* Avisos sajones, traducidos por los altavoces al alemán de dar órdenes. A petición de la policía de fronteras, mostramos de nuevo nuestros pasaportes y seguimos poco después a la zona del Berlín occidental: pinares, huertos familiares, primeras ruinas.

Ludwig callaba repetidamente, suspiraba como por costumbre, rechinaba de pronto y sin motivo aparente los dientes, resultó útil así al posterior autor de novelas para el personaje llamado «el Rechinador» y me ofreció, como casualmente, cuando el tren entró en la estación del Jardín Zoológico, pasar la noche en su estudio de la Grunewaldstraße.

¿Cómo sabía que yo buscaba alojamiento? ¿Tenía miedo a, si lo dejaba solo, estar solo entre sus esculturas inacabadas?

Allí bebimos, pero sin citar a Ulenspiegel, en vasos de agua, aguardiente de más de treinta y ocho grados, y comimos lo que previsoramente había traído él: caballa ahumada con huevos, a los que, sobre el hornillo eléctrico de la cocina del estudio, echó sal y pimienta, y revolvió.

Cuando me acosté en el anexo de su taller en uno de los dos catres, me dormí enseguida, pero vi aún cómo, entre las figuras de arcilla cubiertas de paños, alisaba con papel de lija la superficie de uno de los bustos de yeso, que, de perfil, se parecía a su amante lejana.

Al día siguiente encontré en la Schlüterstraße una habitación, que una viuda de pelo blanco ondulado subarrendaba por veinte marcos al mes.

—Naturalmente, nada de visitas femeninas —dijo.

En la habitación, llena de muebles inútiles, correspondía al inquilino una cama de cajón de tiempos del abuelo. El reloj de pared no funcionaba y, sin duda, debía garantizar la inmovilidad del tiempo. A mí se me dijo:

—Sólo mi marido podía darle cuerda; si no, nadie, ni siquiera yo.

La estufa de cerámica prometió la viuda que se encendería todos los fines de semana, a cambio de un sobreprecio, naturalmente.

Hacía poco, mi beca de la caja de mineros había sido aumentada de cincuenta a sesenta marcos al mes. Además, la dueña del Czikos —Otto Schuster había perdido la vida en accidente, de forma no aclarada— me pagó a tocateja un precio como era debido por el relieve que representaba a su marido. Yo pagué el alquiler más el sobreprecio por adelantado.

El adornado revoque de la fachada exterior de la casa de alquiler, a la que ahora debía una dirección fija, se había mantenido, sólo moderadamente dañado por la metralla. Cuando la construcción de al lado fue destruida por las bombas hacia el final de la guerra, el edificio delantero y el trasero quedaron en pie, como una última muela. Más tarde, a partir del comienzo de la primavera, veía desde la ventana que en el estrecho patio había aguantado un castaño, con gruesos botones relucientes.

Frente a la casa de alquiler había un resto de fachada en un terreno de ruinas, pero a derecha e izquierda de la calle no quedaban ya escombreras, sólo superficies desocupadas y despejadas, en las que el viento giraba, todavía se arremolinaba nieve en polvo, luego polvo, y se repartía tan por igual por toda la ciudad que, adondequiera que fuera —a la Escuela Superior cercana a la Steinplatz o a la oficina de registro de habitantes—, las partículas de ladrillo me rechinaban entre los dientes.

En todo Berlín, en el oriental, en las tres zonas de ocupación occidentales, había polvo de piedra. Sin embargo, cuando cayó nieve que se quedó en el suelo, el aire, como aire berlinés auténtico, tal como canta la canción, no parecía tener polvo; en la radio de la dueña de mi casa, que estaba en la cocina, la imperecedera canción de moda berreaba: «Es el aire berlinés, más, más...».

Sólo un año después escribí el largo poema «La gran desescombradora habla», que en su última estrofa dice amén: «... Esparcida yace Berlín. / Se levanta polvo, / luego otra vez la calma. / La gran desescombradora es canonizada».

Aquí todo se extendía con amplitud, parecía miserablemente lleno de huecos y más próximo al fin de la guerra. Mucho espacio entre muros cortafuego de gran superficie. Apenas edificios nuevos, pero muchos puestos y tenderetes. El Kurfürstendamm se esforzaba inútilmente por ser una elegante milla de paseo. Sólo en la Hardenbergerstraße, entre la estación del Jardín Zoológico y la de metro Am Knie, luego llamada Ernst-Reuter-Platz, vi, cerca de la Steinplatz, un andamio, detrás del cual se elevaría pronto el Berliner Bank, un espanto de muchos pisos.

En Aschinger había, por pocos *pfennige,* sopa de guisantes y —tantos como se quería— *schrippen,* que así se llamaban los panecillos. Todo era más barato, incluso el papel de escribir marca Max Krause: «¡Escríbeme a mí, escríbela a ella, el papel MK es la estrella!», decía el anuncio, que se me quedó a la larga, de los autobuses de dos pisos que iban de un distrito a otro de la ciudad.

Había llegado. Apenas allí, se despidió todo lo que me quedaba colgado de Düsseldorf. ¿O quizá fue siempre así, que me resultaba fácil soltar lastre, no mirar atrás, llegar enseguida y permanecer allí?

En cualquier caso, me aceptó con tanta naturalidad la Escuela Superior de Bellas Artes, como si se hubiera conservado ilesa en tiempos de guerra especialmente para mí. Y tampoco Karl Hartung, mi nuevo maestro, necesitó muchas palabras. Me presentó a sus alumnos, e igualmente a la modelo, que en aquel momento descansaba y tejía algo parecido a unas medias.

Se me asignó un gancho en el guardarropa para mis pantalones de dril y un caballete de modelar vacío. Lothar Messner, que era del Sarre y, como yo, liaba sus pitillos, me ofreció tabaco. Me acogió un grupo de hombres, a la que se sumaba la única alumna de Hartung, Vroni, que era de aspecto fornido.

Detrás del edificio principal de la Escuela Superior y del patio interior lleno de árboles, estaban los talleres de los profesores de escultura Scheibe, Sintenis, Uhlmann, Gonda, Dierkes, Heiliger y Hartung, e igualmente los talleres de sus alumnos. Desde la ventana de nuestro taller podían verse a la izquierda, por encima de terrenos baldíos, los edificios de la Universidad Técnica, y a la derecha una esquina del Conservatorio de Música. Más lejos se alzaban como muñones ruinas que quedaban, semicubiertas por arbustos.

Las esculturas de arcilla, según modelo, hechas por los alumnos de Hartung, aunque marcadas por la voluntad formal del maestro, parecían independientes. La única alumna daba a sus desnudos yacentes las hinchadas dimensiones de su propio cuerpo. Parecía la más dotada.

En nuestro taller todo se desarrollaba de forma más bien sobria. Nada de modales bohemios, nadie trataba de dárselas de genio. El alumno más joven, Gerson Fehrenbach, venía de una familia de tallistas en madera de la Selva Negra. Dos o tres procedían del Berlín oriental, y eran alimentados por la cercana Universidad Técnica con la comida más barata de la *mensa*. Fehrenbach me enseñó dónde podía comprar cerca, en Butter-Hoffmann, pan, huevos, margarina y queso de untar baratos.

Ya en la primera semana asé para todos en un hornillo eléctrico —para celebrar mi ingreso— arenques frescos, que había rebozado en harina y que podían comprarse por treinta y cinco *pfennige* la libra. Recién comprados en el mercado de los fines de semana, de ahora en adelante me llenarían.

Apenas llegado, comencé a hacer como ejercicio libre, además de un desnudo de pie, según modelo, una gallina de forma compacta, que luego, con arcilla de alfarero, roja al cocerse, fue introducida en el molde de yeso, de delgadas paredes, y se convirtió en mi primera terracota.

Los dibujos de gallinas del viaje a Francia del año anterior hicieron su efecto; lo mismo que todavía mucho tiempo después, hasta llegar al poema «Las ventajas de las gallinas de viento», me incitaron a dibujos y poemas.

Después de uno de sus recorridos de corrección, Hartung, que normalmente se esforzaba más bien por guardar distancias con sus alumnos, habló de una visita al estudio de París del escultor rumano Brancusi. «Como invasor, en mi época de soldado», completó correctamente. En el lenguaje formal de Brancusi, dijo, le había impresionado la «condensación de la forma básica». Luego repitió, aludiendo a mi incipiente gallina, una de sus frases habituales: «¡Natural y, sin embargo, consciente!».

Lo mismo que la luz del norte a través de la gran ventana del estudio, tan sobriamente pronunciaba las palabras. Y lo mismo su oscura perilla, recortada y podada. Alguien que se sometía siempre a una disciplina. Sabía relacionar el concepto entonces de moda y usual, «abstracto», con todo objeto o cuerpo del que se podía abstraer algo. El que yo siguiera siendo figurativo correspondía a su idea de la abstracción. Sin embargo, le molestaba el olor a arenques fritos que, por una puerta intermedia, llegaba hasta su vecino estudio de maestro, aunque comprendía nuestra necesidad y, de vez en cuando, nos invitaba a albóndigas con ensalada de patata de Butter-Hoffmann. Era amigo de Schrieber y toleró luego su creciente influencia en su alumno.

En algún momento, todavía en enero, tuve que someterme, al haber sido admitido a mitad de semestre, a un examen oral. El director de la Escuela Superior, Karl Hofer, que de momento no dijo palabra, y tres o cuatro profesores de Bellas Artes entablaron una conversación tentativa, en cuyo transcurso mis poemas que acompañaban a la carpeta de solicitud suscitaron el interés especial del profesor Gonda. Elogió algunas cosas del ciclo del santo estilita y citó varias metáforas de genitivo que calificó de «audaces, aunque también extremamente arriesgadas», lo que me resultó penoso, porque yo creía haber dejado atrás ese tipo de fabricación lírica de imágenes.

Por las irónicas observaciones de los otros profesores podía deducirse que Gonda, hacía años, había escrito e incluso publicado una novela. Además, pasaba por ser admirador de Rilke. Y entonces introduje en la conversación el provecho obtenido de mi hambre de lectura, enriquecido por el padre Stanislaus: *Los apuntes de Malte Laurids Brigge.*

En consecuencia, comenzamos a hablar de Rilke como secretario y biógrafo del escultor Auguste Rodin. Gonda y yo soltamos lo que habíamos leído. No sé lo que él o yo citamos, probablemente el poema del carrusel de París: «Y de cuando en cuando un elefante blanco...».

La mesa de profesores, a la que pertenecía también Hartung, enmudeció entonces, hasta que Hofer, saliendo de su silencio, declaró concisamente que ya bastaba: el ingresado había sido aprobado y sobre Rilke se podía hablar indefinidamente.

Todavía hoy me asombra ese examen, que no lo fue, y la apreciación poco crítica de los poemas, que adolecían todos de ansia de metáforas avanzadas; quizá para el nuevo ingresado fue una ventaja ser considerado como poeta futuro, y por ello prometedor.

Más sorprendente aún fue la paciencia con que Karl Hofer, que se sentaba en medio del grupo como aislado, soportó mi aparición en escena, al principio tímida y luego segura de sí misma. Yo me hubiera interrogado más severamente.

Se me ha quedado el rostro de Hofer, caracterizado por la derrota. Presidía la mesa, presente y a la vez ensimismado, como si sus cuadros quemados en noches de bombardeo no quisieran abandonarlo, como si debiera pintarlos otra vez con el pensamiento, cuadro por cuadro.

Sólo lo vi pocas veces y, cuando ocurrió, él recorría con pasos lentos el vestíbulo de la Escuela Superior. Pronto lo afectaría una polémica con un papa del arte, a la que no sobrevivió y que hasta hoy no se ha resuelto.

Ya el primer día me llamó la atención a la izquierda, detrás del vestíbulo de entrada de la Escuela Superior, la cabina telefónica. Me sentía aliviado cuando la veía ocupada. Se me quitaba una carga de encima cuando delante había tres o cuatro personas que aguardaban en fila. Evitar temerosamente su mirada se convirtió en costumbre. Porque, en cuanto estaba vacía, invitándome sin rodeos a utilizarla, sentía siempre la tentación: ahora, ahora, ahora...

Repetidas veces entré, y marqué, después de haber reunido valor, el número que sabía de memoria, pero volví a colgar enseguida después de la primera llamada. Una o dos veces contestó la secretaria y se quedó sin respuesta. Las monedas habían sido despilfarradas.

Sin embargo, no se podía evitar a la larga la cabina telefónica. Aguardaba, mostraba paciencia, parecía esperarme a mí, el irresoluto: una trampa acechante. Pronto se me ponía otra vez ante los ojos, cuando todavía estaba de camino hacia la Steinplatz o, viniendo del taller, entraba en el patio interior de la Escuela.

Venía a mi encuentro, me corría detrás. Para el subarrendatario de la Schlüterstraße seguía abierta en el sueño, invitándome vacía. Me convertía en habitante de cabina, me tentaba con el disco de marcar, las cifras. En sueños, yo fracasaba contra el tono continuo de teléfono ocupado. Y sólo en sueños recibía respuesta y, deleitándome, pegaba la hebra largamente.

Calificarme de cobarde hubiera hecho justicia en cierto modo a mi comportamiento. Recitar cifra a cifra el número como parte de la letanía de un rosario, y dejarlo estar así, sólo ayudaba a corto plazo.

Una vez, cuando me situé con los que aguardaban ante la cabina telefónica, un forzado coqueteo con una alumna de la clase de Sintenis, que se llamaba Christine y tenía algo de potrillo, me fue de ayuda: su peinado de cola de caballo. Se hubiera querido acariciarlo, más no. Sin embargo, cuando entró antes que yo en la cabina, alguien, que se parecía a mí y cuyo miedo a las palabras comprometedoras estaba arraigado, se largó.

Tan celosamente se protegía mi amor en estado bruto, tan no vivido y enterrado bajo palabras cariñosas debía bastarme, tanto disfrutaba yo de mis titubeos, tanto había que temer, y por tanto evitar lo que pudiera llevar más lejos, porque, siempre que empezaba a tomar impulso para entrar en la caseta, sabía que si sacrificas dos monedas, marcas un número tras otro, aceptas sumiso timbrazo tras timbrazo, oyes cómo se pone la secretaria del estudio Mary Wigman, y tú, preguntado cortés o groseramente qué deseas, das el nombre y apellido de una persona con la que tienes urgente necesidad de hablar, esperas entonces hasta que ella llegue bailoteando y, en su más hermoso alto alemán, diga: «Sí, dígame», estás perdido, ya no hay vuelta atrás, estás atado, porque te has dejado sujetar, necesariamente. Ya no puedes largarte, sino que algo empieza a ponerse al alcance de tu mano y a convertirse en persona viva cuyo nombre, hasta ahora, sólo estaba escrito en el aire.

Y cuando yo, entonces, intercambié por teléfono unas breves frases con una alumna de baile llamada Anna Schwarz, surgió nuestra primera cita. Tan deprisa ocurrió todo. Una llamada bastó.

A pesar de todos los esfuerzos con las fechas de nacimiento de nuestros hijos y nietos posteriores, todavía sé la fecha: nos encontramos el 18 de enero de 1953. Es posible que, para mí, los acontecimientos históricos memorables, por ejemplo batallas y tratados de paz, hayan estado siempre como presentes, y que el día de la fundación del Segundo Reich, por voluntad de Bismarck, me haya sido de ayuda hasta hoy, cuando recuerdo aquel día helado —¿era sábado o domingo?— y, ya de manera menos clara, cómo transcurrió.

Habíamos convenido como hora las trece y como lugar de encuentro la salida de metro de la estación del Jardín Zoológico. Dado que, desde mi herida entre Senftenberg y Spremberg y la pérdida del reloj de pulsera marca Kienzle, no llevaba nada sobre mí que me hiciera saber la hora exacta, estuve demasiado pronto bajo el reloj de la estación. Anduve indeciso de un lado a otro, tuve la tentación, la resistí un rato y bebí luego, sin embargo, en el mostrador de uno de los chiringuitos que se alineaban enfrente, dos aguardientes, por lo que me olía el aliento cuando llegó Anna, puntualmente y pareciendo más joven que sus veinte años.

En sus movimientos había algo anguloso y de chico. El frío le enrojecía la nariz. ¿Qué se podía hacer con aquella jovencita a partir del mediodía y durante toda la tarde? Arrastrarla a la habitación del subarrendatario, al que la viuda había prohibido las visitas femeninas, no se me pasó por la cabeza o, en el mejor de los casos, sólo como práctica que había que evitar absolutamente. Ir al cine, muy cerca, en la Kantstraße, era una posibilidad, pero, de forma poco oportuna, daban una película del Oeste. Así que hice lo que nunca había hecho antes, e invité a la señorita Schwarz, con buenos modales, a tomar café y pasteles en el Schilling, en la Tauentzienstraße, ¿o fue en el Kranzler, en el Kudamm?

No es posible encontrar en palabras cómo y dónde superamos la larga tarde. Supongo que charlando: ¿Qué tal va eso de la danza de pies desnudos? ¿Dio clases de ballet ya de niña? ¿Y cómo es su nueva profesora, la famosa Mary Wigman? ¿Severa y exigente, como usted quería?

¿O hablamos incluso de los reyes sin corona de la poesía, sobre Brecht al otro lado, en la parte oriental de la ciudad, y Benn, aquí en el Oeste? ¿Hablamos de política entonces?

O, ya desde el primer trozo de pastel, pensando deliberadamente en el efecto, ¿me presenté como poeta?

Puedo sacudir y sacudir el cedazo como un buscador de oro: ninguna palabrita brillante, ninguna migaja ingeniosa y ninguna resonancia de una metáfora arriesgada quiere quedarse. Y tampoco se enumera en ninguna piel de cebolla cuántos trozos de pastel o incluso de tarta nos liquidamos. De una forma o de otra pasamos el tiempo.

El verdadero encuentro con Anna no comenzó hasta el atardecer, cuando nos dejamos llevar por la atracción del entonces famoso local de baile Eierschale («cáscara de huevo»). Si se dice aquí que bailamos, se dice poco. Nos encontramos en el baile se acerca más a los hechos. En realidad, tendría que confesar en retrospectiva, de los dieciséis años de nuestro matrimonio: realmente cerca, hasta que éramos uno y como hechos para ser pareja, sentía a Anna sólo al bailar, por mucho que, en general, nos esforzáramos con cariño por acercarnos. Con demasiada frecuencia nos mirábamos sin vernos, vagábamos por otro lugar, buscábamos lo que no existía, o existía sólo en la imaginación. Y luego, cuando fuimos padres —atados por obligaciones— y sin embargo nos perdimos mutuamente, sólo nos quedaron cerca los hijos: el último, Bruno, que no sabía dónde quedarse.

La banda del Eierschale oscilaba entre *dixieland, rag* y *swing*. Lo bailábamos todo olvidados de nosotros mismos. Resultaba fácil, como si durante toda una vida anterior hubiéramos ensayado juntos. Una pareja lograda como por capricho de los dioses. En medio de los danzantes, ocupábamos un espacio. Apenas nos dábamos cuenta de que nos miraban. Hubiéramos podido bailar así una pequeña eternidad, abierta y estrechamente, con miradas breves y ligera presión de dedos, aislados para encontrarnos, emparejados al girar, sobre unos pies que querían eso, sólo eso; de juguetones a mortalmente serios, separarse y volver a ser uno, despegarse, ser ingrávidos, más rápidos que el pensamiento, demoradamente más lentos que el tiempo que pasa.

Después del último *blues,* en algún momento hacia medianoche, llevé a Anna al tranvía. Vivía en subarriendo en Schmargendorf. Y entre los bailes dije al parecer: «Me casaré contigo», y entonces ella, al parecer, habló de un amigo al que estaba ligada, lo que a su vez me indujo a decir: «No importa. Esperaremos».

Son los comienzos ligeros los que compensan todo lo que, con enorme peso, viene después.

Ay, Anna, cuánto tiempo dejamos atrás. Cuántos huecos que no pueden llenarse, cuánto que debe ser olvidado. Lo que sin ser llamado vino a entrometerse y tuvo que pasar por ardientemente deseado. Con qué nos hacíamos mutuamente felices. Lo que era bello para nosotros. Lo que era engañoso. Por qué nos volvimos extraños y nos herimos mutuamente. Por qué todavía mucho tiempo después y no sólo por amor a los diminutivos, te llamaba, una y otra vez, «Annchen».

Que éramos una pareja de película, nos decían. Parecíamos inseparables y hechos el uno para el otro, y lo éramos: de la misma categoría. Tú, intencionadamente orgullosa; yo, experimentadamente seguro de mí mismo. En imágenes que cambian deprisa, apropiadas para festejar a la joven pareja, nos veo unidos sin dejar de ser dos. En el teatro del Este y el Oeste, en donde asistimos al *Círculo de tiza caucasiano* y *Esperando a Godot,* o en el cine de la Steinplatz, donde vimos los clásicos franceses *Hôtel du Nord, Casque d'Or* y *La bête humaine.* Yo subí a tu cuarto, tú decías aún no. Con Lud Schrieber, aguantamos vaso tras vaso en el largo mostrador, hasta que tú, porque yo estaba totalmente borracho, tuviste que llevarme a casa. Viniste a visitarme en mi taller de alumno, donde Hartung te llamó «Musa Helvetia», yo asistía a tu baile de pies desnudos en el establecimiento disciplinario de Mary Wigman. Tú no sabías cocinar, yo te demostré lo buena y barata que es la falda de costillar de cordero, que sabe especialmente bien con lentejas, y lo fácil que es separar de los arenques asados la carne de la espina principal. Y cuando perdí el último tranvía y quise quedarme por la noche, confiamos en que tu propietaria, una bruja gordita, no se diera cuenta de nada.

Nuestros amigos comunes: Ulli y Herta Härter, con los que despotricábamos contra todo lo divino y lo humano. Rolf Szymanski, al que llamábamos Titus, y con el que, totalmente borracho, oriné ante el portal del Berliner Bank, porque creíamos que el nuevo edificio era un urinario, con lo que tuvimos que pagar cinco hermosos marcos de multa. Más tarde Hans y Maria Rama, que te hicieron las primeras fotos de baile: tú, claramente iluminada, con tutú y zapatillas de puntas; tan pronto ya quisiste dejar la danza de expresión y dedicarte al ballet clásico, aunque tu empeine fuera demasiado bajo y tus piernas insuficientemente largas.

Con más frecuencia de la que hubiera querido veíamos funciones de ballet en el Hebbel-Theater: aquellas piruetas numerables y *grands jetés* para admirar. Ulli y yo silbábamos en cuanto caía el telón.

También sobre el papel quisimos vernos entretejidos: yo esbocé el libreto para una escena de baile, en la que un joven de gorra con visera huye de un lado a otro, tiembla impulsado por el miedo, es perseguido de cerca por dos policías y finalmente se refugia y encuentra acogida bajo las faldas de una bailarina disfrazada de aldeana, que hubieras podido ser tú, hasta que ha pasado el peligro y los dos bailan un *pas de deux* final: vulgarmente cómico y lejos de toda disciplina clásica.

Ese boceto, que nunca fue llevado a la escena, se convirtió más tarde en prosa narrativa y llegó, con saltos retardados y desarrollos pantomímicos de movimientos convulsivos de cine mudo, al primer capítulo de *El tambor de hojalata.*

Cuánto nos amábamos y amábamos el arte. Y cuando, a mediados de junio, estábamos al borde de la normalmente despoblada plaza de Potsdam y vimos desde allí cómo los trabajadores lanzaban piedras a los tanques soviéticos, no dejamos el sector norteamericano, sino que nos quedamos en su borde oriental, experimentando sin embargo el poder y la impotencia desde tan cerca que los gestos y el rebote de las piedras se nos quedaron grabados; por lo que doce años más tarde escribí mi tragedia *Los plebeyos ensayan la rebelión,* en la que los trabajadores rebeldes carecen de plan y se mueven en círculo sin rumbo, mientras los intelectuales, a los que siempre ayuda un plan para formular bien las palabras, fracasan por su soberbia.

Entonces nos limitamos a observar. No nos atrevimos a más. Porque tú, protegida, venías del seguro cercado de Suiza, el susto era nuevo para ti; el mío despertó un miedo ya prescrito. El tipo de tanque lo conocía: T-34.

Cuando habíamos visto bastante, pensamos que teníamos que irnos. La violencia nos intimidaba. Hacer algo, tirar piedras a los tanques, era algo que sólo podía hacerse, en el mejor de los casos, con el pensamiento. Al fin y al cabo, nos teníamos a nosotros mismos y al Arte. Eso casi bastaba.

De modo que compramos una tienda de campaña pequeña, para dos personas. Era de color rojo anaranjado. Y con esa tienda, enrollada en la mochila, quisimos viajar en verano en dirección al sur. Ay, Anna...

Mientras silenciosamente el cáncer

Esta vez por el paso San Gotardo. Sin embargo, antes de que nos pusiéramos mutuamente a prueba en nuestro primer autostop juntos, Anna y yo visitamos a mis padres y, luego, a la hermana, a la que se podía encontrar en Aquisgrán, como novicia, en un convento franciscano. Ese viaje antes del viaje sigue doliendo.

La piel gris, los ojos con ojeras, la madre parecía enferma, el padre preocupado. Los dos sufrían, porque habían perdido a la hija, como para siempre. Sin embargo, su pena permaneció vuelta hacia dentro. Se esforzaron por recibirnos amablemente, aunque un poco sorprendidos. Eso no lo había hecho yo nunca, presentar a los padres a una de mis, como decía la madre, «conquistas». Las estrechas condiciones de una cocina cuarto de estar eran para Anna algo que ella no conocía. Una parte de los muebles los había comprado la hermana, ahorrando de su salario.

Trato de recordar nuestra primera visita, pero me siento inseguro, porque apenas puedo imaginarme la colocación del armario de la cocina, el color de las cortinas, el suelo: ¿era un parqué de pino, o lo cubría un plástico de color indeterminado? ¿Ribeteaba el mantel una puntilla? ¿Por qué comíamos en la cocina y no en el cuarto de estar? ¿O era al revés?

Me imagino a Anna, mientras está de pie junto al fogón, que se enciende con briquetas de la mina de lignito Fortuna Nord, quiero verla sentada a la mesa de la cocina, que no está cubierta como de costumbre por un hule. Probablemente, el padre habrá cocinado para la anunciada visita uno de sus platos favoritos: albóndigas de Königsberg con salsa agridulce de alcaparras y patatas hervidas.

Ahora tiende a Anna «una cucharita» de la salsa, para que la pruebe. La madre se desliza de un lado a otro, no sabe qué decir. Ahora Anna se sienta bien educada a la mesa y responde, como ha aprendido en el colegio y en su más hermoso alto alemán, a las preguntas que intentan interpretar ese maravilloso país de Suiza, lejos de la guerra. Ahora mira por la ventana en dirección al lignito y ve las chimeneas humeantes.

En algún momento, como muy tarde poco antes de la despedida, la madre se lleva a un lado al hijo, a la alcoba:

—A la señorita Anna no puedes tratarla como otras veces, bueno, como a cualquiera. Viene de buena familia, se ve enseguida...

Sobre la hermana hablamos apenas o sólo con cautela, porque el turbio caldo del pesar se había reposado un poco y no debía ser agitado. Yo habré dicho sin duda, irreflexivamente, algo así como «Si es feliz allí...».

Como por última vez miro hacia atrás, veo los asteres pintados por mí, veo los muebles recientemente adquiridos, uno por uno. Veo la cómoda de la alcoba de los padres, en donde hay una foto enmarcada de la hermana: está riéndose, muestra sus hoyuelos y lleva un vestido de flores.

Oigo al padre:

—Con el «postulado», como lo llaman, ha terminado ya. Ahora es novicia nuestra pequeña Marjell. Se llama hermana Raffaela...

También de monja hay una foto de ella. Enmarcada en blanco y negro, el rostro parece infantil. Mira orgullosa, pero también preocupada de si el nuevo vestido le sienta bien. Su cuerpo ha desaparecido, como si no debiera ya existir. A derecha e izquierda de la hija disfrazada están los padres, ambos con sombrero. Parecen desconcertados, fuera de lugar.

Desde finales de los cincuenta hasta entrados los sesenta, las monjas poblaron mis textos en poesía y en prosa: *Magia con las novias de Cristo* se llama un ciclo de poemas que pasaron al mismo tiempo al papel acompañados de imágenes. «Están hechas sólo para el viento. / Siempre navegan a vela, sin largar la sonda...»

Surgieron dibujos de monja lavados, como un juego cambiante de grandes manchas, en blanco y negro. Con el pincel cargado, en hojas de gran formato: arrodilladas, volando, saltando y ciñendo contra el viento hacia el horizonte, dominando como abadesas y reunidas en congresos eucarísticos, monjas aisladas y en parejas, y desvestidas salvo la cofia, se las debo a la desgracia de mi hermana, que, devotamente creyente, cayó en la trampa de la hipocresía organizada y, como novicia Raffaela, esperaba, muerta de miedo, tomar los votos cuando Anna y yo la visitamos en el convento central de Aquisgrán.

Cubierta con un pesado paño estaba ante nosotros, llorando, en el patio interior. A su alrededor, en el recinto cuadrado, viejos muros de ladrillo por los que la hiedra trepaba con gusto hasta el canalón. En el patio, en torno a los arriates de flores, setos de boj geométricamente cortados ribeteaban unos senderos trazados a compás. Todo ordenado. Nada de malas hierbas. Los caminos rastrillados. Hasta las rosas olían a jabón duro.

Esperamos a que acabase de llorar. Entrecortadamente, como si tuviera que arriesgar cada palabra, expresó su preocupación: se había imaginado el convento de forma muy distinta... Como hacía dos años en Italia, con obras sociales... Allí las cosas eran de veras alegremente franciscanas... Aquí, sin embargo, tenía que rezar siempre, obedecer, flagelarse incluso... Había castigos por la menor falta, todo era pecado... A veces le gustaba silbar o subir de golpe tres escalones... Sí, también estaba prohibido... Y había que comérselo todo, aquellas rebanadas de pan con mantequilla... No, ni rastro de ayuda a los pobres y enfermos, sólo penitencia, meditación y cosas así... Sí, todavía hoy...

Y luego, tras un breve titubeo y con las lágrimas corriéndole aún:

—La maestra de novicias es severa, os lo aseguro, nada más que severa...

De forma que ofrecí, mejor, exigí una conversación con la temida funcionaria penitenciaria. Sin vacilar, vino hacia nosotros por el patio interior del convento y quiso que Anna y yo la llamásemos hermana Alfons Maria, de forma que se nos quedó grabada como instancia bisexual y, al mismo tiempo, como uno de esos arcángeles a los que, desde lo alto, se les asigna como profesión la dirección de un correccional.

La exigida liberación de mi hermana del convento rebotó en ella como si no se hubiera dicho nada. Habló de tentaciones y seducciones conocidas, a las que un alma creyente tenía que aprender a resistir.

—¿No es cierto, hermana Raffaela?

El cerrado recinto del convento aguardaba una palabra. Sólo se oía el gorjeo de los gorriones. La novicia guardaba silencio. El arcángel con gafas habló en su nombre, con palabras bien acentuadas:

—Haremos una novena y, así fortalecidas, encontraremos nuestra paz...

Anna y yo nos asustamos cuando a mi hermana, ante la orden de aquella boca más bien apretada, sólo se le ocurrió inclinar la cabeza sumisamente. Los cristales de Alfons Maria acusaron el triunfo.

Y nos fuimos. Cuando había pasado el plazo de nueve días, una carta, de escritura que seguía siendo infantil, nos hizo saber que la oración y la meditación humilde habían sido suficientemente fuertes para hacer frente a la tentación en general y, por la gracia de Dios, sobre todo a los señuelos de Satanás, con la fuerza de la fe, y para seguir renunciando al mundo. Aunque sin expresarlo, a mí, el hermano, me correspondía el papel del diablo.

No quedó más remedio como respuesta que una carta, de la que, como era de suponer, tuvo conocimiento en primer lugar la maestra de novicias. Fui amenazadoramente claro, al fijar yo un plazo menor de nueve días. Para el caso de que se denegara la puesta en libertad de aquella prisión conventual, anuncié una nueva visita. Mi hermana, sin embargo, afirmó luego que no había sido una carta sino un telegrama, cuyo amenazador contenido había surtido efecto.

Por carta o telegrama, la amenaza consiguió abrir un resquicio en una de las puertas de aquel sistema de coacción entre muros de ladrillo. Apenas puesta en libertad, la hermana, cuyo sentido de las necesidades terrenales no se había atrofiado, al parecer, durante su arresto conventual, buscó un peluquero que, por poco dinero —para el camino no le habían dado más que una limosna—, pero con gran habilidad, consiguió dar a aquel cabello de corte monjil una insinuación de peinado.

—Bueno, chica —dijo al parecer—, puedes atreverte a mezclarte otra vez con la gente.

La madre enferma, el padre preocupado, se alegraron algo en el piso de dos habitaciones. Sin embargo, no duró mucho: después del regreso, no volvieron a oírse risas de aquella hija en otro tiempo tan viva.

Cuando mi hermana y yo, en la primavera de este año que se aleja tan precipitadamente, cerca de Pentecostés, visitamos con una parte de la gran familia la ciudad de Gdańsk, con vistas a Danzig y nuestra infancia —había invitado a la mayor de nuestras nietas, Luisa, hija de Laura, y a sus hermanos mellizos Lucas y Leon, a Ronja, la hija de Bruno, y a la hija mayor de Raoul, Rosanna, y ade-

más a Frieder, el amigo de los mellizos, a visitas guiadas
por el abuelo a través de la ciudad y del suburbio de
Wrzeszcz, en otro tiempo Langfuhr, así como a reunirnos
con nuestros parientes cachubos—, mientras los niños buscaban trozos de ámbar diminutos en el borde de las olas
del Báltico, que golpeaban con suavidad, charlamos de
esto y de aquello, y finalmente de su *intermezzo* conventual de hacía más de cincuenta años.

Me pareció como si la hermana Alfons Maria, la
dura maestra de novicias, siguiera gravitando sobre ella.
Y más asombroso era que la hermana había conservado su
fe católica, sin duda con el acreditado giro a la izquierda
de la antigua comadrona y funcionaria sindical de otros
tiempos. Por ello, consideraba con escepticismo al recién
elegido papa Benedicto:

—Aunque fuera diez veces alemán, realmente no
puedo alegrarme.

Y, tras una breve pausa:

—Bueno, si esta vez hubieran elegido a un cardenal brasileño o a alguien de África...

Mientras los dos ancianos —ella, con su compacta corpulencia, yo, con la espalda redondeada y el paso
torpe— pateábamos la arena de la playa entre Glettkau y
Zoppot, y los niños, Leon siempre primero, Lucas soñador detrás, Rosanna diligente sobre piernas de cigüeña,
Luisa al principio vacilante y Ronja encontrando fragmentos como migas, con sonámbula vista segura, entre las
algas marinas, los dos consideramos la muerte pública del
último papa polaco como un espectáculo vergonzoso.

Yo dije «repugnante», ella «impropio».

A mí se me ocurrieron adjetivos peores; ella se tragó
algunos que probablemente habrían batido a los míos.

Y entonces conté, después de haber tratado los dos,
una vez más, de conservar frescos episodios de nuestra
infancia mediante recuerdos contrapuestos, cómo, a los diecisiete años, en un enorme campo de prisioneros de guerra,

había buscado refugio bajo una lona, cuando llovía, con un compañero de mi misma edad, y los dos, como teníamos hambre, habíamos masticado cominos como alternativa.

Mi hermana, básicamente, no cree lo que cuento. Inclinó la cabeza desconfiada cuando le dije que ese compañero se había llamado Joseph, hablaba con acento bastante bávaro y era supercatólico.

—Y qué —me dijo—, hay muchos así.

Yo reiteré que, sin embargo, nadie había podido hablar de forma tan reflexiva y fanática y, al mismo tiempo, tan sensible y llena de amor, sobre la Única Verdadera como mi compañero Joseph.

—Si recuerdo bien, procedía de la región de Altötting.

Su desconfianza aumentó:

—¿Es verdad eso? ¡Suena exagerado, como si fuera uno de tus relatos!

Yo dije:

—Bueno, si no te interesa mi vida en el campamento, bajo el cielo de Baviera...

Ella entonces:

—Bueno, bueno, cuéntame...

Para hacerme más creíble, admití cierta inseguridad: «Nosotros éramos sólo dos entre miles», pero luego no quise excluir que, en el caso de aquel compañero Joseph, al que como a mí atormentaban los piojos y con el que, con hambre constante, habíamos comido cominos de una bolsita, y cuya fe estaba tan bien fortificada como en otro tiempo el Muro del Atlántico, podía haberse tratado de cierto Ratzinger, que ahora quería ser infalible como papa, aunque de la forma tímida que yo conocía, la cual, al afirmarse con suavidad, resultaba especialmente eficaz.

Entonces mi hermana se rió, como sólo saben reírse las comadronas que no están de servicio:

—Es otra de tus típicas historias embusteras, con las que ya de niño arrullabas a mamá.

—Bueno —concedí—, si aquel tipo larguirucho con el que, a principios de junio del cuarenta y cinco, en el campo de Bad Aibling, con vista en los días despejados sobre los Alpes bávaros y, con lluvia, metido bajo una lona de tienda, se llamaba realmente Ratzinger no puedo jurarlo, pero que quería ser cura, no quería saber nada de chicas, que, inmediatamente después de ser puesto en libertad como prisionero de guerra, quería estudiar la maldita quincalla dogmática, eso es cierto. Y que ese Ratzinger, que fue antes prefecto de la Congregación para la Doctrina de la Fe y ahora, como pontífice, tiene la última palabra, fue realmente uno de los diez mil en el gran campamento de Bad Aibling, también es cierto.

En cualquier caso, recordé, para hacerme más digno de crédito, que eso se publicó en el *Bild-Zeitung*.

Y entonces le hablé a mi hermana —mientras los niños seguían sin tener idea de mi temprano encuentro con la teología católica fundamental, hurgaban en las algas marinas y Luisa, Rosanna y Frieder nos mostraban orgullosos su diminuto botín— de aquella cajita de cigarrillos llena de un resto de alfileres del Muro del Atlántico y de los tres dados de hueso que, con un cubilete de cuero, había birlado en la ocasión propicia, poco después o antes de terminar la guerra, en Marienbad:

—Y como los dos, ese Joseph y yo, no teníamos nada más que hacer, nos apostamos a los dados el futuro. Yo quería ser entonces artista y famoso, él obispo o no sé qué diablos más. Sin embargo, hacíamos como si también pudiéramos intercambiar nuestros papeles.

Es posible que, ante esa hermana, que me quería con una desconfianza constante, exagerase un poco, al afirmar que, por las escasas ganas de hablar del cielo estrellado que teníamos sobre nosotros, tras el cual él situaba la dirección exacta de la morada celestial mientras yo sólo veía bostezar la nada, escribimos poemas resplandecientes de palabras, que sin embargo no nos bastaron, por lo que, finalmente, quisimos dejar a los dados la decisión sobre quién sería qué. También porque yo, para provocar a mi compañero, afirmé con aplomo que incluso un incrédulo, como probaba la historia de la Iglesia, podía ser papa.

—Bueno —dije, para terminar mi historia de aquellos años tempranos—. Joseph sacó tres puntos más. Se puede llamar mala suerte o buena. Por eso, desgraciadamente, fui sólo escritor, mientras que él... Sin embargo, si hubiera sacado tres seises y un cinco, hoy sería yo y no él...

Mi hermana sólo pudo lanzar una breve exclamación:

—De veras, ¡mientes como un bellaco!

Luego se calló, pero siguió rumiando alguna de sus irrefutables objeciones. Sospeché que tenía algo más en reserva.

Sólo poco antes de Zoppot, cuando cambiamos hacia el Promenadenweg y los niños mostraron su cosecha de trocitos de ámbar como granos de maíz, señaló, con una mirada oblicua sobre el borde de las gafas, que nuestra excursión familiar, es decir, el bonito viaje de Pentecostés con los encantadores nietos, no hubiera podido ser si su hermano hubiera sido papa y no ese Joseph.

—¿O quieres decir que también de papa habrías echado al mundo un montón de niños así, sin más?

Entonces revolvimos otra vez en los cajones de nuestros años mozos y, como de costumbre, recordamos de forma contrapuesta: sólo cuando llamé a la maestra de novicias Alfons Maria «monstrua mojigata» nos reímos de común acuerdo.

¿Qué fue antes, qué después? La cebolla no es muy exacta en cuanto a la sucesión de los hechos. A veces tiene apuntados números de calles; otras, pegadizas letras simplonas de canciones y títulos de películas como *La pecadora,* y también, con su nombre, jugadores de fútbol legendarios, pero rara vez fechas con precisión de días. Por eso, cuando se trata del tiempo, tengo que admitir que mucho de lo que comenzó o terminó puntualmente sólo me llamó la atención con retraso.

Cuanto más viejo me vuelvo, tanto más frágil me resulta la muleta de la cronología. Aunque, porque son útiles, abriese amarillentos catálogos de arte o, a través de Internet, tratase de informarme con algunos ejemplares de la revista *Der Monat* de mediados de los cincuenta, quedaría, en lo que se refiere al acontecimiento que se afirma para mí como significativo, en la esfera de lo impreciso.

Sólo una cosa es segura: antes de irnos Anna y yo, con nuestra tienda de color rojo anaranjado, en dirección al sur, se desató en Berlín una contienda artística que duró hasta el año siguiente; no, más, hasta después de la muerte de Karl Hofer, y que todavía hoy tiene que irritar a los vanguardistas de entonces: tan a fondo se debatió quiénes eran «los modernos»; yo tomé partido marginalmente.

Iracundo, porque se sentía herido, Hofer defendía la pintura figurativa, determinada por la imagen del hombre, frente al predominio, que se pretendía absoluto, de las imágenes no figurativas, cuyo estilo, como «pintura informal», era anunciado y elogiado en los catálogos de arte como el más moderno de los modernismos.

Su adversario en la disputa se llamaba Will Grohmann, crítico de arte, para el que sólo valía lo que, en opinión de Hofer, tenía por consecuencia «deslizarse hacia la lejanía neblinosa de la nada». Grohmann escribía artículos contra la intolerancia dominante, atreviéndose a advertir contra una aproximación al «Estado nazi de los Gauleiter».

No de oficio, por su puesto como director de nuestra Escuela Superior, sino como luchador individual, el anciano repartía golpes a diestro y siniestro: veía el arte amenazado por «decoradores de superficies» como Kandinsky, y defendía a Paul Klee, a quien llamaba «poeta que pinta», frente a la «cursilería mortalmente multicolor» de los rusos.

Por ello, muchas voces lo consideraban «senil y atrasado de noticias», «adversario ciego de rabia de lo moderno» y, en resumidas cuentas, lo difamaban como «reaccionario». Palabras, conceptos, los «ismos» más recientes rivalizaban entre sí. La disputa se extendía hasta la asociación de artistas. Hubo miembros que se dieron de baja.

Cuando Hofer, finalmente, acusó también a los Estados Unidos como país de origen del más reciente de los dogmas —allí lo nuevo era valioso y rentable, en sí y por su novedad—, fue insultado como comunista encubierto y, al mismo tiempo, surgió una sospecha que —como entonces era habitual— pudo acallarse pronto, pero que decenios más tarde fue renovada. Investigadores de archivos afirmaron que, por cálculo político, la CIA norteamericana había favorecido la pintura llamada no figurativa e informal, por su inocuidad decorativa, y también porque el concepto de lo «moderno» prometía convertirse en firme posesión del Oeste.

Cuando recuerdo ahora aquella polémica y la valoro, me resulta claro hasta qué punto la discordia entre Hofer y Grohmann, el estricto formador de seres humanos y el papa del arte de aquellos años, orientó mi trabajo artístico figurativo; como en el caso de la disputa entre Camus y Sartre, que determinó mi postura política, convirtiéndome en partidario de Camus, me decidí por Hofer.

Su exclamación «Oh santo Klee, ¡si supieras cuántas cosas se cometen en tu nombre!» se convirtió en cita. Y cuando nos hizo comprender a nosotros, alumnos de Bellas Artes de principios de los años cincuenta, que «el problema central de las Bellas Artes es y será siempre el hombre y el ser humano, el eterno drama», su llamamiento sigue resonando, por patéticamente que lo orquestara, hasta mi ancianidad.

Sin duda por ello me acuerdo con bastante exactitud de las consecuencias que esa disputa, que dividió en facciones a los profesores y alumnos de la Escuela Superior, hasta después de la muerte de Hofer y la elección de su sucesor, tuvo para mí, y no sólo porque, en la huelga estudiantil contra la elección, me pronuncié en contra de que se eligiera a una nulidad artística como sucesor de Hofer. Cuando Karl Hartung estimó que había llegado el momento de presentar a la asociación de artistas algunos de mis dibujos a tiza, de los que formaban parte láminas como *Saltamontes sobre la ciudad* y *K de Käfer* («escarabajo») —imágenes basadas en poemas—, para que pudieran exhibirse en la inminente exposición anual, al cabo de unas semanas tuvo que decirme con pesar que el jurado había reconocido la calidad de los dibujos, pero los había excluido, por «demasiado figurativos».

Desde entonces me mantuve apartado de toda restricción dogmática, eché pestes de todos los papas, y también de aquel que, ensalzado por los medios de comunicación, quería medir el cielo literario sólo según su criterio, y me familiaricé con la idea del riesgo de tener que oponerme, como marginado, al espíritu del siglo que fuera. Eso tuvo consecuencias: sólo en exposiciones individuales y siempre al margen de las cambiantes modas podía defenderse mi obra artística; de esa forma se mantuvo al margen hasta hoy.

Ya a partir del primer año berlinés seguí mi propio camino. No era el trabajo según modelo —el desnudo de chica habitual *a contrapposto,* con el que había que aprender lo que habría que seguir aprendiendo—, sino una gallina desmesurada, luego un cuerpo de ave estirado como un palo, y el pez plano, tendido y quebrado, los que dieron la orientación. El pez se basaba en los primeros dibujos sobre el tema de *El rodaballo* y en poemas como «Organillo poco antes de Pascua» e «Inundación», texto que provocó mi primera obra de teatro, donde encontré el tono que hasta entonces sólo había buscado jugando; añadiéndole ladrillo pulverizado, el aire berlinés le resultó beneficioso.

Además, me impulsaba el amor: escribía y dibujaba para Anna, que vivía sólo para la danza. Cuando al año siguiente se encargó a Mary Wigman, su maestra, que coreografiara la Venusberg para el Festival de Bayreuth, Tannhäuser, peregrino entre un montón de chicas descalzas liberadas, por lo demás prácticamente desnudas, experimentó un placer exagerado.

Cuando llegó el momento, visitamos Ulli Härter y yo a su mujer Herta y Anna, poco antes del ensayo general. Verdad es que las dos alumnas de baile sufrían con los sonoros pasos aprendidos, pero estaban ansiosas de escenario y de aparecer en público.

Una vez, Ulli y yo vimos en un parque personajes extrañamente disfrazados, aislados entre sí. Con boina de terciopelo y envueltos en capas negras, dirigían como si fueran adeptos de Wagner invisibles orquestas, y parecían tener un público numeroso a sus espaldas. Algunos se servían de la partitura, extendida en un atril que llevaban, pero otros lo tenían todo en la cabeza.

Por lo demás, sólo me quedó de los repugnantes aspavientos de aquella plebe de nuevos ricos en torno al monstruoso lugar de culto un asco que excitaba el nervio de la risa. Con pecheras de frac hinchadas y pedruscos al cuello, la nobleza del dinero se exhibía. Y el recuerdo de una excursión al principio inofensiva al boscoso entorno se ha grabado en una piel de cebolla recién pelada.

Después de una caminata por un bosque mezclado, oscuro como en los cuentos de hadas, se abrió de pronto un prado en el que, anunciada por estrépito y música de viento, se celebraba una fiesta de cazadores, en torno a largas mesas de cervecería. Se había reunido mucha gente. Llevaban trajes regionales y sombreros con adornos de pelo de gamuza. Los puestos invitaban a lanzar proyectiles contra latas apiladas y a disparar contra dianas, pero también a ganar flores artificiales y otros premios.

Aprendí muy pronto a apuntar a las personas, pero nunca había llegado a disparar. Ahora se me ofrecían dianas inocentes, y además carabinas de aire comprimido, cargadas con munición del calibre más pequeño. Al principio vacilé en agarrar la culata, tocar el cañón. Sin embargo, luego me acerqué al puesto y quise ganar una rosa para Anna.

Cuidadosa y deliberadamente se alinearon alza y punto de mira, y el dedo se curvó sobre el gatillo. No obstante, dirigido por el destino, mi disparo acertó a un tubito de arcilla, en el que, como premio, se escondía Adebar, la cigüeña. Llevaba en el pico un cestito en el que había acostados dos gemelos. Esto ocurría antes de que, con la píldora, comenzara la época de la anticoncepción.

¿Quién se asustó más? Ni siquiera la rosa, que gané enseguida con el próximo disparo, pudo consolar a Anna. Aquella indicación profética de nuestros hijos Franz y Raoul, nacidos tres años después, no podía arrastrarse con cerveza, en jarras de litro, ni calmarse con alusiones a Walt y Vult, la pareja que anima *La edad del pavo*. Tampoco conseguí, mencionando el lugar natal de Jean Paul, la pequeña ciudad cercana de Wunsiedel, tomar a broma las consecuencias de mi fatal disparo. Nunca más me dejó Anna disparar para conquistar rosas.

En el año anterior, sin embargo, Bayreuth había sido sólo una promesa vagamente amenazadora. Poco después del levantamiento obrero en la parte oriental de la ciudad y poco antes de que muriera Ernst Reuter, alcalde de Berlín, comenzaron las vacaciones del semestre. Anna se dirigió a Suiza, y yo fui en autostop, poco después, con nuestra tienda en la mochila, también en dirección al sur. En Lenzburg, Anna —no sé con qué encantamientos— había preparado a sus padres para mi visita; me miraron desde una distancia que la hospitalidad salvaba. Sin embargo, el pobre diablo que venía de Alemania con mochila y pantalones de pana era más extranjero que nunca. Para suavizar mi aspecto exterior, me había afeitado antes la barba que proliferaba, más por capricho que por razones de autoestilización existencial. Ahora me parecía estar desnudo en cuanto era objeto de examen. Las hermanas de Anna, una algo mayor, la otra mucho más joven, facilitaron los primeros pasos por un entorno desconocido.

Cuando la familia, como en una visita de cumplido, estaba sentada conmigo en la terraza sobre el jardín de la casa de la alta burguesía de la abuela por parte de madre, viuda que, siendo francesa calvinista del sur de Francia, había entrado por matrimonio en la familia zwingliana, hablaba por encima de mí —como si no existiera— en francés. Apenas una palabra captaba el recién llegado, que se sentía como un actor mal elegido en una comedia de costumbres familiares, bebiendo té, mordisqueando demasiadas galletas y, cohibido, mirando hacia una botella de aguardiente de ciruela alejada, o al jardín, detrás de cuyos arbustos de rododendros se podía abrir la puerta no demasiado alejada de la carretera hacia Wildegg, Brugg.

De allí había venido yo en autostop. La puerta me tentaba para que me escapara. ¿Por qué no inmediatamente y enseguida? Por encima de la barandilla de la terraza, con un volteo, habría podido saltar al jardín; de todas formas, era suficientemente ágil para desaparecer raudo.

¡Síseñor! Desde allí mismo, sin carrerilla. Y luego, nada como largarse. Después de unos cuantos pasos contados por la hierba, salir por la puerta a la carretera, y allí detener al coche siguiente o al otro, o, como compañero de cabina en un camión de la cercana fábrica de mermelada Hero, y zas, me habría sustraído a aquella penosa ostentación y me habría quedado sin ataduras, libre.

¿Qué se me había perdido allí? ¿Qué gracia divina hubiera podido salvarme, escéptico empedernido? Entre seguidores de Zwinglio y de Calvino, el católico pagano se sentía extraviado, como un papista aislado en la época de

la guerra de los hugonotes. Además, no había ningún vasito de licor de ciruela a la vista. ¡Vamos, afuera, vamos!

Ya había palpado furtivamente el bolsillo interior
del pecho de mi chaqueta —allí estaba el pasaporte—, ya
estaba —con la cabeza— largándome, sólo las piernas va-
cilaban aún, ya tomaba aliento a fondo, sin querer mirar
al hacerlo a Anna, que posiblemente sufría conmigo y sospechaba lo peor, cuando se volvió hacia mí la abuela, con
su rostro sereno de plateados rizos, fijó la mirada en mí,
divertida, sin gafas, y, por simple curiosidad, sonrió de
muchos modos y me habló en alto alemán, con acentos
estratégicamente colocados, con lo que su cabello rizado
temblaba:

—Según me dice Boris, mi hijo, estudia usted Bellas Artes en la antigua capital del Reich. En mi juventud
conocí a un piloto de globo que venía también de Berlín...

Inmediatamente quedó cancelada mi fuga, sólo un
momento antes planeada e incluso realizada con la imaginación. No había ya retroceso posible, porque, con aquellas palabras de la abuela, había entrado ya en una familia
firme por todos lados que se basaba en la propiedad, vivía
modestamente de las rentas, al estilo del país, y, en lo que
a mi origen se refería, se mostraba por tradición tan tolerante como si el Edicto de Nantes nunca hubiera sido re-
vocado por una rabieta del Rey Sol.

Y yo me sometí, aunque seguía estando seguro de la
posibilidad, todavía no probada, de saltar y huir a terreno
conocido; además, el sucesor del piloto de globo de Berlín
pensaba insistentemente, como alojamiento apropiado
para él, es decir, por encima de cualquier otra eventuali-
dad, en la tienda roja anaranjada con la que Anna y yo
queríamos irnos a Italia.

La fecha de partida estaba fijada. Las mochilas, hechas. Guías turísticas pasadas de moda formaban parte del
equipaje. Hasta *La cultura del Renacimiento en Italia,* de
Burckhardt, debía fomentar nuestro sentido de lo bello.

Sin embargo, antes de ponernos en camino, Anna tuvo que calmar los reparos de su madre en cuanto a pernoctar en la tienda de campaña, con una aclaración de inocencia insuperable, señalando concretamente que nos separarían los dos mástiles de la tienda. Lo que habla a favor de Greti Schwarz, la madre: creyó a su hija.

Llegamos hasta Capo Circeo y, más al sur, hasta Nápoles. Y en cualquier lugar donde montáramos nuestra tienda —en la playa, bajo pinos, entre muros abandonados—, nos acercábamos más de lo que permitía la línea de separación ideal entre los dos mástiles de apoyo. Pero como, hasta hoy, nuestro amor sólo nos pertenece a Anna y a mí, y por eso no permite derroches de palabras descriptivas o de otro tipo explicativas, en lo que se refiere a la tienda sólo hay que recordar varias manchas de rojo sangre sobre la lona, que ninguna lluvia pudo lavar, porque, sin pensar en las consecuencias, acampamos bajo una morera llena de fruta excesivamente madura.

Una vez, cuando estábamos cocinando en la playa —se podía conseguir pescado barato—, nos asustó un grupo de jóvenes fascistas con un saludo que seguía estando dedicado a Mussolini, su *Duce*. Los chicos, con camisa de uniforme negra, reunieron para nosotros leña traída por las olas. Eran tan incorregibles como lo había sido yo en otro tiempo, con la camisa parda de las Juventudes Hitlerianas; como la hierba de San Andrés crece esa mala hierba, siempre vuelve a florecer, se extiende y no sólo Italia ofrece un clima favorable a su proliferación.

Por mucho que estuviéramos en camino, gran cosa no vimos, porque Anna y yo nos experimentábamos, recién descubiertos y sorprendentes. Para nosotros éramos lo suficientemente sensacionales, y pocas cosas parecían capaces de distraernos. Hasta dibujando o pintando a la acuarela nos sentábamos muy juntos.

En el camino de ida o en el de vuelta: aparte de los pequeños acontecimientos del autostop —Anna tuvo miedo de un napolitano y su compañero, y me deslizó en secreto su navaja suiza— y el encuentro con un barbudo monje capuchino, que en la catacumba que cuidaba nos mostró orgulloso y con resonantes carcajadas su colección de cráneos apilados, sólo se me quedó la visita al pintor Giorgio Morandi, que venerábamos.

Éramos suficientemente jóvenes y descarados para preguntar por su casa en Bolonia y visitarlo sin anunciarnos. Las hermanas del maestro nos recibieron.

Como Anna hablaba italiano con bastante fluidez y supo dar el nombre de un coleccionista suizo llamado Floersheim, que una de sus tías conocía y que pasaba por coleccionar Morandis, y como además, preguntados, pudimos asegurar que no éramos *americani,* las dos tímidas señoras nos dejaron libre el acceso al estudio del maestro. Él, sin embargo, sólo pudo mostrar lienzos estirados en marcos de cuñas, pero nos aseguró, riéndose como un gnomo, que todos los cuadros aún no pintados —una docena o más— estaban ya vendidos, naturalmente a *americani.*

En su veranda utilizada como taller vimos sólo, en mesas y estanterías, jarrones, jarros y botellas reunidos en grupos, que, sobre estrados planos, estaban ante paños tendidos, en un orden que parecía casual. En el curso del tiempo, los objetos, que un día habían servido de modelo para típicas naturalezas muertas de Morandi, se habían llenado de polvo, de manera que los jarros, botellas y jarrones reunidos ahora, al estar coloreados uniformemente de un marrón grisáceo por una capa de polvo, permitían adivinar el sobrio atractivo de los cuadros del maestro.

Él llevaba unas gafas de cristales redondos y se sonrió cuando contemplamos asombrados el surgimiento y legado de su arte, por nosotros tan admirado. Telarañas, incluso habitadas, se habían conservado entre jarrones y botellas. En nuestros tiempos, polvorientas y arregladas como estaban, habrían gustado como arte conceptual a un público fácil de contentar, encontrando sin duda compradores.

Con un licor verde en vasos diminutos, más dulce de lo imaginable, nos despidieron las hermanas del maestro, totalmente vestidas de negro. Hubiera debido preguntar por impresiones de prueba de sus grabados. Quizá el anciano señor se hubiera sentido generoso por capricho, y Anna y yo tendríamos hoy una lámina firmada. Dejamos Bolonia, la opulenta, la docta, la roja ciudad.

En Nápoles vimos cerca del puerto a un grupo de *boyscouts* alemanes que lloraban, porque les habían robado las mochilas y querían volverse a casa, nada más que a casa. Ropa lavada de colores, puesta a secar de lado a lado de la calle. Hordas de críos alborotadores. Nos perdimos por calles estrechas y vimos procesiones cuya pompa católica pagana conocíamos por las películas neorrealistas. El pescado y la fruta podrida olían.

Sin embargo, por lo demás no nos pasó al parecer nada que se nos pudiera quedar; sólo que, en lista de correos, me aguardaba una carta de la madre.

Ella, a la que en mis años mozos había prometido viajes descritos con imágenes dignas del país de las maravillas, al sur, al país donde florece el limonero, hasta llegar a Nápoles, ella, a la que gustaba disfrazar a su prometedor hijito con el nombre de un héroe de teatro, cuya cebolla de la vida al final, después de haberla pelado piel a piel, no escondía ningún núcleo que le diera sentido, ella, que, después de todas mis fanfarronas promesas, se quedó, como la madre de Peer Gynt, con las manos vacías, ella, que toda su vida suspiró por la belleza y sabía qué era lo que ella consideraba como bello, se alegraba de que su «querido chico» tuviera otra vez —eso escribía— «la suerte de ver todo eso tan hermoso», y además al lado de «una señorita tan encantadora como de buena familia».

Sólo al final de la carta, que me exhortaba a «ser considerado en el trato con la señorita Anna», se escondía una alusión a su enfermedad —«No hay forma de que mejore»— que no se podía pasar por alto, pero no fue tomada demasiado en serio, porque todo lo que ocurrió después se decidió lejos del padecimiento de mi madre.

Apenas vueltos a Lenzburg, el padre de Anna me pidió que habláramos como hombres. Me dijo que, durante nuestra ausencia, había recibido de la propietaria del cuarto de su hija una carta llena de dudosas inculpaciones. Sin duda, él no hacía caso de difamaciones, pero resultaba claro que yo había permanecido repetidas veces en la habitación de la hija, de forma que, en opinión de su mujer, a la que quería sumarse, ese comportamiento evidentemente debido a mi inclinación por la hija requería ahora su legalización. Creía innecesarias más palabras.

Estábamos de pie al lado de una estantería generosamente llena de libros, de los que yo trataba de descifrar las inscripciones del lomo. Para el padre de Anna, la conversación resultaba penosa. Para mí no, sobre todo porque dije sin pensarlo que sí y que muy bien. Luego sólo se habló ya de la fecha de la boda.

Al padre de las tres hijas, Boris Schwarz, le habría gustado vernos desposados, si no enseguida, sí lo antes posible, antes aún de que acabara el año. Yo, sin embargo, no quería casarme con pantalones de pana y de ningún modo con mi raído traje de los tiempos de Cáritas en Düsseldorf, sino ganar dinero suficiente durante el semestre de invierno para ataviarme de nuevo y poder entrar en el registro civil de Lenzburg con un traje de confección. También Anna era partidaria de la primavera del año siguiente. Para entonces quería haber ensayado, para un examen intermedio, su baile como solista, con una composición para piano de Bartók.

Tan despreocupadamente, como si se tratara de una vacuna por vía oral contra esta o aquella enfermedad infantil, nos decidimos al matrimonio. No duele. De manera que cuanto antes lo hagamos, mejor.

Se fijó para un día de abril. Yo estaba en contra del veinte, pero mi futuro suegro, como suizo, encontró que ese día, por mucho que en Alemania pudiera estar cargado de resonancias hitlerianas, no tenía connotaciones, y además, como había sabido por sus hijas, el veinte de abril del cuarenta y cinco, siendo yo joven soldado, había sobrevivido, sin duda ligeramente herido, pero con suerte.

Aquel comerciante en hierro y oficial de la reserva del siempre dispuesto ejército suizo, en principio firme, era también de un talante subliminalmente suave. Era evidente que sufría por la coacción que tenía que ejercer. Sin embargo, en cuanto, para poner a prueba otra vez mi despreocupado «sí», me sitúo ante él, no puedo ver en mí, el solitario precipitadamente convertido en novio, ningún comportamiento forzado. Estoy dispuesto a cumplir sin preocupación la vinculante promesa. Ya me veo, con ojos anticipados, vestido de punta en blanco y con flores en el ojal.

Lo que ocurrió después se desarrolló apresuradamente, y apenas puede ordenarse en el tiempo, sobre todo cuando el otro tiempo, muy lejos, el de mi madre, pasaba, entre dolores, de una forma muy distinta.

No estoy seguro de si la repleta estantería del suegro ya durante las últimas semanas en Lenzburg o sólo al año siguiente me resultó más importante que el acuerdo matrimonial concluido al lado de la pared de libros. En cualquier caso, me enganchó la lectura de la *Historia de la literatura* de Klabund, luego la edición entonces en dos volúmenes, costosa y encuadernada en suave cuero, del *Ulises* de James Joyce, aparecida en Rhein-Verlag, de Zúrich, y traducida por Georg Goyert.

Todavía hoy la guardo. La madre de Anna, que hasta una edad avanzada —llegó a los ciento cuatro años— leyó mucho, consideraba a Joyce demasiado difícil y, para su gusto, «demasiado inquietante». Me regaló los dos tomos, sin sospechar lo que esa maravilla lingüística, acompañada de más lectura, provocaba, porque poco después el tío de Anna, Paul, un tipo estrafalario que, con su solícita hermana, vivía en una villa de muchas habitaciones y tenía en el jardín un mono encadenado, me prestó *Berlín Alexanderplatz* de Alfred Döblin, la novela de un autor con el que aprendí libro tras libro y en cuyo honor creé un premio.

A ello se unió la edición ilustrada por Franz Masereel del *Ulenspiegel* de Charles de Coster. Una multitud repleta de épocas narradas, que debía propulsar mi furia escritora todavía inhibida.

Y cuántas cosas más no leí en Lenzburg antes o después, como si, antes aún de la boda, tuviera que hacer una provisión que me diera algo para masticar en un largo camino: *Manhattan Transfer* de Dos Passos, *El pensamiento cautivo* de Czeslaw Milosz, las memorias de Churchill, que me recordaron la guerra desde el punto de vista de los vencedores, y nuevamente *Enrique el Verde*, de Gottfried Keller. Esa novela la encontré de joven en la estantería de libros de mi madre, cuyo vientre afectado por el cáncer era ahora objeto de radiaciones.

¿O leí yo, mientras mi madre sufría, este o aquel libro, ya en Berlín? ¿No fue Ludwig Gabriel Schrieber quien me obligó a aceptar las aventuras de Ulenspiegel y su compadre Lamme Goedzak, que eran su alimento preferido? Porque Lud, que al beber se volvía más católico a cada vaso, maldiciendo a la Inquisición, como si existiera aún, como obra del diablo, exclamaba, en cuanto estaba lleno, junto al largo mostrador de Leydicke: «*Tis tydt van te beven de klinkaert*», lo que quiere decir: «Hora es ya de que los vasos tintineen». Y luego, como obedeciendo una consigna, lanzaba su último vaso, haciéndolo añicos.

Sin embargo, fuera quien fuera quien me llevó a la inacabable huella de la narrativa —al principio fue el catedrático de instituto Littschwager, que vacunaba a sus alumnos con el *Simplicissimus* de Grimmelshausen—, la librería de mis padres políticos fue la dote de Anna; casarme con ella me hizo además rico.

Y algo más me trajo el Bäumliacker, como se llamaba en Lenzburg la casa con jardín, en calidad de plusvalía: las dos hermanas de Anna. La mayor, Helen Maria, hubiera podido hacerme vacilar y lo hizo también a escondidas; la menor, Katharina, era una chiquilla regordeta que todavía iba al colegio.

Y lo mismo que la biblioteca allí abierta me hizo contar durante toda la vida historias con distinto contenido de verdad y, en cuanto se rompía, volver a anudar el hilo, la fijación en tres hermanas ha sido durante decenios, no diré que fiel, pero sí inevitable: Veronika Schröter, la madre de mi hija Helene, es igualmente la hermana de en medio de tres hermanas sajonas; Ingrid Krüger, a la que debo la hija Nele, se crió como la menor en una familia turingia de tres chicas; Ute sin embargo, que a pesar de todo el jaleo se quedó a mi lado, aportando a la gran familia sus hijos Malte y Hans, es la mayor de tres hijas de médico y una niña insular de la Pomerania anterior.

No, no hay más tríos que enumerar, a no ser que convoque a las tres hijas del capataz de la mina, de las que la mayor sentía simpatía por el chico de acoplamiento, pero tanto trío podría inducirme a silbar una melodía del destino apropiada; sin embargo el diablo —¿o fue el en otro tiempo compañero Joseph, masticador de comino y ahora flamante papa?— dijo: «¡Todo pura casualidad!» cuando yo —ha pasado mucho tiempo—, para averiguar mi futuro con las mujeres, saqué con los dados tres treses, cuatro o cinco veces seguidas.

Las hermanas me despidieron como las tres Gracias cuando, desde Lenzburg, pasando por Brugg, me fui en autostop hacia Berlín, con la tienda rojonaranja llena de manchas de morera en el equipaje. ¿No hubiera debido dar un rodeo, para visitar a mis padres en Oberaußem?

Mi madre sufría aún en casa, pero iba con el autobús a Colonia, para ser allí irradiada, una y otra vez irradiada.

En Berlín, por mediación de un establecimiento de pompas fúnebres, hice en otoño e invierno, con yeso preparado, diversas mascarillas mortuorias. Con eso se podía ganar algo de dinero, que bastó para comprarme en Kaufhaus des Westens una chaqueta negra que me estuviera bien, y además los pantalones de rayita fina y una corbata gris plateado con zapatos negros, que luego no volví a llevar. Con nada más en los bolsillos, quería hacer buena figura como novio.

Lo que ocurrió antes y después de la boda, mientras comenzaba otra historia, alcanzaba su momento, empezaba o terminaba, sólo brevemente interrumpida por el apresurado cambio de piso y las noticias sobre el padecimiento de mi madre —ahora ingresada en un hospital de Colonia-Nippes—, lo que luego sencillamente me desgarraría, me paralizaría, me liberaría y en adelante iría a parar al papel o cobraría forma en arcilla, reportándome dinero de bolsillo y primeros éxitos —la venta de un bronce del tamaño de la mano en forma de cangrejo—, todo eso tiene sin duda su transcurso y se hace pasar por acontecimientos estancados, que se solapan mutuamente, pero que enseguida quieren también estar ahí y conseguir preferencia de paso.

Aproximadamente en la época en que Anna y yo, cerca de Roseneck, vimos en el escaparate de una tienda de radio, por primera vez, algo parpadeante en blanco y negro en la televisión, y mientras todavía la disputa artística entre Karl Hofer y Will Grohmann estremecía la Es-

cuela Superior hasta los estucos, mi madre recibió tratamiento hospitalario y nosotros nos trasladamos a Schmargendorf, donde nuestra propietaria, una rusoalemana, una
vez por semana, se hacía leer el futuro en los posos del café
por su mujer de la limpieza, que venía de la parte oriental
de la ciudad para ganar dinero occidental. A mí, desde
luego, no me pronosticó ninguna muerte en la familia,
pero sí fama y honores abundantes:

—El mensajero de la suerte acompaña a su señoría...

Vivíamos en una gran habitación y podíamos utilizar la cocina. Sin embargo, al mismo tiempo, mientras
yo escribía cuartetas o dibujaba animales, Anna bailaba
descalza con música de Bartók o íbamos al cine y veíamos
películas francesas de los años treinta, moría, lejos y lentamente, mi madre.

Estábamos presentes cuando, unas veces en el Berlín oriental, otras en el occidental, tenían lugar conversaciones ante un público dividido en opiniones a las que
daba combustible suficiente la Guerra Fría, mientras al
mismo tiempo el invierno no era ni especialmente duro ni
suave. También veíamos, mientras las discusiones entre el
Este y el Oeste llovían siempre sobre mojado, a Bert Brecht
sentado en el podio, sonriendo y como sin opinión sobre la
guerra de Corea o la bomba atómica. Pero mientras el pobre B. B. seguía fumando mudo su puro y los representantes intelectuales de las Potencias del mundo —Melvin
Lasky en el Oeste, Wolfgang Harich en el Este— enumeraban los respectivos crímenes de la otra Potencia y se ame-
nazaban mutuamente con el primer ataque atómico, el
cáncer devoraba a mi madre.

Compramos una nevera usada, nuestra primera
adquisición como pareja... Las entrañas de ella quemadas
por las radiaciones.

Bailábamos en toda oportunidad, y creíamos que
ser joven lo era todo... El vientre de ella se convertía en
una herida que nada podía cerrar.

En realidad, me gustaría hablar de lo que ocurrió además antes de nuestra boda, sucesivamente o al mismo tiempo; su demorada muerte, sin embargo, de la que no sé nada, se producía al margen de nuestro tiempo y sin acontecimiento concomitante.

Lo que se discutía entre el Este y el Oeste —se trataba siempre, comparativamente, de las víctimas del estalinismo y de la cifra estimada de muertos por las bombas atómicas de Hiroshima y Nagasaki... De Auschwitz ni palabra— podía conmover al mundo como, hacía un año aproximadamente, la muerte de Stalin; la muerte de mi madre se producía en silencio.

Mi profesor Hartung, que una vez por semana acudía a una tertulia cervecera que se reunía en la Bayerischer Platz en torno al poeta Gottfried Benn, presentó al maestro, en principio inaccesible, algunos de mis poemas, para que los juzgara; mi madre, que estaba en compañía muy distinta, no tuvo participación alguna en la importante entrega de versos rimados y no rimados.

Y cuando la hermana me escribió —¿o fue el padre?— que fuera, enseguida, que aquello se acababa, fui, poco después de haber oído de Hartung que Benn había calificado mis poemas de «muy prometedores», pero había dicho luego: «Su alumno escribirá luego prosa», con el tren interzonal sin Anna a Colonia, donde mi madre agonizaba en el hospital de San Vicente.

Me reconoció poco a poco. Una y otra vez quiso que su hijo la besara. Y yo le besé los labios contraídos de dolor, la frente, las inquietas manos.

Habían sacado su cama de la habitación de muchas camas, a una habitación de al lado, que se utilizaba como moridero: un cuchitril sin ventana, en el que ni siquiera colgaba de la pared la obligada cruz. Muy arriba, bajo el techo ardía, estimo, una bombilla de cuarenta vatios.

La madre no podía hablar ya, pero movía los labios secos. Yo le hablé, yanoséqué. El padre, la hermana, estaban allí. Nos alternábamos, le humedecíamos la boca. En cuanto estaba solo con ella, le hablaba en voz baja y al oído. Posiblemente las habituales promesas, la vieja canción:

—Cuando estés bien otra vez, los dos juntos... Al soleado Sur... Sí, donde florece el limonero... Donde es bonito, por todas partes es bonito... Hasta Roma y luego hasta Nápoles... Créeme, mamá...

De vez en cuando venían enfermeras y monjas, cubiertas con cofias. Cogían vendas, botellas de agua, una silla de ruedas, y tenían prisa.

Luego, por las cofias, dibujé monjas de San Vicente, de frente y de perfil, con lápiz, carbón y pluma.

Una de las monjas que iban y venían prometió al pasar deprisa, sin que le preguntara:

—Dios salvará pronto tu alma...

¿Tenía yo flores, asteres, que le gustaban especialmente? De eso no quiere saber nada la cebolla.

Mientras yo —nosécuántotiempo— dormía sentado a su lado, ella se murió, dijo el padre, que sólo tartamudeaba:

—Lenchen, mi Lenchen...

Ella, de la que salí arrastrándome y gritando enseguida, un domingo, por lo que siempre me aseguró, «eres un niño de suerte...», ella, en cuyo regazo me sentaba aún a los catorce años, niño de mamá, que desde muy pronto conservó su complejo, ella, a la que prometí, pinté en el aire, riqueza y fama, el Sur y la Tierra Prometida, ella, que me enseñó a cobrar en pequeños plazos las deudas de su clientela de prestado —«Tienes que llamar los viernes, entonces queda algo aún del salario semanal»—, ella, mi conciencia buena, tranquilizadora, mi subterránea mala conciencia, ella, a la que causé docenas de preocupaciones y temores, que como roedores se multiplicaban enseguida, ella, a la que el Día de la Madre regalé la plancha eléctrica —¿o fue una fuente de cristal?— del dinero del cobro de deudas, ella, que no quiso acompañarme a la estación central cuando yo, chico estúpido, me fui como soldado voluntario —«Te mandan a la muerte...»—, ella, que no dijo palabra cuando, en el tren de Colonia a Hamburgo, yo quise saber lo que había ocurrido cuando los rusos llegaron con toda la violencia —«Todo lo que era malo hay que olvidarlo...»—, ella, de quien copiaba su forma de jugar al *skat* y que, con pulgares húmedos, contaba los billetes y los cupones de racionamiento, ella, que tocaba con todos los dedos lentamente obras que se deslizaban en el piano y que, para mí, colocaba lomo con lomo libros que ella no leía, ella, de cuyos tres hermanos sólo quedó lo que apenas llenaba una maleta mediana, y que veía a sus hermanos seguir viviendo en mí —«Lo tienes todo de Arthur y Paul, y un poquito también de Alfons...»—, ella, que echaba para mí azúcar en la yema de huevo, ella, que se reía cuando yo mordía el jabón, ella, que fumaba cigarrillos Orient, consiguiendo a veces hacer anillos de humo, ella, que creía en mí, su niño de la suerte —por lo que abría siempre por el mismo sitio el informe anual de la Academia de Bellas Artes—, ella, que a mí, su hijito, se lo dio todo y del que recibió poco, ella, que es mi valle de alegrías y lágrimas y que, en cuanto escribía como antes y escribo como ahora, sigue mirando tras su muerte por encima de mi hombro y dice «borra eso, es feo» —pero sólo rara vez le hacía caso y, si lo hacía, demasiado tarde—, ella, que me dio a luz con dolores y con dolores me liberó al morir, para que escribiera y escribiera, ella, a la que, en papel todavía blanco, quisiera besar hasta despertarla, para que se viniera conmigo, sólo conmigo de viaje y viera cosas bonitas, sólo bonitas y pudiera decir por fin: «Que haya podido ver todavía eso, tan bonito, tan bonito...», ella, mi madre, murió el 24 de enero de 1954. Yo, sin embargo, la lloré más tarde, mucho más tarde.

Lo que me regalaron en mi boda

Durante el entierro, en el cementerio del pueblo de Oberaußem, yo estaba junto a la hermana, que estaba junto al padre. Después de haber salido del convento, ella sólo había podido encontrar un trabajo de poca importancia en la recepción de un hospital de Colonia. Sufría y no sabía qué hacer. Alguien hubiera tenido que mitigar su pena, pero ¿quién, desde que Dios estaba fuera del alcance de su voz?

La madre desapareció con el ataúd, sobre el que golpeó la tierra, resonante. El hermano pensaba sólo en sí mismo, en su felicidad con atrevimiento asegurada, y siempre, como despreocupado, muy lejos. El padre, que, como la hermana, quedaba atrás desconsolado, me pareció empequeñecido, si es que no encogido.

Parecía que no podría aguantar mucho tiempo tanta soledad; y efectivamente, poco después de la muerte de su mujer vivía con una viuda que, lo mismo que luego él, cobraba una pensión, en lo que entonces se llamaba «cohabitación». Contento a su manera, mataba el tiempo. De vez en cuando los dos se permitían algo, participar en una excursión en autobús para jubilados, a un sitio o a otro, a alguna cata de vinos, Rin arriba, hasta Bacharach, o hasta Spa en Bélgica, para luego, en el casino, arriesgar sus céntimos ahorrados y ganar o perder cantidades mínimas.

Después de los años, cuando yo, como decía él, me había «hecho un nombre», el padre afirmaba estar orgulloso de su hijo, en el que, como me aseguraba con ojos azules y sin pestañear, «había creído siempre». Y yo decía:

«Sí, papá, qué hubiera sido de mí sin ti». Con lo cual nos reuníamos sólo pacíficamente, siempre que él nos visitaba a nosotros y los niños con su nueva mujer, su «Klärchen». Mientras ella, la señora Gutberlett, hojeaba revistas ilustradas en el sofá de la Niedstraße, Anna, que se esforzaba mucho, y yo jugábamos con él al *skat*.

Sin embargo, en el cementerio de Oberaußem no supimos qué decirnos. Tal vez mirar por encima de las tumbas hacía enmudecer, pero las chimeneas humeantes de la fábrica Fortuna Nord sólo decían una cosa: la vida sigue, la vida sigue...

Además, los asistentes al duelo estaban rodeados de lápidas de diabas, mármol de Silesia, caliza y granito belga, situadas entre setos de boj, y que podían proceder todas del taller de Göbel, aunque el viejo oficial Korneff y yo, en algunos pueblos vecinos, pero no en Oberaußem, habíamos montado y fijado en zócalos, con clavijas, muros para una o tres tumbas, que solíamos suministrar con la camioneta de la empresa.

Con nosotros, en torno a la tumba, había vecinos y compañeros del padre. No estoy seguro de si llovía, nevaba, o sólo había restos de nieve. Tampoco sé quién había ido, quién no. No recuerdo haber cruzado palabra sobre el entierro con el sacerdote ni con el único monaguillo. Yo estaba vacío o creía estar vacío. Traté de derramar lágrimas, pero inútilmente. Pero qué quiere decir eso.

Y cuando la hermana, llorando —ya fuera del cementerio—, me preguntó: «¿Qué va a ser de mí? ¿Qué voy a hacer?», el hermano no supo dar ninguna respuesta, tan ocupado estaba de mí, sólo de mí.

El padre murió a los ochenta años en el verano del setenta y nueve. Cuando llegué, el féretro estaba todavía abierto: el padre tenía buen aspecto, cuidado como siempre y bien dispuesto hacia todo el mundo. Allí, en Opladen, donde yace la viuda Gutberlett, que murió antes que él, yace ahora él también. Siempre que nos veíamos, él creía tener que animarme:

—¡Sigue así, chico!

En la cartera llevaba buenas críticas de mis libros, de los que no había leído ninguno. Mi hijo Raoul, que en Colonia, en la Westdeutsche Rundfunk, era aprendiz de técnico de sonido —y en aquella época, con su pelo largo y rizado, quería parecerse a su ídolo de pelo largo y rizado Frank Zappa—, iba a verlo a veces con amigos, para jugar al *skat,* su pequeña pasión.

A mediados de los sesenta, cuando el Partido Nacionaldemócrata apareció a la extrema derecha con eslóganes de anteayer, le pregunté al padre a quién había votado esta vez en las elecciones al Bundestag.

—A los sociatas, naturalmente, como siempre —y añadió, seguro—: Si no, me quitarías el subsidio.

Tan bien nos entendíamos entretanto.

Y pocos años antes de su muerte, cuando necesitaba ya vigilancia médica, Ute y yo fuimos a buscarlo. Disfrutó del largo recorrido en coche, y no quiso dar ninguna «cabezada», sino únicamente ver pastos verdes, vacas, vacas por todas partes.

Se sentaba en el suelo de la cocina de Wewelsfleth durante horas, dormitando. Y al mediodía, antes de que Bruno, Malte y Hans volvieran hambrientos del colegio, armando ruido a distintos volúmenes, se sentaba cerca del fogón, donde hervían las patatas.

—Siempre me ha gustado oírlas, cuando se cuecen en el puchero —decía—, antes, cuando todavía cocinaba para Lenchen y luego también para Klärchen...

No le gustaba ya hablar mucho, y se alegraba cuando Ute le daba un beso de buenas noches:

—Pero lo quiero en la boca —decía.

¿Y mi hermana? Su pregunta, que me había hecho en el cementerio de Oberaußem o poco después del entierro de nuestra madre, la oía a menudo: «¿Qué será de mí, qué puedo hacer?».

Hacia finales de abril, inmediatamente después de la boda, para la que ella había ido a Lenzburg, fue con Anna y conmigo al chalé de vacaciones de los padres políticos en el Tesino, donde trató de calmar sus preocupaciones con enormes cantidades de chocolate con leche o semiamargo, pero por lo demás no sabía qué hacer, salvo llorar con un tiempo maravilloso.

Su reivindicación constante era de algo social, algo que ayudara a otras personas, y no de alguna manera sino enseguida, prácticamente ya.

Y cuando en el otoño del cincuenta y cuatro, poco después de nuestro viaje por la España hoscamente cerrada de Franco, que me reportó como primera prosa el relato *Mi verde prado,* nos visitó en Berlín —vivíamos ya entonces en el piso sótano, junto al Dianasee—, nos vino otra vez con la misma pregunta insistente, hasta que, tras una salida al cine, cuando los tres íbamos a cruzar la Budapester Straße y tuvimos que esperar con el semáforo en rojo, al oír su insistente: «¿Pero qué?», le di un consejo que sonó poco fraterno y más bien como una orden.

Por inspiración súbita de algún lado, exclamé, más grosero que comprensivo:

—¡Maldita sea, por qué tantas lamentaciones! ¡Hazte comadrona, niños habrá siempre!

Y se hizo comadrona, después de terminar su formación en la clínica ginecológica del Land de Hanóver. En Rheydt, la clínica de la Universidad de Bonn, y en Lüdenscheid, en el Sauerland, ha ayudado a nacer a unos cuatro mil niños, calculados a ojo de buen cubero. Ha ejercido a lo largo de los años, en la práctica y con palabras acertadas, y finalmente como comadrona superior y profesora, y al mismo tiempo ha sido presidenta de los comités de empresa de varios hospitales, en donde ha tratado de conseguir para las comadronas mejores condiciones de trabajo y salarios más altos.

Todavía hoy viaja en calidad de delegada del consejo «senior» de su sindicato. Como persona resuelta y que, en ocasiones festivas, soporta muy bien la bebida, querida por nuestros hijos y nietos, y un poco temida también, y además, como socialdemócrata católica y amiga de una monja, la hermana Scholastica —llamada también Scholli—, defiende posturas firmes. Hasta en su edad avanzada encuentra siempre ocasión para ejercitar su humor un tanto tosco, pero también para encolerizarse y decir lo que opina a los portavoces de la injusticia sancionada en la tierra. «¡De verdad, lo encuentro escandaloso!» es una de sus frases incambiables.

Con mi hija menor Nele, que entretanto es también comadrona, se preocupa por la tasa de natalidad, que disminuye. Las dos se consuelan mutuamente: «Bueno, por suerte hay suficientes extranjeros que se ocupan de hacer hijos...».

De esa forma, una palabra, pronunciada al borde de la calle durante una espera con semáforo rojo, puede indicar una dirección que se siga luego toda la vida; lo que me recuerda a aquel profesor Enseling, que en el helado invierno del cuarenta y siete, cuando la Academia de Bellas Artes de Düsseldorf había cerrado por falta de carbón, me dio la única indicación acertada.

De la boda con Anna —ella con vestido burdeos, yo con chaqué— hay una foto. Nos sonreímos, como si acabáramos de hacer algo especialmente divertido.

Ella tenía veintiuno, yo había cumplido los veintiséis. A veces nos importa no tener que ser ya totalmente adultos. Llevábamos el anillo a la izquierda, el oro le da valor. Sin embargo, como creía poseer ya firmemente a Anna, el beneficio más valioso de aquel matrimonio apresurado fue aquella máquina de escribir Olivetti de tipo

Lettera que, como regalo de boda, me convirtió, si no enseguida, al menos poco a poco en escritor. Le he sido casi fiel. No podría ni querría dejarla. Con mi Lettera he sido cuidadoso. Hasta hoy dependo de ella. Siempre sabe de mí más de lo que yo quisiera saber de mí. Tiene su puesto sobre uno de mis pupitres verticales y me aguarda con todas sus teclas.

Lo reconozco: luego probé otros modelos —lo que se llaman aventurillas—, pero una y otra vez siguió apegada a mí la Olivetti y yo a ella, incluso cuando ya no se podía encontrar en el mercado. Únicamente en los rastrillos. Y, una vez tras otra, con un gesto amable, me regalaban un ejemplar, según decían, inservible, del que se decía como despedida que había cumplido. Lo que no era verdad.

Mi Lettera eternamente durable. Es fácil de reparar y, por ello, de naturaleza duradera. Tiene un aspecto discretamente elegante. Su metal revestido de gris azulado que nunca se oxida. Su pulsación leve, dócil a mi sistema de dos dedos, halaga el oído. A veces se engancha una letra u otra, enseñándome paciencia, lo mismo que ella demuestra paciencia cuando me equivoco una y otra vez.

Es cierto que tiene sus defectos. A menudo se atasca la cinta. Sin embargo, de una cosa estoy seguro: envejece, pero no se hace vetusta. Su golpeteo anuncia lejos, con la ventana abierta, que vivimos, que los dos seguimos viviendo: ¡Escuchad! Nuestra conversación no quiere acabar. Para confesarme con ella soy suficientemente católico.

En la actualidad hay tres máquinas de ese tipo que tienen su emplazamiento en pupitres de Portugal, Dinamarca y el taller de Behlendorf. Trinitariamente se ocupan de que mi flujo narrativo no se detenga. Si veo una, otra, la tercera, se me ocurre algo enseguida; y ya charlan fraternalmente: unas veces alegres, otras con pausas.

Las tres son para mí musas mecánicas. No tengo otras. En el volumen de poemas *Hallazgos para no lectores*, que apareció a finales del siglo pasado y que enumera, en acuacoplas, algo más que mis cachivaches, les dediqué una cuarteta. Nunca está celosa la Olivetti portuguesa de la danesa, ni la de Behlendorf de las dos extranjeras. Y como me quieren a tres voces, les tengo apego, sólo a ellas.

Por muchas cosas nuevas y novísimas que han salido al mercado, nada ha podido hacer que me separe de mis máquinas de escribir. Ninguna máquina eléctrica, y ningún ordenador ha sido suficientemente seductor para poder sustituir a una sola de mis Olivetti; lo mismo que, por otro lado, nadie ha conseguido tirarme a mí al depósito como «chatarra».

Cuando hacia mediados de los setenta, en mi otra vida, los asuntos familiares iban mal aquí o allá y no podía estar ya seguro de contar con un techo —por lo que el manuscrito de *El rodaballo* no sabía adónde ir—, huí por pies de Berlín con una de mis Olivetti en la maleta, a Londres, en donde encontré alojamiento en casa de Eva Figes, una compañera amable; de forma que golpeteó en otro lugar hasta que, gracias a Ute, me asenté de nuevo.

Es cierto, siempre la he tratado con suavidad. Nunca la maldije, sustitutivamente, cuando quería maldecir a personas. Ni una palabra airada cuando era demasiado perezoso para cambiar la cinta, por lo que su pulsación palidecía. Nunca la presté a nadie.

Y tampoco ella me dejó en la estacada, por mucho que le exigiera: cambios de clima después de largos vuelos. En Calcuta, donde residimos durante un tiempo bastante largo, tuvo que soportar calor húmedo, incluso insectos que invadían su interior para multiplicarse. Sin embargo, mucho peores fueron los años anteriores.

En cuanto, a comienzos de los ochenta, cuando la especie humana parecía ser irremediablemente transitoria, me tomé una pausa en la escritura que duró cuatro años, pausa en la que, con todos los dedos, sólo hacía esculturas con arcilla de alfarero, las tres Lettera se sentían abandonadas. Se llenaron de polvo, hasta que, primero escribiendo con el pincel en tablillas de arcilla calentada al blanco, y luego garabateando a mano en una gruesa maqueta de libro, se me ocurrieron historias apocalípticas y de despedida, que escritas con renglones apretados, bajo el título *La ratesa,* fueron pasando al papel, es decir, quisieron ser mecanografiadas, unas veces aquí y otras allá, y en su última versión, acullá. Día tras día. Tensadas en la máquina hoja tras hoja.

Y eso desde hace cincuenta años. Después de la versión a mano, dos o tres versiones a máquina. La Olivetti lo aguantaba todo: novelas cortas y novelas, entremedias y ocasionalmente, como para descansar, poemas, luego otra vez secos discursos electorales del SPD y —a partir del ochenta y nueve— discursos sobre una política que permitía las gangas de la unidad alemana.

Sin querer dañarla, descargué en ella mi cólera. Y cuando estaba bastante solo en mi evaluación de la estafa de la Treuhand (Sociedad Fiduciaria), después de haberse extinguido los gritos de sapo de los *Malos presagios,* me aferré a mi Lettera, para que pudiera crecer y crecer la novela *Es cuento largo,* hasta que fue suficientemente espaciosa para acoger, con humor charlatán, los residuos clasificados de la historia alemana de dos siglos y, además, a mi héroe Theodor Wuttke, llamado Fonty. Sin embargo, como en esa época no había ya en el comercio cintas de color para mi máquina de escribir Olivetti, sin ayuda de amistades simpáticas habría agarrado seguro una crisis de escritura, si no existencial, sí material.

Ahora bien, cuando Ute y yo estábamos de visita en Madrid —el más anciano de los gitanos allí organizados, que vivían lejos de la ciudad, cerca de un vertedero, me hizo entrega del título honorífico de *hidalgo* en figura de un bastón de caña que, como cada vez ando peor, tendré que utilizar pronto—, unos chicos, que habían leído en el periódico un artículo en el que yo ironizaba sobre mis costumbres de escribir pasadas de moda, me regalaron un paquete de cintas de escribir nuevas de fábrica, para que estuviera provisto en el futuro.

No obstante, mi primera Olivetti, aquel regalo de boda que debo a Margot, la hermana de mi suegro, y a Urs, su marido, y que actualmente custodia mi hijo menor Bruno como si fuera un trozo de mí, era de pulsación especial; en ella escribí aquel poema que pronto sería impreso en mi primer libro: *Las ventajas de las gallinas de viento*.

Surgieron como sin esfuerzo, porque en ninguna piel de cebolla pueden comprobarse manchas de sudor u otras huellas de trabajo. Lo que es seguro es que el germen de los poemas fue un sótano húmedo, con ventana al jardín, que Anna y yo habíamos ocupado en una villa, cuyo primer piso, con torrecilla y voladizo, había ardido en los años de la guerra y sólo estaba habitado por tiempo bueno o malo y por palomas.

Habíamos descubierto aquella semirruina entre la Königsallee y el Dianasee, lleno de cañas. Nos resultó fácil alquilar por poco dinero el sótano, que antiguamente había sido parte de la vivienda del portero. Sobre nosotros sólo vivía un catedrático con su mujer, al que saludábamos y que nos saludaba.

Allí vivíamos en un espacio estrecho, pero con mucha salida al jardín cubierto de maleza, felices o como guardados en un cuento de hadas que prometía un final feliz. Anna se sentía allí más en casa que yo, porque, después de su infancia protegida en el seguro corralito suizo, nuestro idilio en las ruinas ofrecía una apariencia de libertad. Sin duda ella estaba con el pensamiento mucho menos fuera de casa que yo. En el verano, la ventana, sobre cuyo alféizar un paso llevaba al jardín, estaba todo el atardecer abierta hacia la puesta de sol.

En la cocina de gas de dos fogones, yo cocinaba platos de lentejas y alineaba en la sartén de hierro fundido arenques frescos y todo lo que era también barato: salchicha de cereal, riñones de cordero, morrillo de cerdo. Los domingos, cuando esperábamos invitados, asaba corazón de vaca relleno de ciruelas secas. Y como plato de otoño comíamos, con costillitas de cordero, «peras y judías». Así se llama uno de los poemas que escribí en limpio con la Olivetti. Otro se llama «Plaga de mosquitos» y se debe al cercano Dianasee, terreno de incubación.

Nos visitaban amigos. Hans y Maria Rama, que pensaban que nuestro amor debía conservarse de forma duradera en fotos en blanco y negro. Y otra vez me hice amigo de un flautista, esta vez de pelo rizado, que, magistralmente y rodeado de chicas jóvenes con coleta mozartiana, tocaba la plateada flauta travesera: Aurèle Nicolet, el otro amor de Anna, que perduraba situado en una vía muerta, pero nunca fue vivido.

Venían los Härter, con los que se podía despotricar a gusto; Fridtjof Schliephacke, estudiante de arquitectura, que luego diseñó sillas y sillones y una lámpara de pie que lleva su nombre para el pueblo estudiantil de Eichkamp; el escultor Schrieber, sobrio durante el día, y su alumno Karl Oppermann, que pronto buscaría otros ingresos como experto en publicidad en la gran empresa lechera Meierei Bolle y luego me ayudó a conseguir un trabajo: un aniversario de la empresa —setenta y cinco años desde su fundación— y la apertura del primer establecimiento de autoservicio de Bolle debían celebrarse con un texto de homenaje publicitario.

De forma que con mi Olivetti, regalo de boda, escribí bajo el título «¿Convertir paganos o vender leche?», seis o siete páginas, que luego se imprimirían en una tirada más numerosa —al parecer fueron trescientos cincuenta mil ejemplares— y se repartirían por correo a los hogares del Berlín occidental: mi primer gran público.

Y, sin embargo, fue sólo un subproducto, del cual no poseo ningún ejemplar justificativo que pudiera citar, pero en el que se celebraba a Carl Bolle, el primer y legendario vendedor de leche fresca en una gran ciudad —«¡Como Bolle en el carro de la leche!»—, con ocurrencias divertidas, que me reportó sus buenos trescientos marcos y, treinta años más tarde, fue reeditado por la misma empresa, todavía próspera, a cambio de unos honorarios más altos aún: mi cuento de la lechera, difundido en masa, y que confirmó el apresurado juicio de Gottfried Benn sobre mis poemas: «Escribirá un día prosa...».

De momento la Olivetti seguía escupiendo poema tras poema. Yo había encontrado mi tono, o quizá un tono vagabundo, como sin dueño, me había encontrado a mí. Los poemas estaban reunidos en una carpeta, de la que un día Anna y —de visita— mi hermana eligieron media docena y los enviaron a la Süddeutsche Rundfunk, porque esa emisora, como podía leerse en el periódico, había convocado un concurso de poesía. Las dos me convencieron para que lo intentara. Entre los elegidos estaba el poema, a mi juicio demasiado cargado de metáforas, «Lirios del sueño».

Y rápidamente, no el bellísimo himno al fumador «Credo», ni el lírico inventario «Armario abierto», ni tampoco «Peras y judías», sino las cloróticas flores, los lirios criados en mi sueño en sí sano, fueron las galardonadas con el tercer premio y recompensadas, como recuerdo con económica exactitud, con trescientos cincuenta marcos. Además, me pagaron mi primer vuelo de ida y vuelta para la entrega del premio en Stuttgart.

Así beneficiado, me compré en Peek & Cloppenburg, de confección, un abrigo de invierno. El dinero restante del premio bastó para una falda de mohair gris asfalto, que Anna y yo adquirimos en Horn, la tienda más elegante del Kurfürstendamm, con tanta naturalidad como si supiéramos que, en lo sucesivo, nunca nos faltaría nada.

Todavía puedo tocar la tela de esa falda, e imaginar su corte y su largo; tan bellamente se movía Anna dentro del producto de mis poemas.

Y así podría empezar un cuento de hadas, que no he escrito yo y que tampoco forma parte de los cuentos recogidos por los hermanos Grimm. En el mejor de los casos, Hans Christian Andersen habría podido inventar un cuento así: Érase una vez un armario, en el que los recuerdos colgaban de las perchas...

Para mí todavía sigue estando abierto ese armario, y recito, estrofa tras estrofa, lo que está abajo, lo que está arriba, lo que está casi nuevo y lo que está raído, susurrando para sus adentros.

Nuestro armario era un armarito estrecho, comprado a un cambalachero, en el que colgaba ahora la falda de mohair de Anna. Abierto, hablaba de «las bolas blancas que duermen en los bolsillos» y que sueñan con polillas, y también de «asteres y otras flores inflamables», de «el otoño, que se vuelve vestido...».

Y de esa forma se hizo verdad el cuento del que no es seguro quién lo ha escrito: Érase una vez un escultor, al que de pasada y cuando había ocasión se le ocurrían poemas, entre los que estaba «Armario abierto». Cuando, por otro poema, recibió un premio menor, compró enseguida para su amada y para él una falda y un abrigo. A partir de entonces, creyó que era poeta.

Y así seguía el cuento: el poeta, que de pasada era escultor y modelaba gallinas, pájaros, peces y otros animales, aceptó, con poemas en el bolsillo, una invitación telegráfica que le enviaron, en la primavera del cincuenta y cinco, al sótano de su villa en ruinas. En el jardín cubierto de maleza de la villa, las lilas florecían. Al atardecer, el viento traía mosquitos del lago próximo por la ventana abierta.

El telegrama lo había firmado un hombre llamado Hans Werner Richter. Con pocas palabras de estilo telegráfico, invitaba al joven poeta a ir enseguida a otro lago, mucho mayor, el Wannsee, y a la casa Rupenhorn, porque allí, por invitación, se reunía el Grupo 47. El ceñido texto terminaba con una orden: «¡Traiga poesías!».

Para hacer el cuento más creíble hay que decir: uno de los jurados del concurso de poesía me había calificado de dotado y me había recomendado al hombre llamado Richter, como posible participante en la reunión, pero éste, hasta entonces, había vacilado en invitarme.

De forma que el poeta dio a su joven mujer, que era bailarina, un beso, se guardó, para cumplir con el cuento, siete o nueve poemas, cogió el autobús, encontró la casa Rupenhorn y entró en la enorme villa, que en otro tiempo había sido ocupada por algún capitoste nazi, a primera hora de la tarde, cuando los miembros del grupo formado en el cuarenta y siete estaban precisamente en la pausa del café y hablaban inteligentemente entre sí y por encima de sí; algo semejante podría aparecer también en un cuento, por ejemplo, de Andersen.

De la existencia de ese grupo y de lo que lo mantenía unido, yo, el escultor que creía ser poeta, sabía sólo cosas imprecisas por los periódicos. Del año cuarenta y siete, en cambio, tenía ideas firmes, basadas en experiencias: en aquella época, cuando el más crudo de todos los inviernos no quería terminar y había más ventanas sin cristales que cristales de ventana que comprar, comencé, como practicante de picapedrero, a trabajar mi primer mármol de Silesia, como lápida de niño, con cinceles de perforar, vaciar y desbastar, y escribía además poemas, que sólo eran cascabeles de palabras y de los que no ha quedado ni un solo verso.

En el vestíbulo de la villa del Wannsee había mesas puestas, a las que se sentaban señoras y señores. Tomaban café, comían pasteles de migas, y al mismo tiempo hablaban inteligentemente. Como no conocía a ninguno de los poetas allí reunidos, me senté, para hacer avanzar el cuento, a una de las mesas libres y pensé probablemente en el año cuarenta y siete, en cuyos comienzos la Academia de Bellas Artes de Düsseldorf había cerrado por falta de carbón; tan duro era el invierno.

Una criada con delantal y cofia se acercó a la mesa en la que yo estaba tan perdido como meditabundo, y preguntó al nuevo huésped si también era poeta. La pregunta me llegó al corazón.

Cuando el príncipe del cuento respondió sin vacilar que sí, la criada creyó su palabra, le hizo una reverencia y le trajo, con la taza de café, un pastel de migas, que sabía lo mismo que los pasteles de migas que la mujer del capataz Göbel sabía hacer. Ésta tenía una cabra llamada *Genoveva* que, en la primavera del cuarenta y siete, yo tenía que alimentar, llevándola de la cuerda, lo que me daba un aspecto lamentable.

Recordé la historia de la cabra como un cuento de hadas, comparable al que acababa de empezar, aunque en éste yo no tenía aspecto lamentable sino que era más bien un tipo seguro de sí mismo, que no tenía nada que perder y sí todo que ganar, comparable a aquel soldado con licencia que, en el cuento de Andersen *El yesquero,* encuentra su suerte.

Lo que vi y viví parecía ser maravillosamente irreal o era de una realidad exagerada. Por lo menos, a algunos de los reunidos los conocía de nombre. De Heinrich Böll había leído yanoséqué. De los poemas de Günter Eich me gustaban algunos. De Wolfgang Koeppen y Arno Schmidt había leído más, pero no pertenecían al Grupo. Böll y Eich eran años de entreguerra y de guerra mayores que el escultor que se consideraba poeta.

Luego, para dar nuevo impulso al cuento, apareció un hombre rechoncho de espesas cejas junto a mi mesa, que me miró severo. Quiso saber qué se me había perdido en aquel café y con los escritores que hablaban inteligentemente, quién era y de dónde venía. Más tarde dijo que el recién llegado le había parecido de aspecto sospechoso. Por eso había tenido que considerarme como tipo siniestro, del que podía esperarse cualquier cosa desagradable, quizá que, como provocador, perturbara la reunión de escritores.

Sólo cuando alisé el telegrama de invitación y se lo mostré perdió su severidad.

—Vaya, con que es usted. Es cierto, para la tarde nos falta todavía un poeta.

Luego me dijo el hombre llamado Richter, que había aparecido en el cuento como otro Rey Cuervo y, benévolo, me había invitado para llenar un hueco, pero del que no se podía sospechar que pronto se convertiría en padrino literario del joven poeta: inmediatamente después del café, leería aquél, luego la Bachmann y después otro.

—Y entonces —¿cómo dice que se llama?— le tocará a usted.

Quién era aquél o aquel otro, yo no lo sabía. Sólo de la Bachmann, a la que llamaban «la Bachmann», había oído elogios imprecisos.

Luego el hombre anunció:

—Después se critica. Es lo habitual en el Grupo.

Es seguro que el hombre llamado Richter, al irse, se volvió de nuevo y aconsejó al joven poeta:

—¡Lea fuerte y claramente!

A eso me he atenido durante toda mi vida, siempre que leía en público. Mi compañero Joseph, sin embargo, que en el año cuarenta y siete fue estudiante de filosofía y teología dogmática en el seminario de Freising, cuando estábamos en el campo de Bad Aibling, acurrucados bajo una lona de tienda, me leía sus cosas piadosas de un librito encuadernado en negro, con una voz muy baja y casi como una expiración, de forma que yo, en el transcurso de otro cuento de muy distinta trama, quise pensar: ése nunca hará nada.

Y todo se desarrolló como había anunciado Richter, el «tío» de cuento. Cuando, antes de la Bachmann, alguien que yo no conocía leyó prosa y, después de ella, otro desconocido para mí leyó igualmente un texto en prosa, todos los que habían leído, apenas habían cerrado las carpetas de sus manuscritos, fueron criticados por los miembros del Grupo; duramente, diseccionando, acertando o no tanto.

Eso era lo corriente. Ya cuando el Grupo se reunió por primera vez, para llamarse luego con el año de su primer encuentro, se leyó en público y se criticó enseguida. Al joven poeta, cuando todavía hacía prácticas de picapedrero, el padre Stanislaus, que cuidaba de la biblioteca del hogar de Cáritas del Rather Broich, le había leído poemas de Georg Trakl, que eran muy tristes, muy hermosos y fáciles de imitar.

Uno de los críticos que aparecían en el cuento, que no quería acabar, no era emperador, pero se llamaba Kaiser y Joachim de nombre. Podría tener mi edad, pero hablaba —aunque con colorido de la Prusia oriental— de una forma tan perfecta que me avergoncé de mi tartamudeo interior y guardé silencio, aunque me hubiera gustado contradecirlo.

Y cuando luego la Bachmann, una chica, según me pareció, más bien tímida, comenzó a leer, no, lloró sus poemas absolutamente hermosos —eso al menos hacía suponer su tono tembloroso y triste—, me dije: si ese Kaiser que habla tan perfecto ataca ahora a la intimidada Bachmann, lo mismo que antes al lector para mí desconocido, pedirás la palabra y ayudarás a esa poetisa llorosa o a punto de llorar, aunque sea con frases tartamudeantes; al fin y al cabo en uno de sus poemas, que se llama «Explícame, amor», aparece, como un grito de socorro, el verso: «¡Una piedra puede ablandar a otra piedra!».

Sin embargo, aquel Kaiser, que en el año de la fundación del Grupo tenía apenas, como el anterior picapedrero en prácticas, veinte años, pero pronto, mientras yo desbastaba aún piedra caliza, aprendió, de estudiante en Fráncfort del Meno con Adorno, a hablar de forma perfecta y a analizarlo todo, incluso la dialéctica de los cuentos de Grimm, resultó ser la piedra que había que ablandar y, en lo que se refería a todos los poemas de la Bachmann, se mostró lleno de elogios: podía reconocerse «el desarrollo hacia una forma mayor».

Algo parecido había dicho por cierto el padre Stanislaus, cuando el culto franciscano me confió solemnemente el pequeño volumen de poemas de Trakl. De forma que el joven poeta guardó silencio y sólo abrió la boca junto al hombre llamado Richter y, «fuerte y claramente», como le habían aconsejado durante la pausa del café, leyó a los miembros del Grupo 47 sus poemas, siete o nueve, entre ellos los titulados «Armario abierto», «Bandera polaca» y «Tres padrenuestros».

Y así tuvo el cuento su continuación: Érase una vez un joven escultor que se presentó por primera vez como poeta. Lo hizo intrépidamente, porque estaba seguro de sus poemas, que respiraban aire berlinés. Y dado que, como le habían aconsejado, recitó cada línea fuerte y claramente, todos los que lo oyeron comprendieron cada palabra.

Luego todos alabaron lo que había leído. Alguien habló de «garra de fiera» y arriesgó una opinión que otros críticos cogieron con los dientes y —esforzándose en otras comparaciones— variaron de distintos modos. Puede ser también que alguien, quizá el Kaiser cuyo nombre de pila era Joachim, advirtiera en contra del elogio exagerado. Sin embargo, como incluso el hombre de las cejas espesas, que se llamaba Richter y se sentaba cada vez junto al pupitre de leer, llamado coloquialmente «la silla eléctrica», parecía estar contento, y dijo al menos que había oído algo así como «un refrescante tono nuevo», quiso escuchar otra vez el nombre del joven escultor que se presentaba como poeta, porque otra vez lo había olvidado, aunque ahora estimó que había que tenerlos en cuenta a él y su nombre; de forma que él, a quien después, mucho después, dediqué mi relato *Encuentro en Telgte,* pudo oír cómo debían llamarme.

Cuando el joven escultor que se hacía pasar por poeta se levantó de la silla, el cuento no quiso acabar aún. Inmediatamente se vio rodeado de media docena de lectores de editoriales que se presentaron como «Hanser», «Piper», «Suhrkamp» y «S. Fischer». Echaron mano a los siete o nueve poemas que el poeta, en casa, en un sótano húmedo, había copiado pulcramente con su máquina de escribir Olivetti y que, gracias al papel de calco interpuesto, tenía por duplicado.

No quisieron devolver ninguna de las páginas, y le hablaron en plural —«Tendrá noticias de nosotros...», «Pronto volverá a oír de nosotros...», «Próximamente nos pondremos en contacto con usted...»—, de forma que se sintió tentado a creer que, tras un tiempo breve, comenzaría para él la Edad de Oro, y luego otra de plata.

Después, el cuento no quiso seguir redondeándose, porque no volvió a oír nada de los lectores de aquellas editoriales tan prometedoras. Sólo alguien de figura torcida, que se había presentado como Walter Höllerer y editor de la revista literaria *Akzente,* publicó, como había prometido, algunos de los poemas.

Ya tenía otra vez el poeta, recientemente aún elogiado, las manos llenas de arcilla y de yeso como escultor, pero el cuento seguía sin embargo. Un lector de la editorial Luchterhand, que pretendía que, con las apreturas después de la lectura del joven y desconocido poeta, los lectores de editoriales lo habían apartado a codazos, preguntó cortésmente si, como autor, en el caso de no haber sido contratado hace ya tiempo por Suhrkamp o Hanser, estaba libre. Él, Peter Frank, estaría dispuesto en cualquier caso a publicar una selección de poemas míos.

Oh, hermoso comienzo, que ponía fin al mismo tiempo a la existencia sin nombre del poeta y a su escondida inocencia:

—Qué bien lo que díjeles: no saben que me llamo Rúmpeles-Tíjeles...

Porque Peter Frank, un hombre silencioso, siempre un poco inclinado hacia un lado y de lengua austríaca, vino a nuestra idílica ruina y, cuando le mostré láminas con motivos líricos, estuvo dispuesto enseguida a acoger en el volumen de poemas —como le había propuesto— una docena de dibujos a pluma y —como le había pedido— a pagármelos aparte. Incluso estuvo de acuerdo, en nombre del editor Eduard Reifferscheid, con los derechos de autor solicitados del doce y medio por ciento del precio en tienda de cada ejemplar vendido; ese porcentaje pedido sin tapujos debía asegurar luego las bases de mi existencia material.

La editorial, que, según supe, en realidad editaba literatura jurídica especializada y, no sin éxito, una recopilación de hojas sueltas, quería, por deseo expreso del editor, fomentar en lo sucesivo la literatura en lengua alemana posterior a la guerra, por lo que se ocupaba de la parte editorial de la revista *Texte und Zeichen*, dirigida por el conocido autor Alfred Andersch. Previamente impresos, algunos de los poemas elegidos podrían aparecer pronto allí y —«por descontado»— ser pagados de nuevo aparte. Ay, qué bien que mi pobre madre me enseñara tan pronto a tratar debidamente con el dinero.

Sin embargo, cuando, para acabar el cuento, firmé el contrato, en el que, por el diseño de la cubierta del libro, se me garantizaban otra vez unos honorarios, pasé por alto, en el calor de la alegría anticipada de cuento de hadas, la cláusula de opción sobre el primer libro del joven poeta, un párrafo impreso en letra pequeña, cuyo tenor me obligaba a ofrecer mi próximo libro, en primer lugar, a la editorial Luchterhand.

¿Podía pensar siquiera en un próximo libro? ¿Había, además de *Crecida,* la obra de teatro en dos actos, la pieza en un acto *Diez minutos para Buffalo* y esbozos de una obra de teatro en cuatro actos que debía llamarse *Tío, tío* y podía pasar como mi tributo a lo absurdo, algo que apuntara hacia un libro? O, dicho de otro modo: ¿valoré mi entrada en escena como un acontecimiento que podía repetirse en tiempo previsible?

Difícilmente, sin duda. Escribo poemas desde siempre. Los escribía y los tiraba. Nunca hubiera insistido en publicar todo lo que había surgido de mí por simple necesidad de escribir. Por muy seguro que me viera en mis años mozos sobre futuros campos de juego, igualmente seguro estaba de la insuficiencia de todo lo producido con tinta hasta entonces.

Sólo los poemas que surgieron en el aire berlinés eran totalmente míos, querían ser recitados, leídos, impresos. Y los dibujos a pluma del folleto a la inglesa que, con el título *Las ventajas de las gallinas de viento,* serían mi primer libro no debían considerarse como ilustraciones sino como una continuación y anticipación de los poemas.

Surgieron a plumilla de una multitud de bocetos, en los que aves afiligranadas son dispersadas por el viento, las arañas se sumergen en copas de cristal y los saltamontes ocupan una ciudad, convirtiéndose en alimento de profetas. También bizqueaba una muñeca y, por eso, no era alcanzada por las flechas. Tijeras gorjeantes volaban. Hay orejas amontonadas en las playas. Y los mosquitos, de tamaño humano, se convierten en metáfora gráfica. Desde una visión del mundo propia y objetiva, las palabras y los signos fluyen de una misma tinta.

En cuanto evoco el lugar de mi magia sobre el papel, la planta sótano de la ruina de la guerra mundial en el Dianasee de Berlín, me parece como si, sin buscar, hubiera encontrado algo en una doble senda predeterminada a mi propio egocentrismo y a mi risa interior, por lo que, al autor, la publicación de sus poemas y dibujos le parecía, de forma desvergonzada, algo totalmente natural; por eso, la primera impresión se desarrolló según contrato y, sin embargo, de acuerdo con lo deseado, como en los cuentos de hadas, aunque en el transcurso de tres años sólo se vendieron 735 ejemplares.

Sólo más tarde resultó claro, hasta en versos aislados y medios versos, con cuántas señales anunciaban los poemas mi segundo libro. Desde «La escuela de los tenores», en donde por primera vez se ensaya la rotura de vidrios cantando, hasta el poema final de *Las ventajas de las gallinas de viento,* en el que, con el título «Charanga», se pone en cuestión a un niño «... con un gorro de papel de periódico viejo en la cabeza», se expresan motivos que apuntan a algo que todavía estaba oculto en el juego rojiblanco de «Bandera polaca».

Sin embargo, se hubiera podido también considerar todo como ejercicios de dedos que, de momento, se bastarían a sí mismos. Cuando, medio año más tarde, en una reunión del Grupo 47, leí mi primera prosa, producto de nuestro viaje a España del año anterior, con el título *Mi verde prado,* no se podía sospechar que el caracol que, en el transcurso del relato, se convertía de «desnudo y sensible» en «monumental» escogería el camino de más prosa; con su babosa huella reptante querría recorrer luego campos políticos y disuadir al progreso del sueño del «gran salto».

Sin embargo, de momento todo se quedó en insinuaciones, ensayos a tientas e inconscientes anticipaciones, para las que no hay explicación. En el mejor de los casos, cabe suponer que había acumulada una enorme masa de material y que, por ello, se desahogaba con breves señales, dando a conocer algo todavía desestructurado, algo que no quería salir a la luz, que no lo quería aún.

Escribiendo o dibujando, con todo el arte del que entretanto disponía, evité bailoteando abismos manifiestos, nunca me faltaban excusas y me apropié de materiales que celebraban la inmovilidad: prosa que, alimentada por Kafka, resultaba anoréxica; escenas teatrales en las que el lenguaje se enamoraba del escondite, juegos de palabras que engendraban con placer otros juegos de palabras.

De esa forma, me habría dispersado en cuanto a mi producción y, en las reuniones del Grupo 47, me habría mostrado interesante con trucos cada vez menos nuevos, en el caso de que hubiera podido esquivar la masa de sedimentos del pasado alemán y, por lo tanto, mío. Sin embargo, esa masa se interponía en mi camino. Me hacía tropezar. Nada podía evitarla. Era como si se me hubiera impuesto, pero seguía siendo inabarcable: aquí era un campo de lava fría, allá un basalto hacía tiempo petrificado que se había asentado sobre depósitos todavía anteriores. Y, sin embargo, quería ser extraído capa a capa, clasificado, nombrado, exigía palabras. Todavía faltaba la primera frase.

Ahora hay que cerrar cajones, colocar cuadros, con la cara contra la pared, borrar casetes grabadas y enterrar en álbumes fotográficos una instantánea tras otra, donde aparezco cada vez más viejo. Hay que sellar el cuarto trastero, lleno de manuscritos archivados y premios reunidos. Quitar del campo visual todo lo que, al formar palabras, se hacía residuo, dejaba su impronta en libros, adquiría celebridad con capas de polvo y lograba que las polémicas prescribieran, a fin de que, con ayuda del recuerdo así aliviado, aparezca aquel joven que, alrededor del cincuenta y cinco, lleva unas veces boina y otras una gorra de visera de tela, y trata de escribir una primera frase, en lo posible de pocas palabras.

Sin quererlo realmente, no ha dejado su entorno condicionado por el olor de la arcilla y el polvo de yeso, pero lo ha ampliado hacia fuera, para moverse en lo sucesivo en el ámbito literario. Abrirse de piernas se llama esa figura gimnástica. ¿Es posible que, por demasiado violenta, me haya desgarrado?

Hasta entonces, entre pintores y escultores, con cerveza o aguardiente, había sido sólo un cliente en la barra; ahora, desde el amanecer, se me veía sentado con literatos ante un vaso de tinto.

Hacía poquísimo escuchaba cuando Lud Schrieber, una vez más, conjuraba su ser y su hacer, la miseria de apocalípticos ptolomeos y, al mismo tiempo, la grandeza arcaica; recientemente, sin embargo, yo tenía en los oídos el sonido de escritores de mi misma edad. Se podía admirar la acrobacia verbal de Hans Magnus Enzensberger. Por el flujo del discurso de Martin Walser me dejaba arrastrar a cualquier parte.

Es cierto que mi profesor Karl Hartung, con pocas palabras, me había convertido en su alumno de clase magistral, pero una buena parte de mi tiempo transcurría en la ruina próxima al Dianasee, donde mi Olivetti, con sonido desvencijado y tartamudeante, devoraba grandes hojas de tamaño DIN-A4, sin saciarse nunca.

El bailarín en dos bodas. Se podrían enumerar otros ejemplos de mi inquietud, pero ese ir y venir no daría una imagen de perfiles nítidos; no consigo aprehenderme a mí mismo o sólo lo logro en fragmentos. En una foto estoy sentado delante de una escultura en bronce que, alargada, se asemeja a un ave y tiene su origen en un poema en prosa sobre papel, de origen literario: «Cinco aves. Su infancia se llama: ser palo, arrojar sombras, ser agradable a todo quisque, ser numerado...».

Anna, sin embargo, siguió impresionada sólo por saltos y piruetas, también cuando dejó el templo de iniciación de Mary Wigman y se cambió a Tatjana Gsovsky, es decir, sin que dejaran de dolerle los pies, se despidió del baile de expresión descalzo con pies constantemente doloridos y se sometió a la tortura del ballet clásico.

Cuando, al año siguiente —ya no estaba en Berlín—, escribí para la *Akzente* de Höllerer mi primer ensayo que, con el título de «La bailarina», se convirtió en una declaración de amor aquí a bombo y platillo, allá oculta tras el espejo, comparé los tormentos y placeres de ambas clases de baile, y me entusiasmé al final por las marionetas de Kleist, la muñeca tonta de tamaño natural de Kokoschka y las pequeñas estatuillas triádicas de Schlemmer.

Y entonces Anna, después de un invierno frío y húmedo, comenzó a ponerse enferma. El sótano idílico, en el que para vivir los dos el verano no era suficientemente largo, afectó a sus riñones, su vejiga. Moho en la pared exterior. Todo olía a enmohecido. La ventana no cerraba bien. Además, echaba humo la estufa, cuyo tubo llevaba al exterior atravesando la pared.

Insistí en que nos mudáramos. Sin embargo, Anna quería quedarse. Y cuando, a comienzos del cincuenta y seis o incluso antes de acabar mil novecientos cincuenta y cinco, habíamos cargado la camioneta alquilada con nuestros muebles de cajones, el armarito y el colchón para dos, le costaba abandonar la vista desde la ventana sobre la maleza del jardín, la cercana villa en ruinas y las puestas de sol gratis; tan duraderamente se había afincado.

Mientras desde el oeste se filtraba por la ventana, oblicua, la luz del sol, Anna barrió una y otra vez el entarimado, de forma que se pudo decir: al mudarnos de la Königsallee a la Uhlandstraße dejamos bien barrido aquel agujero alquilado en el sótano.

¿Y luego, y luego? Luego ocurrió eso, luego aquello. Pero antes, en noviembre del cincuenta y cinco, todavía antes de mudarnos al centro del Berlín occidental y hacernos urbanitas, en el calendario figuraba mi primera exposición, por lo que, poco después, pudo leerse en los periódicos...

Sin embargo, así comenzaría a enumerar y no debería ahora traer a colación lo que no debe ser traído a la fuerza a colación. Además, otros han escrito sobre esto y aquello y más, con fechas y lugares en exacta sucesión, sobre mi antes, luego y después. Por ejemplo así: «Del 19 de octubre al 8 de noviembre la galería Lutz & Meyer de la Neckerstraße 36 de Stuttgart presentó dibujos y esculturas del joven y dotado...».

Síseñor. Así siguió. Desde entonces todo está enumerado y fechado, impreso y ordenado en renglones, calificado con notas escolares. Mis comienzos se hacen prometedores, mi teatro pobre de argumento, los poemas extravagantes y juguetones, la prosa despiadada o lo que sea, mis intromisiones políticas luego demasiado fuertes, y se llama a todos mis animales, resumiendo, por su nombre: las ventajas de las gallinas tempranas, el paso de los cangrejos tardíos, el extenso árbol genealógico del perro, el rodaballo entero y sus espinas, el gato que no pierde de vista al ratón, la ratesa con que soñé, el sapo en que me convertí y también el caracol, y cómo nos alcanzó, sobrepasó y silenciosamente se fue...

Lo que la mujer de la limpieza de nuestra propietaria de Schmargendorf, que venía del este de la ciudad, al leer el futuro había predicho ya por los posos del café: comenzaba a hacerme un nombre. Mis años de aprendizaje parecían pasados, según la regla tradicional del oficio, y sólo a los años de peregrinaje no se podía prever el fin.

A finales del verano del cincuenta y seis, Anna y yo dejamos Berlín. Mi regalo de boda, la máquina de escribir Olivetti, en el equipaje. Con poco dinero en el bolsillo pero, en lo que a mí se refiere, interiormente rico en figuras, busqué entonces en París una primera frase, que fuera ineludiblemente breve, para hacer saltar el muro de contención y poner en movimiento la acumulación de palabras. Y Anna tenía la intención de seguir sufriendo con los ejercicios del ballet clásico. Quería aprender, con Madame Nora de la Place Pigalle, a hacer limpias piruetas y sostenerse de puntas sin vacilar.

En París vivimos al principio en la Rue Alibert, cerca del canal Saint-Martin, donde se había rodado una de nuestras películas favoritas: *Hôtel du Nord,* con Arletty y Louis Jouvet. Habíamos vendido nuestros muebles de cajón berlineses, el armarito y el colchón, y ahora, con poco equipaje, buscábamos piso.

París, como correspondía a agosto, estaba vacío. Junto al canal Saint-Martin encontré, entre esclusas y puentes diferentemente curvados, un banco, en donde Gustave Flaubert, al principio mismo de su novela *Bouvard y Pécuchet,* había sentado a sus héroes, por decirlo así con su primera frase.

Luego nos cambiamos a otro barrio parisiense y vivimos en la Rue de Châtillon, en donde cuidamos por poco tiempo el estudio de un escultor suizo. Ya desde Berlín había solicitado Anna, con ayuda de una bailarina amiga, incorporarse a las Blue Bell Girls; sin embargo, sus piernas, para el baile de revista admirado en París, eran un poco demasiado cortas o no lo suficientemente largas.

En París yo no encontraba calma al principio, porque buscábamos piso y yo palabras para una frase que abriera todas las puertas. ¿O estaba escribiendo ya, interrumpido por la búsqueda de piso y palabras, mi himno a «La bailarina» en la Olivetti?

En todos los periódicos y en los suburbios de París reinaba ahora la guerra; para mí, sin embargo, no quería cesar la última, que había comenzado en Danzig cuando, con la defensa del Correo Polaco, mi infancia tuvo su fin. Pero me seguía faltando la primera frase.

Finalmente, el padre de Anna nos compró en la Avenue d'Italie una edificación en un patio interior, cuyos dos cuartitos superiores estaban unidos por un estrecho pasillo, y limitados por la diminuta cocina y el baño con bañera de asiento. Debajo de nosotros vivía un obrero con mujer y niño. Por todas las ventanas veíamos el patio, que limitaban pequeños talleres.

Inmediatamente me instalé un taller en el cuarto de la calefacción de la planta baja, con pupitre para escribir de pie y disco giratorio, y extendí mis manuscritos comenzados en Berlín: la obra en cinco actos *Los malvados cocineros* y algunos esbozos en prosa que, a pesar del cambio de lugar, todavía no sabían adónde ir. Chantal se llamaba la chica que, en el piso que había bajo nosotros, era abofeteada con regularidad por la mujer del obrero, por lo que escribí un poema con el título «Puntualmente».

Cuando hace poco, en París, con mi hija Helene, que hace buen papel como actriz, presenté, ante novecientos germanistas de todo el mundo, nuestro programa *El cuerno mágico del muchacho* con música de Stephan Meier, hubo tiempo para visitar brevemente el 111, Avenue d'Italie. El patio interior es bonito ahora sin los pequeños talleres, alguien con buena mano lo ha llenado de plantas. En el antiguo cuarto de la calefacción sigue estando mi pupitre de entonces, en cuya superficie de escribir creí —nosécuántasveces— haber encontrado la primera frase.

En París supimos Anna y yo desde lejos que en el Berlín occidental y el oriental, con poca diferencia, habían muerto Gottfried Benn y Bert Brecht, dejando huérfanos a sus numerosos epígonos. Escribí un poema como necrológica para los dos.

Y mientras en París la guerra de Argelia celebraba su eco con bombas de plástico y veíamos en los cines de París tanques soviéticos en las calles de Budapest, que nos recordaban los tanques que, pocos años antes, habíamos visto en la Potsdamer Platz de Berlín, encontré por fin ante la pared resbaladiza, por húmeda, de mi estudio, que era al mismo tiempo cuarto de la calefacción de nuestros dos cuartitos, esa primera frase: «Pues sí: soy huésped de un sanatorio...».

En París nos olvidamos de Berlín.

En París nos hicimos amigos Paul Celan y yo.

En París escribí, después de haber encontrado la primera frase, un capítulo tras otro.

En París se secaban las esculturas, se desmoronaban en el armazón.

En París anduvimos una y otra vez faltos de dinero.

Por ello, desde París, tuve que ir en autostop a la Alemania occidental, para, en las emisoras de radio de Colonia, Fráncfort, Stuttgart y Saarbrücken, vender al contado algunos poemas a los programas de noche, a fin de que, durante los tres meses siguientes, pudiéramos comprar sardinas frescas del mercado, costillitas de cordero, lentejas, la *baguette* diaria y el papel para la máquina de escribir.

¿Cómo conseguí, sin embargo, convertirme en París en incesante fabricante de palabras?

En el año setenta y tres escribí «un ensayo sobre un asunto propio», con el título de *Ojeada retrospectiva a El tambor de hojalata, o El autor como testigo dudoso.* En él se describe nuestra estancia en París y se plantea la pregunta sobre el impulso para escribir una novela larga, que se responde así: «El motor más fiable fue sin duda mi origen pequeñoburgués, aquella manía de grandezas saturada de aire viciado y aumentada por haber interrumpido mi bachillerato —me quedé en el quinto año—, y querer hacer algo que no se pudiera pasar por alto».

Hubo también otro impulso, es verdad: desde que había encontrado en París la primera frase ante la resbaladiza pared, las palabras no se me acababan. Me resultaba muy fácil escribir de la mañana a la noche. Página tras página. Las palabras y las imágenes se empujaban, se pisaban mutuamente los talones, había tantas cosas que querían ser olidas, gustadas, vistas, nombradas. Y mientras en los cafés del XIIIème Arrondissement y en el cuarto de la calefacción garabateaba capítulo tras capítulo, lo copiaba luego en la Olivetti y simultáneamente mantenía la amistad con Paul Celan, que sólo podía hablar de sí mismo, solemnemente en *stretti* y como colocado entre velas, de lo indecible en sus poemas y de sus sufrimientos, los mellizos Franz y Raoul nos hicieron padres, es decir, algo que no nos habían enseñado a ser Berlín ni París.

Los mellizos gritaban individual o simultáneamente, y el ahora padre, después de su trigésimo cumpleaños, se dejó crecer el bigote, lo que, en el transcurso de los años, tuvo como consecuencia muchos autorretratos, dibujados a lápiz, grabados en planchas de cobre, o impresos como litografías con piedra caliza de Solnhofen: yo con bigote y un caracol en el ojo; yo frente al rodaballo; yo con clavos de ataúd y un ave muerta; yo soñando con la rata; yo con gorra y un sapo; yo, bigotudo, escondido tras un cactus; y finalmente yo con una cebolla partida por la mitad y un cuchillo.

En París los bigotes eran corrientes. En París compramos un cochecito de niño usado con sitio para los dos desiguales mellizos, uno al lado de otro. Nuestros escasos amigos parisinos se asombraban, mientras Anna y yo, súbitamente y como en una obra de teatro no ensayada, hacíamos de padres. Y Paul Celan, cuyas preocupaciones sólo podían calmarse unas horas, me daba ánimo cuando el trabajo en el manuscrito, por los dos gritones y a pesar de la resbaladiza pared, comenzaba a atascarse.

Poco después del nacimiento de los mellizos, Konrad Adenauer ganó por mayoría absoluta las elecciones al Bundestag, con lo que Alemania, vista desde París, se ennegreció por completo y volvió sobre sí como reincidente.

Cuando dejaba de escribir dibujaba monjas, preferentemente de San Vicente, cuyas cofias tenía ante los ojos desde la muerte de mi pobre madre en el hospital de San Vicente de Colonia, y que ahora dibujaba en el metro de París o en el Jardín de Luxemburgo. Y allí, cerca del carrusel de Rilke, conseguí sacar a Paul Celan de aquellos ciclos en que se creía perseguido y de los que, pensaba, no había escape.

En París compramos, en cuanto Franz y Raoul comenzaron a andar, un corralito de madera y en agosto fuimos, con nuestros mellizos que pronto tendrían un año, a Suiza, donde, a la vista del decorado de montañas del Tesino que relucían al sol, alimenté a mi Olivetti con capítulos en los que la nieve caía sobre la nieve y el Báltico yacía lejos bajo una cerrada cubierta de hielo.

De vuelta en París, Anna bailaba bajo la vigilancia de la severa Madame Nora mientras yo escribía, pero con un oído puesto en los mellizos. De vez en cuando venía de lejos Höllerer, garabateaba postales con tinta violeta que enviaba al mundo entero, y compró para Anna un vestido que llamábamos el vestido de Höllerer.

Desde París fui en la primavera del cincuenta y ocho a Gdańsk, pasando por Varsovia, buscando allí huellas de mi perdida ciudad. Me senté en la biblioteca municipal, que había permanecido intacta, y me vi sentado, a los catorce años, en la biblioteca municipal. Encontré y encontré, también a mi tía abuela Anna, a la que, como entretanto yo era extranjero y adulto, tuve que mostrarle el pasaporte. En su casa olía a leche cuajada y setas secas. Y con ella se me ocurrían más cosas que las que cabían en un libro.

De manera que de mi viaje a Polonia me llevé a París una provisión de hallazgos: polvo de litines efervescente, el ruido del Viernes Santo y los sacudidores de alfombras, el camino de huida del cartero que sobrevivió a la lucha por el Correo Polaco, la ida y vuelta al colegio, lo que había conservado la biblioteca municipal de años enteros de periódicos, los programas de cine del otoño del treinta y nueve. Además, susurros en los confesionarios, inscripciones en las lápidas, el olor del Mar Báltico y las migajas de ámbar que podían encontrarse entre Brösen y Glettkau, a lo largo del ribete de las olas.

De esa forma todo pudo hablar y se mantuvo fresco, porque fue guardado en París como bajo una quesera. Así me agoté y, sin embargo, no estaba vaciado, seguía escribiendo por mi propia mano, pero entretanto era sólo instrumento y obedecía a mis personajes, especialmente al que —noséporqué— se llamaba Oskar. En general, no puedo decir mucho de cómo surgió y surge algo: a no ser que tuviera que mentir...

Y cuando en octubre del mismo año fui de París, pasando por Múnich, a un poblacho bávaro o suabo llamado Großholzleute, para leer allí, ante el convocado Grupo 47, los capítulos «La amplia falda» y «Fortuna Nord», se concedió al autor de una novela casi acabada el premio del Grupo: me encontré con cuatro mil quinientos marcos, espontáneamente donados por los editores: mi primer dinero importante, que me ayudó a escribir tranquilamente otra vez todo en la Olivetti, por decirlo así, en limpio.

Además, el dinero del premio nos reportó un bello tocadiscos de la casa Braun, llamado «ataúd de Blancanieves», que compré en Múnich después de la primera lectura por radio y llevé a París, y en el que escuchamos, una y otra vez, *La consagración de la primavera* de Stravinsky y el *Barbazul* de Bartók. Ahora no éramos ya pobres y podíamos comprarnos hígado de ternera y discos.

En París, Anna y yo bailábamos separados y apretadamente. En París fuimos felices, sin sospechar por cuánto tiempo aún. En París subió De Gaulle al poder y aprendí a temer la violencia de las porras de la policía francesa. En París me hice cada vez más político. En París, ante la pared resbaladiza, algunos tuberculomas se agarraron a mis pulmones, que sólo en Berlín se curarían. En París, los mellizos se me escaparon por la Avenue d'Italie en direcciones opuestas, de forma que no supe detrás de cuál correr primero. En París fue imposible ayudar a Paul Celan. En París pronto no fue posible quedarse.

Y cuando entonces, en el otoño del cincuenta y nueve, apareció la novela *El tambor de hojalata* en su primera edición, Anna y yo fuimos de París a la Feria del Libro de Fráncfort, donde bailamos hasta el amanecer.

Y cuando al año siguiente dejamos París atrás y de nuevo, ahora como familia, tomamos un piso en Berlín, en una semirruina, comencé inmediatamente en la Karlsbader Straße, donde me correspondió uno de cinco cuartos, a dibujar y escribir, porque con mi Olivetti, el regalo de boda, había tomado en París nuevo impulso...

Así viví en adelante, de página en página y entre libro y libro. Sin embargo, permanecí interiormente rico en figuras. Pero para hablar de eso faltan cebollas y ganas.

Índice

OTRAS OBRAS DE

Günter Grass

EN ALFAGUARA

Alfaguara es un sello editorial del Grupo Santillana

www.alfaguara.com

Argentina
Avda. Leandro N. Alem, 720
C 1001 AAP Buenos Aires
Tel. (54 114) 119 50 00
Fax (54 114) 912 74 40

Bolivia
Avda. Arce, 2333
La Paz
Tel. (591 2) 44 11 22
Fax (591 2) 44 22 08

Chile
Dr. Aníbal Ariztía, 1444
Providencia
Santiago de Chile
Tel. (56 2) 384 30 00
Fax (56 2) 384 30 60

Colombia
Calle 80, 10-23
Bogotá
Tel. (57 1) 635 12 00
Fax (57 1) 236 93 82

Costa Rica
La Uruca
Del Edificio de Aviación Civil 200 m al Oeste
San José de Costa Rica
Tel. (506) 220 42 42 y 220 47 70
Fax (506) 220 13 20

Ecuador
Avda. Eloy Alfaro, 33-3470 y Avda. 6 de
Diciembre
Quito
Tel. (593 2) 244 66 56 y 244 21 54
Fax (593 2) 244 87 91

El Salvador
Siemens, 51
Zona Industrial Santa Elena
Antiguo Cuscatlan - La Libertad
Tel. (503) 2 505 89 y 2 289 89 20
Fax (503) 2 278 60 66

España
Torrelaguna, 60
28043 Madrid
Tel. (34 91) 744 90 60
Fax (34 91) 744 92 24

Estados Unidos
2105 N.W. 86th Avenue
Doral, F.L. 33122
Tel. (1 305) 591 95 22 y 591 22 32
Fax (1 305) 591 91 45

Guatemala
7ª Avda. 11-11
Zona 9
Guatemala C.A.
Tel. (502) 24 29 43 00
Fax (502) 24 29 43 43

Honduras
Colonia Tepeyac Contigua a Banco Cuscatlan
Boulevard Juan Pablo, frente al Templo
Adventista 7º Día, Casa 1626
Tegucigalpa
Tel. (504) 239 98 84

México
Avda. Universidad, 767
Colonia del Valle
03100 México D.F.
Tel. (52 5) 554 20 75 30
Fax (52 5) 556 01 10 67

Panamá
Avda. Juan Pablo II, nº 15. Apartado Postal
863199, zona 7. Urbanización Industrial
La Locería - Ciudad de Panamá
Tel. (507) 260 09 45

Paraguay
Avda. Venezuela, 276,
entre Mariscal López y España
Asunción
Tel./fax (595 21) 213 294 y 214 983

Perú
Avda. Primavera 2160
Surco
Lima 33
Tel. (51 1) 313 4000
Fax. (51 1) 313 4001

Puerto Rico
Avda. Roosevelt, 1506
Guaynabo 00968
Puerto Rico
Tel. (1 787) 781 98 00
Fax (1 787) 782 61 49

República Dominicana
Juan Sánchez Ramírez, 9
Gazcue
Santo Domingo R.D.
Tel. (1809) 682 13 82 y 221 08 70
Fax (1809) 689 10 22

Uruguay
Constitución, 1889
11800 Montevideo
Tel. (598 2) 402 73 42 y 402 72 71
Fax (598 2) 401 51 86

Venezuela
Avda. Rómulo Gallegos
Edificio Zulia, 1º - Sector Monte Cristo
Boleita Norte
Caracas
Tel. (58 212) 235 30 33
Fax (58 212) 239 10 51

Este libro
se terminó de imprimir
en el mes de junio de 2007
en Talleres de Pressur
Corporation S.A., Colonia Suiza,
República Oriental del Uruguay.